Sang sucré, pouvoirs codés, médecine amère

Diabète et processus de construction identitaire: les dimensions socio-politiques du diabète chez les Innus de Pessamit

BERNARD ROY

Sang sucré, pouvoirs codés, médecine amère

Diabète et processus de construction identitaire : les dimensions socio-politiques du diabète chez les Innus de Pessamit

LES PRESSES DE L'UNIVERSITÉ LAVAL

Les Presses de l'Université Laval reçoivent chaque année du Conseil des Arts du Canada et de la Société d'aide au développement des entreprises culturelles du Québec une aide financière pour l'ensemble de leur programme de publication.

Nous reconnaissons l'aide financière du gouvernement du Canada par l'entremise de son Programme d'aide au développement de l'industrie de l'édition (PADIÉ) pour nos activités d'édition.

Mise en pages : Diane Trottier

Maquette de couverture : Chantal Santerre

Ilustration de la couverture : Martin Bouchard

ISBN 2-7637-7917-4

Distribution de livres Univers
845, rue Marie-Victorin
Saint-Nicolas (Québec)
Canada G7A 3S8
Tél. (418) 831-7474 ou 1 800 859-7474
Téléc. (418) 831-4021
http://www.ulaval.ca/pul

TABLE DES MATIÈRES

PRÉFACE

Bien qu'il ne soit pas dans le mandat du Comité de recherche du Conseil professionnel de l'Association Diabète Québec d'évaluer des travaux de recherche en anthropologie, après lecture de *Sang sucré, pouvoirs codés et médecine amère* j'ai cru pertinent, à titre de Président du Comité de recherche, de recommander aux membres du Conseil d'administration de l'Association Diabète Québec d'accorder un soutien financier à l'auteur car cette production littéraire, écrite par un anthropologue québécois spécialisé dans le domaine de la santé en milieu autochtone, s'inscrit dans un axe de recherche très actuel au Québec et au Canada. Le diabète est une maladie en progression à travers le monde. Présentement, on évalue à ± 5 % la prévalence de cette maladie sur notre planète et cette fréquence peut se situer à près de 50 % de la population de certains peuples autochtones en Amérique du Nord. Le sujet mérite que l'on s'y attarde et c'est précisément ce que Bernard Roy, auteur de ce livre, a choisi d'aborder du point de vue de l'anthropologie.

Les aspects discutés dans ce livre qui fut, à l'origine, l'objet d'une thèse de doctorat, le sont sous un angle qui paraîtra moins familier aux professionnels de la santé. Toutefois, on y développe des théories originales capables de nous permettre de comprendre les piètres résultats, auprès des membres des Premières Nations, des traitements classiques que nous avons l'habitude d'appliquer, souvent avec succès, chez nos patients « blancs » et de culture franco-britannique. L'insuccès, auprès des autochtones, des campagnes de prévention de l'obésité, du tabagisme et du diabète découlerait, en partie, du fait que celles-ci proviennent de la société dominante non autochtone. Malgré un niveau de connaissance élevé et un réseau élaboré de distribution des soins de santé, les résultats des interventions sont faibles, probablement parce que la non-adhésion au programme représente un moyen de résister à l'assimilation.

Les conclusions issues de cette recherche effectuée au sein d'une Première Nation permettront éventuellement d'élaborer des techniques d'intervention plus performantes que celles que nous connaissons. Il est possible également d'imaginer que les conclusions de cette recherche pourront s'appliquer à d'autres populations autochtones ou non, mais défavorisées, au Québec, au Canada ou ailleurs dans le monde. J'encourage les professionnels de la santé impliqués dans le soin des personnes diabétiques à lire ce livre qui ouvre la voie à des interprétations nouvelles sur les succès mitigés d'une médecine traditionnelle.

Hugues Beauregard, M.D.
Président du Comité de recherche
CPADQ (Conseil professionnel de l'Association Diabète Québec)

REMERCIEMENTS

L'ouvrage *Sang sucré, pouvoirs codés, médecine amère* est une version réaménagée de la thèse de doctorat en anthropologie de la santé que j'ai soutenue le 18 janvier 2002 à l'Université Laval. Cette recherche a, dans les faits, débutée en 1986 alors que je travaillais comme infirmier dans la communauté innue d'Unamen Shipu. Depuis ce jour, j'ai tenté de comprendre. Comprendre les raisons de l'explosion de la prévalence de cette maladie sournoise, de la non-adhésion des diabétiques autochtones à leur traitement ainsi que les incessants insuccès des milieux de la santé.

S'il est vrai que j'ai investi de nombreuses années dans cette recherche, des dizaines de personnes ont également contribué de près ou de loin à mes travaux. Je me dois de remercier tous les Innus et Atikamekw qui, depuis les années 1980, ont accepté de répondre à mes questions, à m'offrir aide, support et collaboration. Ces remerciements s'adressent tout spécialement aux Innus de Pessamit. Pendant cinq années, ils ont contribué étroitement, par leurs pratiques et leurs savoirs, à l'élaboration des thèses que je soutiens aujourd'hui.

Il me faut remercier tous les membres de l'équipe du Groupe Recherche Focus qui m'ont soutenu et qui, patiemment, ont enduré mes humeurs fluctuantes. Je remercie plus spécialement Claude Rousseau qui a su, de main de maître, supporter le travail de remise en forme de ma volumineuse thèse.

C'est à madame Francine Saillant, anthropologue de renom spécialisée dans le domaine de la santé, que je dois cette invitation à publier mes travaux dans la collection Sociétés, Cultures et Santé qu'elle dirige aux Presses de l'Université Laval. Merci, madame Saillant pour cette main tendue et pour votre soutien de tous les instants.

Les propos de cet ouvrage n'engagent que l'auteur. Toutefois, c'est avec honneur que j'ai reçu, pour la publication de cet ouvrage, un soutien de la Direction générale de la santé des Premières Nations et des Inuits (Santé Canada) et de la Direction des services de santé et sociaux innus de Uashat mak Mani-Utenam.

La publication de cet ouvrage a été rendue possible grâce à l'obtention d'une bourse de recherche de l'Association Diabète Québec.

Introduction

· · · · · · · · · · ·

> Le docteur Katz m'a regardé comme si je lui avais fait
> peur. Il se taisait, la gueule ouverte. Des fois j'en ai
> marre, tellement les gens ne veulent pas comprendre.
>
> Le droit des peuples ça existe, oui ou merde ?
>
> Bien sûr que ça existe, dit le docteur Katz et il s'est
> même levé de la marche sur laquelle il était assis pour
> lui témoigner du respect. Bien sûr que ça existe. C'est
> une grande et belle chose. Mais je ne vois pas le
> rapport.
>
> Le rapport, c'est que si ça existe, Madame Rosa a le
> droit sacré des peuples à disposer d'elle-même,
> comme tout le monde.
>
> Émile AJAR, *La vie devant soi*

LES DONNÉES

Le diabète de type II que l'on nomme très souvent diabète sucré
(DS) ou diabète non insulinodépendant (DNID)[1] est un syndrome chronique de plus en plus diagnostiqué chez les Autochtones[2] du Canada et

---

1. Dans cet ouvrage, par souci d'uniformité, des trois termes ici mentionnés nous utiliserons surtout le dernier, « diabète non insulinodépendant » ou DNID.
2. Étant donné que bien souvent « la politique des mots » renvoie « aux mots de la politique », il nous semble important de justifier ici certains choix que nous avons faits au
niveau du vocabulaire. Comment nommer le plus justement possible le groupe d'individus ou les individus qui se reconnaissent des peuples qui habitaient les Amériques
avant l'arrivée des Européens ? En accord avec les pratiques mêmes des milieux autochtones du Québec ou du Canada, nous aurions tendance à privilégier l'expression
« peuples des Premières Nations ». Cependant, étant donné la lourdeur d'une telle formule,
nous utiliserons aussi le terme « autochtone » auquel nous adjoindrons une majuscule

des États-Unis ainsi que chez les Aborigènes d'Australie, les Maoris de Nouvelle-Zélande et de nombreux peuples insulaires du Pacifique. Comme plusieurs chercheurs l'ont souligné, ce qu'il est convenu aujourd'hui de nommer une épidémie prend des dimensions critiques (Harris *et al.*, 1997 ; Gohdes, 1995 ; Joe et Young, 1992 ; O'Dea, 1991 ; Zimmet *et al.*, 1990). Mais cette pathologie affectant le système endocrinien et entraînant des conséquences désastreuses à long terme sur la qualité de vie est, depuis une perspective épidémiologique et médicale, relativement nouvelle dans l'histoire de ces populations. Si nous considérons les taux de prévalence actuellement enregistrés dans les différentes nations amérindiennes, nous constatons que les prévisions des épidémiologues étaient relativement justes. En effet, ceux-ci estimaient qu'au début du troisième millénaire, approximativement 20 % de la totalité des populations composant les Premières Nations seraient diabétiques (Kewayosh, 1993 : 21). Les estimations actuelles concernant l'incidence, la prévalence et les complications du diabète sont souvent prudentes et les taux réels sont probablement plus élevés. De son côté, le rapport de l'enquête médicale concernant les Premières Nations du Québec et du Labrador mentionne qu'un adulte sur dix chez les Autochtones du Québec était, en 1999, atteint de diabète (CSSSPNQL, 1999 : 47). Sachant qu'actuellement de 30 % à 40 % des Amérindiens âgés de plus de 40 ans sont diabétiques, les plus récentes prévisions des épidémiologues sont alarmantes. Ainsi, pour leur part, Thomas et Étienne (1997) prévoient une augmentation de 300 % du taux de diabète chez les Autochtones du Canada d'ici 2016.

En 1996, la Commission royale sur les peuples autochtones déposait un rapport constitué de cinq imposants volumes. Au chapitre trois du troisième volume, les commissaires soulignaient que le diabète est responsable de plusieurs décès prématurés chez les Autochtones et représente une cause majeure de complications médicales et d'invalidité. Il serait à l'origine de maladies affectant les reins, le cœur, l'appareil circulatoire, occasionnant cécité, amputations, maladies du système nerveux ainsi que malformations congénitales chez les enfants nés de mères diabétiques.

Après avoir constaté l'augmentation rapide et constante des taux de prévalence de cette maladie qualifiée par certains de « maladie de l'ère industrielle », les professionnels de la santé s'aperçoivent de l'inefficacité

---

quand il sera utilisé comme nom. Nous utiliserons aussi le terme « amérindien », en le substantivant (avec une majuscule) si nécessaire, ainsi que la très parlante formule « Peuples premiers ».

des moyens de prévention et de la non-adhésion d'un très grand nombre de patients autochtones à leurs traitements. Pourtant les initiatives furent, et sont toujours, nombreuses pour trouver des avenues menant à une plus grande adhésion des diabétiques autochtones à leur traitement ainsi qu'une baisse de l'incidence de cette maladie.

Ainsi, le budget fédéral de 1999 prévoyait l'injection de 55 millions de dollars sur trois ans pour le développement de la Stratégie canadienne de prévention et de contrôle du diabète. De cette somme, 34 millions étaient consacrés à l'Initiative sur le diabète chez les Autochtones.

Dans la foulée, une équipe de recherche (Lavallée, Robinson et Verronneau, 1994) tenta de développer un programme d'intervention éducative destiné aux patients cris diabétiques avec le support du Module du Nord québécois, empruntant une approche multidimensionnelle. Toutes les composantes de ce projet ont été développées par les intervenants communautaires autochtones, les infirmières, les médecins, l'officier de santé publique, les membres du comité de santé ainsi que ceux de l'association des femmes autochtones du village visé. Malgré des efforts évidents et un profond désir d'adapter les programmes d'enseignement et de promotion aux réalités locales et à la culture autochtone, les résultats furent décevants.

Le rapport de la Commission souligne la difficulté des professionnels de la santé à obtenir l'adhésion des diabétiques autochtones à leur traitement. Il y est mentionné que ceux-ci ont tendance à ne pas respecter les prescriptions du médecin concernant les médicaments, le régime et l'exercice. Les programmes courants de prévention et de traitement n'ont aucun succès auprès des populations visées. Ce phénomène s'expliquerait en partie, selon Kewayosh, par le fait que :

> on utilise des outils éducatifs et préventifs non adaptés à la culture des autochtones. Les difficultés qu'éprouvent ces derniers à suivre un régime en sont le meilleur exemple. Il est fréquent que les autochtones diabétiques ne se soumettent pas aux changements de régime prescrits pour les raisons suivantes : a) le rôle que la nourriture joue pour eux ; b) une conviction profondément enracinée dans leur culture que santé et prospérité sont synonymes d'embonpoint ; c) le fait qu'ils ne connaissent pas nombre des produits alimentaires recommandés dans le régime ; d) le coût élevé de beaucoup de ces produits, qui non seulement sont difficiles à trouver, mais exigent parfois une présentation spéciale (cité dans Gouvernement du Canada, 1996c : 165).

QUESTIONNEMENT

Lorsque nous avons décidé d'aborder la question du diabète en milieu autochtone, nous l'avons fait, en premier lieu, à partir des préoccupations de praticien qui étaient les nôtres. Il y avait cependant un point sur lequel nous ne cessions de nous buter : les insuccès patents des interventions de la santé publique. Mais, avant de pouvoir répondre avec rigueur à cette première question, il fallait affronter une question encore plus fondamentale : les raisons de l'émergence de cette épidémie. D'où les deux grands questionnements autour desquels s'articule notre recherche : comment expliquer, d'abord, l'explosion de la prévalence du diabète chez les peuples autochtones ? Comment, ensuite, rendre compte des insuccès répétés et chroniques des multiples approches, programmations et initiatives des milieux de la santé publique orientées depuis des perspectives de prévention primaire, secondaire et tertiaire auprès des populations autochtones ?

Aborder la question du diabète en milieu autochtone, c'est évoquer une série de questions trouvant leurs principaux points d'ancrage dans des concepts de l'anthropologie de la santé. De prime abord, en questionnant l'origine de cette maladie et les raisons pour lesquelles certains peuples semblent plus affectés que d'autres, l'incontournable explication génétique s'impose. Impossible ici de passer outre l'hypothèse émise par Nell, en 1962, qui suppose l'existence d'un génotype spécifique aux populations autochtones.

Jusqu'à aujourd'hui, les concepts qui ont été le plus travaillés par l'anthropologie et par d'autres sciences sociales sont, après ceux de « santé » et de « maladie », ceux de « culture », « d'acculturation », de « stress d'acculturation » et d'« adaptation ». Comme nous le verrons, l'anthropologie, en abordant cette nouvelle problématique de santé chez les peuples autochtones depuis une perspective critique, a pu également utiliser les concepts de « colonialisme interne », d'« ethnicité », de « racisme », de « pouvoir », de « résistance » et de « métissage » afin de mettre en lumière les forces et les dynamiques en jeu dans la genèse de cette nouvelle maladie.

IMPORTANCE DU CONTEXTE HISTORIQUE

Nous estimons qu'il est impérieux de prendre en considération le fait que l'époque où le diabète s'inscrit pour les premières fois dans les profils épidémiologiques des nations autochtones correspond à l'expansion et au développement de l'économie marchande au Canada, aux États-Unis et à l'échelle mondiale. Et, ce, notamment à l'occasion d'une accélé-ration marquée des phénomènes d'urbanisation et d'industrialisation après la Seconde Guerre mondiale. En ce sens il nous paraît nécessaire de contextualiser l'apparition de cette nouvelle maladie à un niveau « macrosociétal »[3].

Pour les Innus de Pessamit[4] ainsi que pour ceux de l'ensemble de la Côte-Nord du Saint-Laurent, cette époque correspond à la naissance des villes de Baie-Comeau et de Sept-Îles. Cette urbanisation a entraîné de profondes transformations dans l'économie, dans les rapports entre Autochtones et non-autochtones, tout en accélérant le retrait des Innus de leurs territoires envahis par des compagnies forestières ou inondés par les bassins de rétention des barrages hydroélectriques.

À l'autre bout du monde, dans le Pacifique Sud, chez les Autoch-tones de l'île de Nauru, le diabète passera d'un taux de prévalence de 0 % à 28 % en quelques décennies. Curieusement, l'apparition de cette nou-velle maladie correspond également à la dépossession de ces insulaires par la Société des Nations de leur territoire confié à l'Australie, la Grande-Bretagne et la Nouvelle-Zélande, et à l'exploitation intensive des riches gisements en phosphate de l'île. Ainsi, non seulement les 10 000 habitants de Nauru furent-ils privés de leurs sources de revenus, mais, en plus, leur île fut transformée en un désert inculte auréolé de palmiers, et le diabète devint un problème de première importance.

Ces années correspondent également à la naissance ou, plutôt, à l'accentuation d'un discours politique autochtone qui s'organise et se struc-ture à l'échelle des Amériques et du monde. Ainsi, au cours de la seconde moitié du XXe siècle, les revendications autochtones concernant le droit à l'autodétermination, à l'autonomie, à la prise en charge de l'éducation, de la santé et bien entendu de l'économie, s'accroissent de façon signifi-cative dans un contexte de lutte pour l'émancipation et la décolonisation.

---

3. Tout au long de cet ouvrage, nous utiliserons les diminutifs macro, méso et micro au lieu des termes macrosociétal, mésosociétal et microsociétal, et cela en nous référant impli-citement à la réalité sociale et aux différents niveaux d'analyse menés à son égard depuis l'approche globale et synthétique (le niveau macro) jusqu'à l'approche la plus particu-lière et locale (le niveau micro), en passant par des niveaux intermédiaires (le niveau méso).
4. Dans cet ouvrage, pour désigner la communauté innue, généralement nommée Betsiamites, nous avons privilégié l'appellation Pessamit. Celle-ci nous semble plus con-forme à la prononciation innue et, d'un point de vue identitaire et politique, plus proche des acteurs sociaux de cette communauté.

Les affrontements opposant les Autochtones aux institutions de l'État furent nombreux au cours des dernières décennies. Mentionnons, dans les années 1950, la résistance des Mohawks de Kahnawake à l'expropriation d'une partie de leur terre, alors qu'au cours des années 1980 eurent lieu de nombreuses occupations de lieux revendiqués par différentes nations autochtones. Les années 1960 et 1970 furent marquées par un accroissement important du militantisme autochtone. Au milieu des années 1970, le American Indian Movement (AIM) et le Red Power Movement voient leurs influences gagner du support dans les milieux autochtones du Canada.

En bref, les relations entre l'État et les Autochtones ainsi qu'avec les non-autochtones ont profondément été modifiées au cours de la dernière moitié du XXᵉ siècle. Toutes ces revendications, soutenues par un nombre grandissant d'organisations autochtones, font que celles-ci se sont imposées comme acteurs politiques sur les scènes nationale et internationale. C'est ainsi qu'en 1982 on assiste à la naissance du Groupe de travail des populations autochtones dans le cadre du système des droits de l'homme qui est à l'origine du projet de Déclaration des droits des peuples autochtones.

C'est à la lumière des relations de pouvoir au niveau macro entre l'État et ce que nous nommerons ses « colonies internes » que nous avons choisi d'appréhender la première question de fond que nous nous sommes posée dans cette recherche, à savoir celle concernant l'émergence de cette épidémie de diabète chez les Autochtones.

Cette contextualisation et cette lecture permettent de faire apparaître un ensemble de facteurs déterminants (liés à la question des rapports de forces et des relations de pouvoir entre Autochtones et non-autochtones, et entre Autochtones eux-mêmes) qui contribuent à créer les conditions initiales d'émergence, de maintien et de développement contemporain du diabète, appréhendé bien sûr en tant que maladie par le monde biomédical, mais également et surtout en tant que « normalité » dans le milieu de vie des Autochtones.

CRÉATION QUOTIDIENNE D'UN MILIEU DE VIE

Les changements d'ordre alimentaire, gestuel, physique et bien d'autres sont généralement incriminés à titre de facteurs décisifs lorsque, dans les milieux épidémiologiques, on élabore le profil étiologique du diabète. La plupart du temps, ces modifications sont ainsi associées à un rapide processus acculturatif, à une perte de l'identité autochtone au profit d'une identité métissée ayant d'incertaines racines situées à l'interstice de ces deux mondes. L'un de ces mondes, profondément autochtone, renverrait à la tradition, l'autre à la modernité mais à une modernité, dissociée de la tradition.

Nous estimons pour notre part que toutes les transformations qui se sont concrétisées en attitudes, habitudes et comportements, souvent associés par les épidémiologues à des « facteurs de risques », résultent d'un processus de création quotidienne d'un milieu de vie intimement lié à l'exercice d'un pouvoir local, certains diraient d'un contre-pouvoir, visant à générer un milieu de vie viable. Cette capacité à créer au jour le jour qui relève d'une intelligence individuelle et collective et est indissociable des combats et des plaisirs de tous les jours (de Certeau, 1990) dessert sans aucun doute l'objectif individuel et collectif de vivre un quotidien en « santé ». Elle permet ainsi à des groupes entiers d'affronter des situations délicates, et surtout elle nous oblige, en prenant en compte ce que nous appelons « la conception populaire de la santé », à nous confronter au concept de santé élaboré par le monde biomédical et rendu opérationnel par ses interventions de contrôle, de prévention et de promotion. Impossible en effet de ne pas voir qu'au niveau local, dans les communautés autochtones, nous sommes en présence d'une conception populaire de la santé très vivante. Une conception vécue, intégrée, actualisée par chacun des acteurs de la collectivité dans le cadre familial, communautaire, de la vie quotidienne, en marge d'une société dominante qui les ostracise et les maintient en périphérie, tant d'un point de vue subjectif qu'objectif.

L'anthropologie doit être capable, nous semble-t-il, d'appréhender les individus de ces sociétés, non seulement comme des êtres culturels mais surtout comme des acteurs sociaux, politiques et économiques. Des acteurs qui, plutôt que de se trouver en éternel processus d'adaptation, sont les créateurs d'un quotidien qu'ils désirent le plus heureux possible.

Nous appréhenderons la communauté autochtone non pas comme un tout homogène mais plutôt comme un regroupement d'acteurs sociaux se reconnaissant, bien sûr, dans une collectivité, mais appartenant également à des « groupes d'intérêts » relativement distincts. Selon cette perspective, nous prenons en considération les individus comme membres de « groupes d'intérêts » visant à restructurer les inégalités et à créer un nouvel ordre social au sein même de leur collectivité, soit à l'échelle régionale, mais aussi à l'échelle nationale et même internationale. Ainsi, le fait d'appartenir à la jeunesse ou encore d'être femme aura des conséquences inévitables et importantes sur la détermination de la place occupée dans le milieu social, mais également sur les actions posées dans le but d'innover et de créer un nouvel environnement social.

Selon notre approche, certains «facteurs de risque», tels que l'obésité, nous permettraient d'identifier les éléments d'une structure identitaire, de reconnaissance, de solidarité prenant racine dans une histoire locale intimement liée à celle du développement de l'économie marchande (la mondialisation contemporaine). Tels seraient quelques-uns des éléments qui nous donneraient les moyens de mieux comprendre les dimensions sociales[5] et historiques d'une maladie que la biomédecine définit dans ses dimensions biologiques[6] et que certains courants anthropologiques persistent à limiter à sa dimension individuelle[7].

SURVEILLANCE : DEUX PÔLES

En prenant en considération les niveaux micro et macro, nous constatons qu'à un niveau intermédiaire (méso), État colonial et «colonisés[8]» semblent s'être mutuellement dotés de systèmes de contrôle puissants assurant l'exercice et l'application du pouvoir au quotidien. Et c'est en prenant en considération ces forces vives en jeu dans la société autochtone moderne que nous jetons un nouvel éclairage sur notre deuxième question de fond : Pourquoi les campagnes de prévention primaire, secondaire et tertiaire de la santé publique en milieu autochtone se butent-elles constamment à d'importants insuccès et ce, malgré l'injection d'importants investissements humains, scientifiques et financiers ?

Pour rendre compte de ces conditions d'insuccès, nous nous référons au concept de «panoptisme», élaboré par Foucault, et aux *stratégies liées au panoptisme*, c'est-à-dire à la spécificité de ce geste cartésien de la modernité scientifique, politique, militaire et de la santé publique qui

---

5. *Sickness*, qui se réfère aux dimensions sociales de la maladie.
6. *Disease*, qui renvoie aux dimensions biologiques et physiologiques de la maladie.
7. *Illness*, qui fait appel aux perceptions des individus dans l'expérience qu'ils font de la maladie.
8. Nous utilisons le mot «colonisés» mais les individus auxquels nous nous référons, par leur action même et par leur résistance, dépassent la dynamique oppresseur-victime, actif *versus* passif, et s'inscrivent déjà depuis de nombreuses décennies dans un processus de décolonisation. Lorsque nous utilisons le terme «colonisés», nous sommes à l'affût de cette résistance qui permet d'aller au-delà du statut de colonisé, d'exploité, de victime, du déjà fondu dans la norme imposée.

postule la mise en place d'un lieu susceptible d'être entièrement circonscrit. Cette *pratique panoptique* fonctionne comme une sorte de laboratoire de pouvoir. «Grâce à ses mécanismes d'observation, elle gagne en efficacité et en capacité de pénétration dans le comportement des hommes» (Foucault, 1975: 238).

Mais la mise en place d'un système de surveillance efficace et puissant n'est pas seulement l'apanage de la société dominante et de son système de santé. Certains de ces mêmes éléments pourraient se retrouver, à titre de contre-pouvoir agissant, au sein de la communauté autochtone. C'est ici que ressort, cette fois-ci au niveau des communautés autochtones, les caractéristiques de l'agir autochtone qui s'appuie sur la *tactique*, définie par Michel de Certeau: cette action de création quotidienne qui ne repose pas sur un projet global, qui ne parvient pas à totaliser son adversaire dans un espace distinct, qui fait du coup par coup, qui profite des occasions, qui en dépend.

Alors que les moyens de contrôle de l'État et des milieux de la santé prennent la forme d'institutions culturelles, spirituelles et juridiques, et d'organismes de santé financés à coup de millions, ceux des milieux populaires s'intègrent dans les plis et replis de la vie quotidienne, dans les regards et les paroles des femmes et des hommes, par la voix de la radio communautaire et par celles des «radios à ondes courtes» diffusant jusqu'aux confins de la forêt d'épinettes ou par le biais des lignes téléphoniques, autour des tables de cuisine ou des cartes de bingo, et désormais se glissant jusque sur le Web.

La question du diabète en milieu autochtone ne peut être appréhendée qu'en la situant au cœur des relations construites autour des institutions de santé coloniales mises en place au cours du XIXᵉ siècle dans les réserves indiennes du Canada. Elle procède déjà de ce qui peut être perçu comme une dynamique avant-coureuse de l'actuelle mondialisation des marchés. En ce sens, nous considérons que les Premières Nations sont parmi les toutes premières victimes de la globalisation des marchés, globalisation qui s'applique à nier la spécificité du local, du régional, au profit d'un quelconque mieux-être général qui se perd dans une notion de «monde» ou «d'ailleurs» irréelle et, somme toute, déshumanisée. C'est contre cette normalisation, cette tentative de nivellement des spécificités, que se sont opposés et s'opposent encore les communautés autochtones, résistant au rôle de victime, refusant celui de déviant.

Nous estimons que la biomédecine et les rapports de pouvoir qu'elle entretient dans le cadre des «réserves», *via* ses institutions avec les populations, les individus, la maladie et la santé, sont au cœur même du problème qui nous intéresse. En somme, par la place qu'elles occupent dans l'histoire et les dynamiques de pouvoir passées et actuelles en milieu amérindien, les interventions normatives et de contrôle de la biomédecine sont également des éléments qui contribuent à la genèse du problème étudié.

Après avoir présenté certains des principes de l'anthropologie critique dans le premier chapitre, nous présenterons la communauté de Pessamit au second, puis décrirons le phénomène d'émergence du diabète au cours du troisième. Notre tableau général sera complété au quatrième chapitre : nous y aborderons le modèle explicatif associé à la biomédecine et l'approche bioculturaliste, modèle qui suggère que les composantes génétiques liées à l'appartenance à une « race » ou à un groupe ethnique influenceraient de manière importante l'émergence de cette problématique.

Des zones grises auront alors été montrées, zones que le chapitre 5, utilisant des concepts de l'anthropologie critique, s'appliquera à doter d'un nouvel éclairage les conditions ayant favorisé l'émergence de l'épidémie de diabète chez les membres des Premières Nations et les insuccès des campagnes de prévention. Notre démarche nous portera, au chapitre 6, à analyser les transformations l'acte alimentaire puis de l'obésité en appréhendant ces lieux comme des dimensions lourdement chargées de sens et profondément associées aux rapports sociaux et politiques qui animent la société autochtone. Au chapitre 7, nous approfondirons notre démarche en tentant de démontrer que les rapports des Innus avec l'alcool se sont également lourdement d'une symbolique identitaire et politique au cours des dernières décennies. Acte alimentaire, rapport au corps et consommation d'alcool étant tous associés à la genèse du diabète.

Les chapitres 8 et 9 seront pour nous l'occasion de démontrer que la société innue est constituée d'une mosaïque de groupes d'intérêts porteurs de discours ayant, à des degrés différents, un rôle à jouer dans le développement et le maintien des conditions d'émergence du diabète. Également, les jeux d'intérêts qui dynamisent la société innue ne sont pas sans lien avec le développement des résistances aux campagnes de prévention des milieux de la santé.

Les deux derniers chapitres de cet ouvrage seront pour nous l'occasion de poser un regard critique sur les stratégies biomédicales et de la santé publique pour lutter contre le diabète. Ainsi, dans le chapitre 10, nous nous consacrerons à l'évaluation des résultats obtenus, dans les milieux innus, par les approches classiques des milieux infirmiers et bio-médicaux. Finalement, nous tenterons de démontrer, dans le chapitre 11, que les interventions des milieux de la santé doivent être résolument interprétées comme des interventions politiques. De ce fait, les résistances des populations autochtones aux campagnes de prévention et même à la diète et à la prescription apparaîtront comme des réalités ne relevant pas seulement de l'absence de conscience ou de connaissance. Nous comprendrons alors que les dynamiques qui animent le niveau microsociétal sont intimement et dialectiquement associées aux dimensions macrosociétales.

CHAPITRE I

L'anthropologie médicale critique

Dans une perspective biomédicale, le diabète est appréhendé et analysé comme un objet mesurable et comme une maladie attribuable à une ou plusieurs perturbations de la physiologie humaine, ainsi qu'à une mésadaptation au regard d'un environnement donné. Ce regard biomédical et son omniprésence font en sorte que les bénéficiaires du système de santé affectés par cette pathologie sont considérés comme des «cas de diabète» et non plus comme des individus évoluant dans un milieu social dynamique et porteur d'une historicité. Dans la perspective biomédicale, l'individu est totalement désincarné. Victime d'une biologie défaillante dans un contexte moderne, il est du coup victime de son incapacité à faire des choix adéquats correspondant aux impératifs de la vie moderne.

Au cours de la première moitié des années 1990, les commissaires de la Commission royale sur les peuples autochtones ont porté leur attention sur de nombreuses réalités des milieux autochtones canadiens. Plusieurs témoignages ainsi que maintes observations ont mené ceux-ci à faire cette constatation à propos des actuelles pratiques médicales ayant cours dans la majorité des milieux autochtones :

> Le système actuel fonctionne en isolant les «problèmes» symptomatiques – grossesses chez les adolescentes, diabète, invalidité, suicide – et en mettant sur pied des programmes distincts pour régler chacun de ces problèmes. Au cours de nos audiences publiques, les autochtones ont dénoncé l'approche «fragmentaire» des soins de santé qui, d'ailleurs,

ne fonctionne pas. Nous en sommes même arrivés à la conclusion que le maintien de l'approche actuelle en matière de services ne fait que perpétuer le mauvais état de santé et les problèmes sociaux des autochtones. Quelle que puisse être la qualité des résultats obtenus dans le cadre restreint d'un programme de santé ou d'un programme social donné, ce programme ne peut modifier la réalité des conditions défavorables des autochtones – ces cycles de pauvreté, de dépendance et de désespoir – qui déterminent leur état de santé et leur vulnérabilité à la maladie (Gouvernement du Canada, 1996c : 252).

Pourtant, à la fin des années 1990, l'État canadien a commandé aux institutions de santé d'entreprendre une guerre à finir contre le diabète chez les Autochtones ; pour parvenir à ce résultat, les stratégies choisies consistent à parvenir à un plus grand contrôle des individus et des groupes sociaux concernés par cette maladie. Puisqu'il est considéré qu'une maladie comme le diabète est d'abord et avant tout un problème relevant de choix individuels inappropriés, il est établi que cette épidémie sera endiguée par l'accroissement de mesures de contrôle biomédical et par une plus large pénétration des savoirs inhérents à cette science dans les milieux autochtones. Ainsi, il s'avère important de contrôler les paramètres biologiques chez les personnes atteintes, de détecter un à un et le plus rapidement possible tous les nouveaux cas et finalement de parvenir à contrôler les habitudes de vie des populations à risque. Il est évident que cette approche évacue presque totalement toutes les dimensions sociales et historiques en jeu dans la genèse du diabète au profit d'une approche centrée sur l'individu.

L'anthropologie médicale critique[1] constitue le cadre théorique pour aborder nos questions. Cette perspective offre un point de vue permettant d'appréhender la problématique du diabète tout en tenant compte, bien sûr, des dimensions *disease, illness* mais également de la dimension

---

1. Ici nous utilisons l'appellation « anthropologie médicale critique » pour aborder le cadre théorique que nous utilisons. Toutefois, rappelons que nous préférons l'appellation « anthropologie de la santé ». Cette dernière désignation nous paraît préférable puisqu'en elle-même elle nous positionne en dehors du champ de la biomédecine et de la clinique. Notre objet est tout d'abord la santé. Ce dernier concept est toutefois entendu dans des dimensions plurielles, et il est difficilement saisissable en termes quantifiables. Il emprunte inévitablement les créneaux de la biomédecine puisque ces derniers font partie des possibles. Par contre, l'objet « santé » qui est sous-entendu dans la désignation de notre approche fait d'abord appel au concept de « santé populaire », cette « santé » que les acteurs des sociétés intériorisent, actualisent et opérationalisent au quotidien et qui est difficilement quantifiable ou définissable selon les paramètres cliniques de la biomédecine.

sickness de la maladie. Cette approche porte moins sur les fondements culturels des comportements des individus considérés comme à risque que sur les rapports de pouvoir existant au sein de la communauté, entre les communautés ainsi que sur les acteurs politiques et forces de pouvoir en présence (Massé, 1995: 71).

Pour l'anthropologie médicale critique la maladie est l'expression de phénomènes sociaux, économiques, politiques et culturels qui transcendent tous les aspects de la vie humaine. Si l'être humain appartient au règne de la nature, il relève et vit dans un environnement qui, lui, est façonné par une culture vivante se transformant au quotidien. Il est impossible de saisir la complexité des réalités humaines en séparant nature et culture, tout comme il est illusoire de tenter de saisir la culture ainsi qu'on saisirait un objet inerte. La société dans laquelle évolue l'être humain relève de cette culture, et il est essentiel de reconnaître également qu'au sein de cette société existent des relations de pouvoir, des champs de force qui la traversent de façon inégale. Peu de gens n'admettraient pas aujourd'hui que dans toutes les sociétés la distribution des maladies reflète l'état de distribution de la richesse et du pouvoir au sein de celles-ci. En fait, là où nous trouvons plus de maladies nous retrouvons généralement beaucoup moins de « richesse »[2].

Au début du XXe siècle, nombreux furent ceux qui tentèrent de démontrer que la tuberculose était d'abord et avant toute chose une maladie relevant essentiellement de la nature. On chercha même à démontrer que, si les membres des Premières Nations du Canada étaient plus durement touchés par cette maladie, cela relevait du fait que ces derniers étaient biologiquement défavorisés par rapport aux Canadiens d'origine européenne. Mais, dès la fin des années 1950, et spécialement grâce aux travaux de René Dubos (1952), on a peu à peu reconnu que la distribution de la tuberculose était étroitement associée aux conditions de logement précaires et à la malnutrition.

---

2. En 1991, Statistique Canada considérait qu'un revenu inférieur à 20 000 $ pour une famille de trois individus (sans spécification de l'âge) constituait un faible revenu et établissait que ces personnes vivaient en situation de pauvreté. L'établissement des taux de pauvreté se réalise toujours en regard de paramètres quantifiables qui renvoient généralement à l'absence ou à la présence d'un revenu considéré comme suffisant. Mais, depuis notre perspective, la pauvreté fait autant, sinon surtout, référence au pouvoir que détiennent les acteurs sociaux sur leur propre vie et leur destinée ainsi que sur leur environnement social, économique, politique et naturel.

SANTÉ

Les constatations précédentes sur le diabète et l'anthropologie critique nous amènent à nous arrêter un moment sur le concept de santé et ses implications au niveau de son utilisation dans le cadre de la santé publique.

C'est au nom de la santé des populations et des individus que les intervenants de la santé publique et les professionnels de la santé élaborent des plans d'intervention, des programmes particuliers destinés aux personnes diabétiques. Les planificateurs de la santé, préoccupés par l'action, doivent parvenir à appréhender la santé de façon à pouvoir établir des plans d'action. Pour parvenir à cette fin, il leur est essentiel d'établir une définition de la santé qui revêt un caractère opérationnel.

Or, en santé publique, il est d'usage de limiter la santé à quelques attributs appartenant à des individus et de les distinguer des déterminants pouvant être de nature environnementale ou sociale.

Mais si, pour la biomédecine, la santé se définit d'abord et avant tout par l'absence ou la présence de la maladie, c'est-à-dire par la négative, il n'en va pas de même pour tous les acteurs sociaux. La santé n'appelle pas les mêmes valeurs, les mêmes critères chez tous les groupes sociaux, chez tous les peuples, dans toutes les cultures.

Dans les communautés autochtones (comme dans bien des milieux qui ne se définissent pas nécessairement à l'intérieur d'une problématique raciale ou ethnique, mais toujours dans un cadre d'exclusion, de marginalisation) la présence d'une maladie ne signifie pas toujours nécessairement la perte de la santé. La santé y est d'abord associée, comme nous le verrons plus loin, à un état positif caractérisé essentiellement par le fait « d'être bien dans sa famille », « d'être bien dans sa peau » et « d'être capable de prendre soin de soi-même ».

Délimiter les pourtours d'un concept de santé (et par extension d'un concept de « santé populaire ») est bien plus qu'une simple formalité. Bien que plusieurs écrits le mentionnent, en particulier ceux de l'OMS, la santé ne peut se réduire au simple fait de l'absence[3] ou de la présence de

---

3. L'OMS a défini, dans la *Charte d'Ottawa pour la promotion de la santé*, ce concept comme étant : « L'aptitude pour identifier et réaliser ses aspirations, satisfaire à ses besoins et modifier ou faire face à son environnement. La santé est donc une ressource de la vie quotidienne et non pas un objectif de vie. La santé est un concept positif mettant l'accent sur les ressources sociales et personnelles ainsi que sur les capacités physiques ». Organisation mondiale de la santé, bureau régional pour l'Europe, *Charte d'Ottawa sur*

maladies. Si, pour la médecine, la maladie se définit toujours en des termes qu'il est convenu de nommer « scientifiques et précis », nous constatons que les concepts de « maladie » et de « santé » diffèrent d'une culture à l'autre, d'une société à l'autre, d'un groupe social à l'autre. Toutefois, un fait demeure : chez tous les peuples, la conception de la santé fait référence à la qualité de vie. « L'enseignement principal que l'on peut retirer des vieux Innus, c'est peut-être que la santé est finalement une question de qualité de vie » (Lacasse, 1982 : 28). Cette notion de qualité de vie varie cependant d'un peuple à l'autre, d'un groupe social à un autre :

> Les gens des milieux populaires valorisent moins la santé que les personnes de classes sociales favorisées parce qu'ils cèdent en priorité à une satisfaction immédiate plutôt qu'à une perspective à long terme. [...] le mode de vie populaire accorde une valeur fondamentale au monde du quotidien, au sens du présent, de même qu'au goût de vivre (Paquet, 1990 : 67).

L'imposition d'une conception de la santé relevant de paramètres définis par d'autres, en l'occurrence par des spécialistes, constitue une intrusion de ce qui peut être associé au global, à la société dominante, dans le local. La biomédecine et la santé publique ont de telles attitudes qui ont eu pour effet, dans les milieux autochtones, d'effriter la confiance des acteurs sociaux en leurs propres manières d'être et de faire au regard de la santé et de la maladie. Les rapports coloniaux ne font pas toujours appel aux fusils ou à la législation. Ils peuvent fort bien reposer sur des outils en apparence bienfaisants, tels les vaccins, les produits pharmaceutiques ou un guide alimentaire.

MALADIE

Mais de la même manière qu'il est important de déterminer les paramètres de ce qu'est la santé aux yeux des différents acteurs sociaux, il est également important de réfléchir à la question de la maladie.

L'anthropologie médicale a contribué à la compréhension de la réalité « maladie » (*disease*) en proposant l'éclatement de ce premier concept en une triple réalité (Fainzang, 1989 : 11). Ainsi, un second concept, *illness*, permet de prendre en considération les perceptions et expériences de l'individu en relation aux problèmes de santé d'ordre biomédical (Massé,

---

la promotion de la santé, Copenhague, cité dans P. Shah Chandrakant, *Médecine préventive et santé publique au Canada*, Québec, Les Presses de l'Université Laval, 1995, p. 1.

1995 : 37). Ce second concept renvoie à ce qui peut également être nommé la « maladie à la première personne ». Ainsi, nous pouvons dire que *disease* fait appel à une perturbation mesurable, quantifiable d'un organe ou d'un système alors que *illness* se rapporte à ce qu'une personne ressent (Helman, 1990 : 107). Ces deux premiers concepts permettent d'envisager qu'une personne peut effectivement souffrir objectivement d'une maladie (*disease*) et ne pas se sentir malade.

Le concept de maladie (*sickness*), estime l'anthropologue Jean Benoist, est susceptible de rendre compte à la fois des conditions sociales, historiques et culturelles d'élaboration des représentations du malade et des représentations du médecin, et cela quelle que soit la société concernée. Le concept de maladie, *sickness*, désigne alors le cadre anthropologique qui permet d'analyser et de situer les unes par rapport aux autres « toutes les dimensions » du discours et du comportement du malade ainsi que « toutes les dimensions de la pratique sociale » qu'est la médecine (et donc, notamment, la dimension *disease*). Ainsi, le terme *sickness* peut désormais être utilisé pour désigner « le processus de socialisation de disease et d'illness » (Laplantine, 1992 : 20-21).

En ne prenant en compte que les éléments d'ordre biologique, la biomédecine contribue à négliger les facteurs sociaux à l'origine de la maladie (Baer, Singer et Susser, 1997 : 6), tels que la malnutrition, l'insécurité et la précarité économiques, la pollution, l'insalubrité des habitations, etc. Larocque a particulièrement démontré que la présence d'un ou de plusieurs virus ne peut, à elle seule, expliquer l'éclosion des épidémies qui, par exemple, décimèrent les populations autochtones. L'agent pathogène est nécessaire mais non suffisant pour expliquer la maladie. Il semble aujourd'hui qu'en bout de ligne les agents pathogènes ont vraisemblablement eu « un effet négligeable, en comparaison de la rupture de l'ordre social provoquée par le processus de colonisation » (Larocque, 1988 : 6).

APPLICABILITÉ

Notre approche tend à l'applicabilité. Toutefois, elle ne cherche pas uniquement à identifier des moyens et des mécanismes visant à provoquer des changements de comportement allant dans le sens de la prescription biomédicale. Elle vise surtout à favoriser l'expression de la parole des acteurs sociaux, l'exercice d'un pouvoir local, l'élaboration de stratégies et de plans d'action à partir d'initiatives et de volontés issues de secteurs communautaires. « La recherche critique vise à redonner le pouvoir à la communauté et aux " bénéficiaires ", avec pour ultime objectif l'autodétermination et une plus grande équité dans la distribution des ressources de pouvoir » (Coreil et Mull, 1990 : 49).

Lorsque des populations entières résistent à l'application de la prescription, on ne peut se contenter d'argumenter dans le seul sens de l'ignorance des acteurs. Nous croyons que ces phénomènes sont des manifestations concrètes de la confrontation d'intérêts divergents qui vont bien au-delà de la non-compréhension et de la non-adhésion aux sacrosaints savoirs biomédicaux. Et dans cette perspective, le savoir biomédical, la prescription biomédicale, les rapports des instances relevant de la biomédecine avec les populations doivent être appréhendés comme l'exercice de forces ayant pour objectif ultime le « contrôle des populations » (Foucault, 1979), leur soumission à des normes définies et appliquées depuis l'extérieur des milieux visés. En ce sens, les interventions biomédicales sont incontestablement des interventions politiques de normalisation. Et si nous sommes dans le champ du politique, il est essentiel que les acteurs sociaux s'inscrivent dans cette dynamique en prenant pleinement conscience du pouvoir qu'ils détiennent afin de transformer leur situation de simples sujets à celle de créateurs et de partenaires.

CULTURE ET MÉTISSAGE

La culture est un concept clef de l'anthropologie. Il demeure nécessaire de nous situer en tant qu'anthropologue de la santé face à ce concept central.

Les modèles explicatifs de l'émergence du diabète empruntent pratiquement toujours le concept de culture. Ainsi, il est souvent mentionné que la nature biologique de l'Autochtone appelle un mode de vie traditionnel et, donc, une culture adaptée à un monde prémoderne. Le passage d'une culture relevant du nomadisme, de la chasse, de la pêche et de la cueillette à un environnement moderne serait au centre de l'explication de l'émergence du diabète chez les Autochtones comme de bien d'autres maladies dites de la modernité. D'après cette conception de la culture, le besoin de santé est à l'origine de comportements culturels associés à l'hygiène. Ainsi, l'étude des institutions associées à ce besoin, comme par exemple la médecine traditionnelle, permettrait d'appréhender la culture qui distinguerait chacun des peuples, l'institution devenant centrale pour accéder à la culture, puisqu'elle est le lieu de manifestation par excellence de cette dernière (Schulte-Tenckhoff, 1985).

Pour les milieux de la santé publique, la non-adhésion des diabétiques autochtones à leurs traitements pourrait tout autant s'expliquer par des dimensions concernant la culture. Ainsi, la culture autochtone offrirait un cadre probablement inapproprié pour comprendre certaines réalités associées au diabète. Par exemple, leur conception particulière de la notion de temps est très souvent invoquée pour expliquer la non-adhésion aux traitements.

L'utilisation abusive du concept de « tradition » relève d'une conception de la culture qui fige les acteurs sociaux dans le temps, et très souvent dans un temps mythique. Faire appel au concept de tradition ne pose pas de problème en soi. Toutefois, il est essentiel que cet appel à la tradition s'inscrive aussi dans une démarche politique de groupes sociaux qui tendent à définir leur spécificité afin de servir leurs intérêts présents. L'établissement de paramètres traditionnels permettant de définir ce qui est et ce qui n'est pas répond nécessairement à des intérêts politiques et historiques. Toon van Meijl a étudié le processus de revendication des Maoris de Nouvelle-Zélande qui désiraient obtenir le contrôle sur leurs centres de santé primaire et procéder à la mise en place de programmes culturellement adaptés à leur tradition.

> It is important to realize, however, that political interpretations of history and the « invention » of traditional culture are anything but a recent phenomenon. Throughout their history the Maori have redefined and ennobled their traditions to serve contemporary interest. At the same time, it should be emphasized that the reconstruction and refashioning of the past is hardly unique to the Maori people. Recently it has become known that traditions and culture are also being « invented » in Western societies [...] The political discourse of Maori history and traditions is not only rooted in the cultural heritage of the Maori, but also in the colonial history and the political and economic practices of New Zealand society (Meijl, 1993 : 294-295).

Par ailleurs, les spécialistes de la santé et même des sciences sociales contribuent à construire des univers culturels figés en catégorisant certains phénomènes culturels comme relevant de la tradition. D'une juste tradition qui révélerait la vraie et la profonde nature d'un peuple. C'est ce genre d'attitude dite scientifique qui aura mené des chercheurs des sciences sociales à exclure de leur échantillon des Autochtones en les qualifiants d'« Autochtones d'asphalte » en opposition aux « vrais Autochtones » qui, eux, pratiquent toujours leur mode de vie « traditionnel ».

Pour nous, la culture doit être appréhendée et comprise comme une création et un métissage quotidien. Elle ne se jugera pas au regard de ses possessions et de ses produits, mais plutôt par ses opérations, par les gestes qui la font naître au quotidien et par la complexité de son contexte. Elle sera considérée comme une *science pratique du singulier* qui ne «cesse de réarticuler du savoir à du singulier, de remettre l'un et l'autre en situation concrète particularisante» (de Certeau, Giard et Mayol, 1994: 360). Elle est un produit collectif, structuré et codé à chaque fois de manière originale en raison du contexte sociohistorique propre à chaque société (Corin, Bibeau, Martin et Laplante, 1990: 55). La culture n'est donc pas simplement un ensemble de messages, un répertoire de signes agissant sur des structures mentales neutres. Elle est plus qu'un simple contenant. Elle naît dans l'action aussi bien que dans la pensée. Elle est le produit de la créativité humaine aussi bien que du mimétisme. Cette culture relève davantage de la qualité que de l'avoir et des artéfacts.

En ce sens, il n'y a pas, selon nous, une «culture autochtone» par laquelle tous les membres d'une même société peuvent être saisis, débusqués, compris. La culture autochtone est plurielle, vivante et moderne. Nous retrouverons au sein même de «la» culture, des «sous-cultures» démontrant des traits originaux au sein d'une même communauté. Ces dernières pourront être mises en lumière par la prise en compte de la pluralité de ce qu'il est convenu d'appeler les «communautés» autochtones. La société indienne ne peut être enfermée dans un cadre purement autochtone qui serait exagérément homogène.

Les difficultés rencontrées dans la compréhension de cette nouvelle problématique qu'est l'avènement de nouvelles maladies comme le diabète chez les peuples autochtones sont directement reliées à l'application même du concept de culture par les différents chercheurs s'intéressant à ce problème, mais tout spécialement par le monde biomédical. La culture autochtone est, dans ces milieux, généralement considérée comme une entité profondément enracinée dans une ancestralité, une tradition s'inscrivant en faux avec la modernité. Soit parce que la «contamination» de cette culture par la «modernité» est à l'origine des maux affectant les peuples autochtones. Soit parce que c'est le «refus» d'une assimilation inéluctable d'une culture ancienne ou traditionnelle à la modernité qui engendre un «stress d'acculturation» jugé être à la source d'une multitude de nouvelles maladies.

La littérature anthropologique aborde la question de l'émergence de nouvelles maladies chez les peuples vivant des changements culturels profonds par le concept d'acculturation. Ce concept suppose, entre autres, que le contact entre deux cultures engendre une trajectoire évolutive ayant pour effet inéluctable d'assimiler progressivement la culture dite « native » à la culture moderne.

De cette conception de la diffusion des cultures l'une vers l'autre naît le concept d'acculturation qui est placé au centre de l'explication de l'émergence de nombreuses maladies chez des peuples mis en contact avec une culture étrangère. Cela se vérifie particulièrement dans un contexte où sont mis en présence un groupe culturel minoritaire et un groupe majoritaire, ou encore lorsque l'un des groupes exerce un pouvoir de domination sur l'autre.

COLONIALISME INTERNE ET RACISME

Le regard que nous portons sur la problématique du diabète chez les peuples autochtones choisit l'utilisation du concept de colonialisme interne[4].

Apparu au cours des années 1945-1950 chez les peuples autochtones des États-Unis, d'Australie, de Nouvelle-Zélande, du Canada et d'ailleurs, le diabète, si on veut vraiment comprendre la genèse de son émergence,

---

4. Le concept de colonialisme interne, loin d'être dépassé, nous permet de mieux comprendre non seulement les particularités de la situation économique, sociale, politique et culturelle vécue par les peuples autochtones d'aujourd'hui, mais encore d'appréhender les effets de cette dernière sur leurs conditions de santé. Contrairement en effet à ce que peut avancer J. Rick Ponting (1989), il existe toute une série de spécificités qui marquent de leur sceau les relations entre communautés autochtones et gouvernement fédéral. La *Loi sur les Indiens* (que le gouvernement fédéral ne s'aventure toujours pas à vouloir modifier de fond en comble), avec sa logique sous-jacente de considérer les Autochtones comme des pupilles de la nation, est bien là pour l'indiquer et pour nous rappeler que le rapport État fédéral/Autochtones ne s'apparente complètement ni à un rapport de classe, ni à un rapport impliquant d'un côté une bureaucratie et de l'autre des consommateurs de services gouvernementaux. Le racisme structurel qui en est l'indicateur par excellence explique d'ailleurs assez bien pourquoi, en réaction, les Autochtones ont fini par considérer leur réserve comme « un pays dans un pays » et par conséquent ont développé tout un ensemble de pratiques culturelles (d'innovations) qui ne sont pas sans effet sur leurs conditions de santé. Le fait que nous combinions ce concept de colonialisme interne avec les apports de Foucault sur la biomédecine nous permet par ailleurs de saisir comment ce rapport néo-colonial entre aujourd'hui en compétition et se combine avec un autre rapport de pouvoir plus moderne défini par Foucault à travers sa notion de panoptisme. Appliqué chez les Amérindiens du Canada par Cumming (1969), Paterson (1972), O'Neil (1986) et Frideres (1993), ce modèle analytique a particulièrement été développé par Casanova (1965) et Hechter (1975). Voir aussi la note 1 du chapitre 2.

doit être mis en rapport avec un ensemble de conditions sociales, économiques et politiques qui se combinent de manière complexe. Ainsi faudrait-il prendre en compte, selon nous, non seulement la consolidation de rapports coloniaux dans un contexte de développement de l'économie marchande, mais encore les dynamiques internes animant les peuples autochtones ainsi que les rapports qu'ils entretiennent avec les peuples colonisateurs. Le colonialisme, qu'il soit d'origine externe ou interne, ne relève pas d'une mission culturelle et morale. Il relève plutôt d'une mission essentiellement économique (Memmi, 1985).

La position privilégiée du colonisateur par rapport à celle de l'Autochtone lui permet également de créer entre les populations des divisions qui peuvent devenir impossibles à transcender. Le colonialisme s'appuie sur un racisme d'usage qui confère au conquérant une légitimité morale. Les différences entre les peuples en présence sont mises en évidence, valorisées et portées en absolu par le conquérant. Ce dernier peut ainsi justifier ses politiques coloniales. Comme le soulignent Savard et Proulx (1982), la déchéance civile des Indiens se concrétise dans une loi votée en 1857. Le texte de cette loi reconnaît formellement l'infériorité des Indiens en ce qui concerne « leurs droits et obligations mis en regard de ceux des autres sujets de Sa Majesté résidant dans cette province, et prescrit les moyens à l'aide desquels ils pourront graduellement s'affranchir » (Gouvernement du Canada, 1858).

C'est dans un contexte de colonisation de la périphérie par le centre, de dépossession, mais également d'oppositions quotidiennes, individuelles et collectives, de construction identitaire et de luttes politiques et de reconnaissance dans un contexte de globalisation que se sont développées les conditions d'émergence du diabète.

Alors que le modèle du « stress d'acculturation » prétend que l'assimilation de la culture « native » dans le champ de la culture dominante entraîne une diminution des stress associés aux changements, le modèle conceptuel du colonialisme interne considère plutôt que le développement des discours nationaux et ethniques est l'expression de mouvements sociaux s'opposant farouchement à l'assimilation (O'Neil, 1986 : 251-252). Selon cette perspective l'individu, loin d'être une victime passive, est perçu comme un acteur dynamique et créatif. Plutôt que de tenter de saisir et de mesurer ce qui est nommé « stress d'adaptation », nous tenterons plutôt d'appréhender les efforts déployés par les individus pour « construire une réalité sociale capable de les protéger contre les inégalités, l'exploitation et l'assimilation » (Massé, 1995 : 390).

POUVOIR ET PANOPTISME

L'entreprise coloniale est, d'abord et avant tout, une entreprise disciplinaire qui exige la mise en place de règles, de structures, de techniques et de mécanismes favorisant l'assujettissement des uns aux autres, l'exercice d'un pouvoir central sur la périphérie. À un niveau méso, ce pouvoir produit des limites et des manques, énonce des lois que le discours juridique vient limiter et circonscrire.

L'application d'une telle discipline procède par la répartition des individus dans un espace donné, circonscrit, cartographié. C'est en fonction de cette perspective que nous considérerons ces lieux, dénommés «réserves indiennes», comme des lieux de quadrillage ou chaque individu occupe une place préétablie qui annule les effets d'une répartition indécise (Foucault, 1975: 166-168). La réserve ainsi que les institutions coloniales qui se trouvent dans ce lieu sont l'effet d'un mécanisme de pouvoir ramené à une forme idéale que Foucault nomme le *panoptisme*.

Dans cette perspective, la réserve indienne (telle que desservie notamment au niveau des services de santé par les institutions gouvernementales) devient un lieu d'exercice des disciplines coloniales visant à assurer l'ordonnance des multiplicités humaines. La réserve, en tant que lieu d'exercice du pouvoir, cherche à immobiliser, à régler les mouvements, à résoudre les confusions, à fixer, établir, à mettre un frein au nomadisme. L'espace de ce cadre donné sera soigneusement quadrillé. Aucun espace ne sera perdu, aucun interstice ou espace de manœuvre ne devra être laissé. À cet espace, rien ne devra pouvoir échapper (Dreyfus et Rabinow, 1992: 224).

Ce lieu répond à trois critères essentiels:

- rendre le pouvoir le moins coûteux possible: économiquement par une faible dépense et politiquement par sa discrétion, sa relative invisibilité et le peu de résistance qu'il engendre;
- faire que les effets de ce pouvoir social soient portés à leur maximum d'intensité;
- faire croire à la docilité et l'utilité de tous les éléments du système (Foucault, 1975: 254-255).

Au XIXe siècle, la *Loi sur les Indiens* établissait les caractéristiques identitaires de l'Autochtone. Elle s'impliquait dans l'administration de la justice et les pratiques culturelles; elle interdisait la consommation d'alcool, la fréquentation des salles de billard, la vente des biens agricoles produits par les Autochtones. La définition du statut d'Indien et le contrôle de l'appartenance à une bande étaient du ressort de non-Indiens. Cette loi permit la création d'un fichier centralisé dans lequel furent inscrites les personnes ayant droit au statut d'Indien.

La réserve en tant que lieu d'exercice du pouvoir colonial s'est vu dotée de dispositifs de pouvoir qui ont permis aux fonctionnaires de s'emparer progressivement des détails les plus intimes de la vie quotidienne, des espaces les plus intimes de l'expérience du corps et du soi (Rivard, 1992 : 130). Ce système, hérité de l'administration coloniale, va bien au-delà du traitement de la maladie. Les centres de santé mis en place dans les communautés autochtones étaient et sont toujours des systèmes efficaces et fortement structurés exerçant une surveillance, appliquant une discipline et déterminant des critères de normalité et de déviance.

L'Autochtone qui reçoit un diagnostic de diabète s'inscrit bien malgré lui dans un système qui le prend totalement en charge. Son nom est inscrit sur une fiche papier ou informatique qui, elle, est insérée dans un système qui devra permettre le suivi étroit de chacun des bénéficiaires. Tout est écrit, rien ne doit se perdre. Le village est ainsi « mis en boîte », et cette dernière, placée sous le contrôle des infirmières et des médecins. Dès que ce membre de la communauté est introduit dans le système de gestion, il est du coup entièrement exclu du processus de décision qui gère ce système. Le centre de santé se trouve au cœur de la communauté et gère la population du village comme sont gérés les patients d'un département de centre hospitalier. Chaque femme, chaque homme, chaque enfant est un patient, et chaque maisonnée, une chambre du département.

Le système de suivi infirmier mis en place dans les communautés amérindiennes et auquel sont soumis les patients diabétiques est un bon exemple de l'application du panoptisme. Chacune des fiches représente un acteur de la communauté jugé « anormal », « déviant », diagnostiqué diabétique, hypertendu, etc. Chacune de ces personnes est, de la sorte, individualisée, ou plutôt, formulée et déterminée, en ce sens que ses particularités ne sont pas définies pour renforcer sa spécificité mais bien pour en réduire la portée en découpant la personnalité en petits morceaux étiquetés selon des catégories décrétées « universelles ». Le diagnostic qui découlera de la démarche prendra une forme de visibilité décryptable par le professionnel de la santé. L'individu devient visible, objet d'observation mais lui, de son côté, ne voit pas. L'infirmière voit tout ! Le système de santé ainsi panoptisé induit chez le diabétique, comme dans la population amérindienne en générale, « un état conscient et permanent de visibilité qui assure le fonctionnement automatique du pouvoir » (Foucault, 1975 : 234). Du moins, il tente d'induire un état qui assure le fonctionnement du pouvoir. Ce type de système vise à créer un état d'assujettissement du bénéficiaire, sans avoir recours à la force pour le contraindre à l'observation de l'ordonnance.

En intervenant au niveau du corps, le système médical est, en quelque sorte, impliqué à un niveau micropolitique. Il se fait complice du projet hégémonique de l'État. Bien que la science médicale se réclame de la neutralité, elle s'inscrit dans une dynamique politique que Foucault nomme le « biopouvoir ». En développant des connaissances concernant la santé, les facteurs de risques et la maladie, la biomédecine développe un processus de colonisation des corps.

RÉSISTANCE

Dans les milieux cliniques, il est souvent question de la résistance des patients à leur traitement, à l'adoption de nouvelles habitudes de vie, à l'abandon de comportements à risque. Pour notre part, cette notion de résistance revêt un sens politique, c'est-à-dire qu'elle exprime une opposition à l'autorité, une affirmation de soi. Il ne s'agit pas d'une lutte organisée, d'une résistance collective ouverte, mais de la résistance qui provient d'individus inorganisés et appartenant à des groupes sociaux privés de moyens d'exercice du pouvoir ou, du moins, qui en détiennent peu. Elle n'est pas puissance. Elle est ruse et tactique.

Cette résistance est créatrice. Même s'il est soumis au regard panoptique, à la surveillance quotidienne communautaire, l'acteur social invente un quotidien à chaque instant. Il joue avec les limites. Il saisit les moyens et les outils dont il dispose pour se créer un environnement viable... à ses yeux.

À la surveillance professionnelle, organisée, structurée et planifiée qui relève de ce que de Certeau nomme la « stratégie », les milieux populaires opposent des techniques de surveillance disséminées qui relèvent de cet autre concept élaboré par de Certeau : la « tactique ». Cette tactique qui, aux yeux du pouvoir, représente une résistance s'exprime à travers ce qui apparaît comme une mouvance dans les espaces planifiés que les stratèges de la santé publique ne parviennent pas à saisir. Elle est ce qui trouble les calculs fonctionnalistes. Par elle, une différence incodable s'insinue dans la relation heureuse que le système de santé désire contrôler par le biais d'opérations issues de sa planification, de sa science. Cette résistance ne relève pas de la révolte locale, c'est-à-dire d'un autre phéno-mène décryptable, classable. Elle est subversion commune et silencieuse (de Certeau, 1990 : 292-293). Elle est, au quotidien, affirmation de la spé-cificité, de la distinction, de l'unicité, de l'identité, de l'autonomie dans l'espace de l'exercice du biopouvoir.

CHAPITRE *2*

Pessamit et l'émergence du diabète

Tout au long de cet ouvrage nous introduirons des chiffres et des statistiques concernant d'autres communautés que celle de Pessamit. Ces données peuvent provenir de sources externes mais elles sont souvent le produit de notre travail de consultant-chercheur auprès de plusieurs communautés, innues et atikamekw particulièrement. Ces chiffres servent essentiellement à enrichir notre argumentation et Pessamit demeure le centre de cet ouvrage.

Notre démarche anthropologique nous commande de considérer la communauté comme l'unité centrale d'analyse sans pour autant l'isoler de son contexte et sans non plus la prendre pour un lieu homogène. Une plus juste compréhension des contextes historique, social, politique, économique et culturel de la communauté permet ainsi de mieux saisir les dynamiques sociales qui prévalent dans l'univers de vie des acteurs sociaux et qui se trouvent au cœur de la genèse de la problématique du diabète.

SURVOL HISTORIQUE

En 1861 est créée la réserve de Pessamit, six années avant l'institution de la Confédération canadienne. L'Acte de l'Amérique du Nord britannique accordait au gouvernement central la pleine juridiction sur les questions autochtones, car la création du Dominion du Canada, en 1867, n'aurait pu être possible sans la mainmise fédérale sur le territoire des peuples amérindiens qui n'étaient pas présents aux négociations sur le nouveau pays.

Vers 1851, l'industrie forestière de la Haute-Côte-Nord occupait 77 familles et on dénombrait 2 393 personnes sur le territoire. Quinze années plus tard, ce nombre avait doublé (Bédard, 1987 : 26). Dans les années 1870, l'agriculture prenait peu à peu de l'importance dans les secteurs des Escoumins, de Sault-au-Mouton, de Rivière-aux-Outardes ainsi qu'à proximité de la rivière Pentecôte (J. Frenette, 1993 : 95-96).

À quelques reprises, l'exploitation des ressources forestières de la Haute-Côte-Nord empiéta illicitement sur le territoire de la réserve de Pessamit. Par exemple, en 1889-1890, la compagnie St. Laurence Lumber, avec l'autorisation des autorités gouvernementales, procéda à la coupe d'une grande quantité de bois sur le territoire de la réserve et ce, malgré les protestations des Innus[1]. Ce type d'affront contribue à démontrer que, bien que le prétexte justifiant la création de réserves ait été la protection des territoires indiens, ces lieux étaient avant tout destinés aux institutions coloniales ayant pour mandat de « civiliser » et d'« émanciper » les Autochtones (Bédard, 1987 : 52-53).

La création de la réserve de Pessamit s'inscrit dans ce que Bédard nomme le « schéma classique ». Cette création répond aux intérêts eurocanadiens. Au cours de cette même époque, le gouvernement légifère sur les activités de chasse et de pêche. L'accès des Innus aux diverses rivières à saumon est alors de plus en plus limité, ce qui entraîne plusieurs manifestations de résistance. L'État colonial tentera, sans succès, de convertir les Innus de Pessamit à l'agriculture, puis à la pêche à la morue.

---

1. Les actions et les résistances des Innus tout au long de leur histoire commune avec la communauté blanche ont systématiquement été ignorées par l'Histoire, car cette Histoire a été et est toujours écrite par et pour les Blancs. Néanmoins, ces faits ont eu lieu. On pourrait très bien faire une liste de dates importantes, de personnages célèbres et identifier quelques héros populaires innus. Mais c'est toujours le vainqueur qui écrit l'histoire. À ce propos, rappelons l'histoire de l'Indien qui sauva McCormick, fondateur de Baie-Comeau, perdu dans les bois. Une statue représentait les deux personnages en canot, chevauchant les flots. De nos jours, le personnage de l'Indien n'y est plus, seul demeure McCormick, victorieux, seul dans son canot... Avant que vous ne le demandiez : l'Indien s'appelait Tibasse Saint-Onge.

URBANISATION ET INDUSTRIALISATION

La première moitié du XXe siècle correspond à l'urbanisation progressive de la Côte-Nord qui s'inscrit dans le sillage du développement de l'industrie forestière. Graduellement, le paysage nord-côtier se transforme et voit surgir des embryons de villes comme Clarke City qui représente à cette époque le principal lieu urbain de la Côte-Nord. La création de la ville de Baie-Comeau à moins de 50 kilomètres de la réserve de Pessamit s'inscrit dans cette mouvance. On construit aussi une centrale hydroélectrique sur la rivière aux Outardes, on réaménage le quai de l'Anse-à-Comeau, et quelques institutions d'importance voient le jour, comme des commerces, des écoles, un hôpital ainsi qu'une usine de pâte et papier.

En juin 1938, la ville de Baie-Comeau est inaugurée. La fin de la Seconde Guerre mondiale marque les premiers investissements massifs sur le territoire nord-côtier afin d'y exploiter les richesses naturelles. C'est le début de la grande aventure du fer qui permettra le développement rapide les villes de Havre-Saint-Pierre, Sept-Îles, Schefferville, Port-Cartier, Gagnon et Fermont. Cette industrialisation sera également accompagnée par une explosion de l'exploitation hydroélectrique.

La modernisation des ménages et le boom de la natalité pousse Hydro-Québec, le nouveau monopole d'État, à augmenter sa capacité de production. Il se tourne vers les puissantes rivières de la Côte-Nord. Au cours de ces années, des milliers de travailleurs participent à la réalisation des nombreux projets de barrages. Par ailleurs, le nouveau potentiel hydroélectrique et les ports en eau profonde, comme ceux de Baie-Comeau et de Sept-Îles, attirent de nouveaux types d'industries, comme le transport des céréales.

Plusieurs Innus de Pessamit ont contribué à la réalisation des barrages ainsi qu'à la construction des lignes de transport hydroélectriques. De la première moitié du XXe siècle jusqu'aux premières décennies de la seconde moitié de celui-ci, les Innus de Pessamit seront fortement intégrés à plusieurs secteurs de l'économie blanche. On les trouve comme guides ou hommes de canot pour des géologues ou des chasseurs américains. D'autres sont engagés comme bûcherons, d'autres, encore, comme débardeurs. Ils gagnent de gros salaires et sont appréciés pour leur talent et leur maniabilité. D'autre part, certaines activités des Innus de Pessamit permettent des échanges économiques étroits avec les non-autochtones. Ainsi, la fabrication des canots, des raquettes, des mocassins, des articles de fourrure et de broderie seront des sources d'échanges commerciaux qui apporteront des capitaux à l'intérieur de la réserve (Bédard, 1987 : 70-72).

Toutefois, la situation de l'emploi chez les Innus de Pessamit changera considérablement au cours des années 1960. La fin des grands projets hydroélectriques, bien sûr, mais également l'arrivée massive de Blancs dans la région, la spécialisation des emplois nécessitant une scolarisation minimale ont un impact majeur sur le nombre d'emplois disponibles pour les Autochtones. C'est au cours de ces années que les Innus de Pessamit seront exclus de l'économie tant d'un point de vue formel qu'informel, du moins en ce qui concerne le procès de production. Ainsi, le nombre d'emplois offerts diminuera rapidement. Cette exclusion prend également la forme d'un discours qui se teinte de plus en plus de propos d'un racisme apporté par les nouveaux venus, ignorant des réalités locales et nourris de préjugés sur les Indiens. Ainsi, au cours des années 1960, une tentative d'établissement d'une école intégrant les jeunes Innus de Pessamit avec les jeunes non-autochtones de Ragueneau et des alentours donna de très piètres résultats.

La ville de Baie-Comeau comptait 2 500 habitants au cours de la Seconde Guerre mondiale. De 1951 à 1976, elle passera de 4 255 à 26 635 habitants. Aujourd'hui, le grand Baie-Comeau compte approximativement 33 000 habitants (P. Frenette, 1996).

Pour sa part la population innue de Pessamit s'accroît considérablement et rapidement à partir de la seconde moitié du XXᵉ siècle. Ainsi, alors que nous comptions 750 personnes en 1948, ce nombre double en quinze ans pour passer à 1 500 en 1963. En cinquante ans, la population vivant sur la réserve était multipliée par 3,2 et, en 1998, elle compte 2 417 personnes.

Toutefois le poids démographique de la population innue de la Côte-Nord n'a cessé de diminuer depuis la Seconde Guerre mondiale. En 1941, la Côte-Nord comptait 25 789 habitants dont 1 910 Innus, soit 8 % de la population nord-côtière. Ce pourcentage doit être considéré avec réserve puisque le recensement des populations autochtones ne tenait généralement compte que de la portion de population qui se trouvait dans la réserve lors du passage des fonctionnaires. En 1951, cette proportion passa à 5,5 %, à 2,8 % en 1961 et remonta à 3,7 % en 1971[2]. À titre de comparaison,

2. Ces pourcentages sont établis à partir des données présentées au tableau : « Évolution de la population de six sous-régions de la Côte-Nord, 1941-1991 » (P. Frenette, 1996 : 434).

Dugas (1990) souligne qu'en 1871 ces mêmes Innus représentaient 24 % de la population nord-côtière.

LA CRÉATION DE LA RÉSERVE ET LES CHANGEMENTS DANS LE PROFIL ÉPIDÉMIOLOGIQUE

À l'origine, la vie dans la réserve était ponctuée par de nombreuses épidémies qui eurent des répercussions importantes sur cette communauté. De 1863 à 1911, dix épidémies frappèrent Pessamit, et deux d'entre elles furent tout particulièrement meurtrières. En 1868, une épidémie de petite vérole fit 52 morts et, en 1879, une épidémie de rougeole terrassa 67 membres de la communauté. À cette époque, les décès sont fréquemment associés à des maladies pulmonaires. La tuberculose fait ainsi de nombreuses victimes. Jusqu'en 1950, cette infection est la principale cause de mortalité chez les Indiens et Inuits du Canada (Bédard, 1987: 81-84).

De 1972 à 1993 cependant, la population innue de Pessamit s'est multipliée par 1,6 et passe de 1 662 à 2 722 personnes. « Une telle croissance suppose une natalité active et une mortalité naturelle normale. Il est clair qu'épidémies et famines importantes étaient chose du passé dès l'après-guerre » (Garneau, 1997: 10).

DONNÉES DÉMOGRAPHIQUES

En 1998, la population innue de Pessamit vivant sur la réserve est, selon la liste de bande, de 2 417 personnes. De ce nombre, 1 226 sont des femmes (50,7 %) et 1 191 des hommes (49,3 %). Par ailleurs, nous constatons que cette population, à l'image de la très grande majorité des populations autochtones du Canada, est très jeune. En effet, 60,6 % de l'ensemble de cette population sont constitués de jeunes de moins de 29 ans. Ce profil présente de grandes similitudes avec celui de la population autochtone canadienne où 56,2 % des quelque 405 200 personnes ont moins de 25 ans. Par comparaison, la proportion des 55 ans et plus n'est que de 7,3 % (Gouvernement du Canada, 1996d: 168).

Bien que le territoire de la réserve soit d'une superficie d'un peu moins de 70 000 acres, le village proprement dit est construit sur un espace restreint de 9 600 acres. Ce dernier est bordé au nord par la route 138, au sud par le fleuve Saint-Laurent, à l'ouest par la rivière Pessamit et à l'est par la rivière aux Rosiers. Aux abords des rues qui quadrillent cet espace nous comptions, en 1998, 535 maisons et 19 unités d'appartement. Bien que quelques-unes de ces maisons datent des années 1925, la très grande majorité d'entre elles sont des constructions récentes.

La diversité de style des maisons et même leur disposition sur les terrains rappellent que cette réserve date de la dernière moitié du XIXᵉ siècle. Nous trouvons ici et là plusieurs styles de maisons correspondant aux différentes époques des programmes de construction d'habitations du gouvernement fédéral en plus de constructions bâties par les Innus eux-mêmes avant le temps des programmes gouvernementaux. Alors que l'architecture de certaines habitations nous rappelle les banlieues des centres urbains, d'autres nous font penser que les programmes d'habitation des années 1950 et 1960 étaient plutôt rudimentaires. En effet, lors de la visite de certaines résidences nous sommes à même de constater que certaines familles vivent dans des conditions d'insalubrité sérieuse. Toutefois, toutes les résidences sont, sans exception, dotées de salle de bain, de toilette intérieure et raccordées aux services d'eau courante, d'égout et d'électricité. Deux fois la semaine, les ordures sont ramassées par un service d'éboueurs relevant du Conseil de bande et les déchets sont enfouis dans un dépotoir situé en périphérie de la ville de Baie-Comeau.

EMPLOI

La situation de l'emploi n'est pas très reluisante à Pessamit. Nous comptions, en 1998, 1 279 personnes bénéficiaires de l'aide sociale, c'est-à-dire 53 % de la population totale. Quelque 207 personnes avaient un emploi permanent, tandis que 103 autres bénéficiaient d'emplois saisonniers. Le Conseil de bande d'abord, puis l'industrie forestière, le commerce, la construction, l'éducation et la santé étaient à l'époque et demeurent les principaux secteurs d'emploi à Pessamit. Le taux de chômage était, en 1988, de 48,9 % chez les hommes et de 23,8 % chez les femmes alors que le taux d'assistés sociaux se situait à 52 %. Dans les années 1980, le taux de chômage enregistré chez les Innus de Pessamit était de quatre fois supérieur à la moyenne québécoise (P. Frenette, 1996 ; J. Frenette, 1993 ; Frideres, 1993).

ÉDUCATION

Il en va de même du niveau d'éducation. Même si la majorité des jeunes de la communauté fréquentent l'école, nous remarquons que le taux de fréquentation tombe rapidement chez les 15 à 19 ans. Moins de 40 % des Amérindiens du Canada possèdent une neuvième année, soit deux fois moins que le taux national. Dans les réserves, approximativement le cinquième de la population termine des études de niveau secondaire. D'autre part, c'est environ 5 % de la population amérindienne qui accède à des études de niveau universitaire avec un taux de réussite d'un peu plus de 3 % (J. Frenette, 1993 ; Frideres, 1993).

Tableau 2.1
Plus haut niveau de scolarité atteint dans les communautés considérées par l'enquête médicale régionale portant sur la santé des membres des Premières Nations du Québec Labrador (CSSSPNQL, 1999)

	Aucun	Primaire	Secondaire	Collégial	Certif. univ.	Baccal.	Maîtrise	Doctorat
Kawawachikamach	29,2%	45,0%	20,8%	3,3%	1,7%	0,0%	0,0%	0,0%
Kitigan Zibi	9,7%	15,4%	42,9%	24,0%	2,9%	4,6%	0,0%	0,0%
Listiguj	0,0%	21,6%	59,3%	15,7%	1,0%	2,5%	0,0%	0,0%
Natashquan	11,7%	18,3%	57,8%	8,9%	1,7%	1,7%	0,0%	0,0%
Obedjiwan	4,4%	19,7%	69,5%	3,4%	1,0%	2,0%	0,0%	0,0%
Odanak	1,3%	11,3%	51,3%	30,0%	5,0%	1,3%	0,0%	0,0%
Timiskaming	0,8%	71,5%	22,3%	5,4%	0,0%	0,0%	0,0%	0,0%
Uashat et Maliotenam	6,2%	28,1%	57,7%	5,8%	1,9%	0,4%	0,0%	0,0%
Wendaké	2,8%	13,1%	47,7%	25,7%	3,7%	5,1%	1,9%	0,0%
Weymontachie	8,3%	20,0%	63,3%	5,8%	2,5%	0,0%	0,0%	0,0%
Betsiamites	3,7%	6,5%	49,5%	30,8%	5,6%	3,7%	0,0%	0,0%
Winneway	6,3%	73,8%	13,8%	2,5%	2,5%	1,3%	0,0%	0,0%

Les données présentées au tableau 2.1 sont tirées du *Rapport sur l'analyse et l'interprétation de l'enquête médicale régionale* (CSSSPNQL, 1999). Elles nous indiquent que la population de Pessamit est nettement plus scolarisée que les populations d'autres communautés autochtones du Québec. De toutes les communautés prises en considération par l'enquête de la CSSSPNQL, Pessamit se démarque nettement et se situe dans le peloton de tête.

Ainsi 40,1 % de la population adulte de Pessamit possède soit un diplôme d'études collégiales (30,8 %) soit un diplôme d'études universitaires de premier cycle (9,3 %). À titre de comparaison, à Nutakuan, 11,7 % des répondants déclarent n'avoir aucune scolarité, alors que cette proportion est de 3,7 % à Pessamit.

PORTRAIT SOMMAIRE DE LA SITUATION DE LA SANTÉ DES AUTOCHTONES À L'AUBE DU XXIe SIÈCLE

Bien qu'au cours de la période s'échelonnant entre 1979 et 1993, le taux de mortalité enregistré chez les Indiens ait chuté de 21 % et que la mortalité infantile ait baissé de façon marquée, nous constatons tout de même que l'écart entre le taux de mortalité de la population canadienne et celui de la population amérindienne se maintient ; il demeure encore aujourd'hui 1,7 fois supérieur à la moyenne nationale.

Depuis 1979, les quatre principales causes de décès sont les mêmes. Il s'agit des morts par traumatismes et empoisonnements, des décès associés aux maladies de l'appareil circulatoire, des différents cancers et finalement de pertes de vie directement attribuables aux maladies du système respiratoire. D'autre part, le suicide présente des taux de 5 à 8 fois supérieurs à la moyenne nationale, principalement en ce qui concerne les jeunes âgés de 15 à 24 ans (Gouvernement du Canada, 1996a et 1996b ; Waldram, 1995 ; Frideres, 1993). Alors qu'en 1984 le taux de suicide chez les Canadiens en général était de 13,7 pour 100 000 habitants, il était de 43,5 chez les Autochtones.

L'alcoolisme s'avère un problème important dans un grand nombre de communautés autochtones du pays. D'abord, cette consommation excessive a de graves conséquences sur la santé. Elle accroît les risques de maladies du cœur, de cirrhose et d'autres maladies du foie, de gastrites et des cancers du système gastro-intestinal. Les accidents, les suicides, la violence familiale, la désintégration familiale, le chômage, la criminalité sont, dans les communautés autochtones, très souvent associés à une consommation abusive d'alcool[3].

Dans un autre ordre d'idées (mais toujours pour illustrer l'idée que la santé des Autochtones est loin d'avoir fait des progrès absolus et décisifs), on peut se rendre compte que, en dépit du fait que la prévalence de la tuberculose ait considérablement reculé au cours des dernières décennies, elle présente encore aujourd'hui un taux neuf fois supérieur à celui de la population canadienne en général.

---

3. Gouvernement du Canada, 1996b.

CHAPITRE 3

L'émergence
des maladies chroniques

Au cours des dernières décennies, nous avons assisté au déclin mais non à la disparition des nombreuses maladies infectieuses qui affligeaient les populations autochtones. Par contre, en même temps, nous avons remarqué l'émergence d'une multitude de nouveaux problèmes de santé. Nombreux sont les chercheurs qui associent la sédentarisation des Autochtones à l'apparition de maladies dites de l'ère moderne. Nous comptons parmi celles-ci le cancer (poumons, col de l'utérus, sein, etc.), les maladies du système cardio-vasculaire (maladies ischémiques, hypertension, hypercholestérolémie), l'obésité, les maladies de la vésicule biliaire ainsi que le diabète.

Comme le soulève la Commission royale sur les peuples autochtones, ce sont particulièrement les troubles du métabolisme (en particulier le diabète), les troubles circulatoires et du système digestif qui tiennent, à la fin du XXe siècle, une place significative parmi les facteurs de morbidité et de décès.

La littérature révèle que les observations concernant le diabète dans les populations autochtones d'Amérique du Nord sont relativement rares avant la Seconde Guerre mondiale. En effet, certaines données nous permettent de croire que cette « maladie du système endocrinien » était à cette époque totalement inconnue.

L'APPARITION RÉCENTE DU DIABÈTE
DANS LA POPULATION INNUE DU QUÉBEC

Nous possédons plusieurs données à caractère épidémiologique pour les milieux autochtones où la langue seconde est l'anglais. Par contre, il semble que les milieux autochtones dont la langue seconde est le français aient reçu peu d'attention de la part des chercheurs. En effet, nos recherches ne nous ont pas permis d'identifier des sources de données concernant les taux d'incidence et de prévalence du diabète observés, par exemple, dans les communautés des nations atikamekw ou innue.

Au cours de notre recherche nous sommes parvenus à établir un profil des taux d'incidence du diabète enregistrés au cours des dernières décennies à Pessamit. Par ailleurs, nos activités nous ont également permis d'établir ce même profil dans les communautés d'Ekuanitshit (Mingan), de Nutakuan (Natashquan), d'Unamen Shipu (La Romaine), de Pakua Shipi (Saint-Augustin) et de Matimekush (Schefferville).

En portant notre attention sur la figure 3.1 relative à l'incidence du diabète à Pessamit, nous notons une première évidence : en 1998, lorsque nous avons compilé ces données, une seule personne était porteuse d'un diagnostic de diabète datant d'avant les années 1970. Cela ne signifie pas l'inexistence de cas de diabète avant cette date. Il est probable que quelques cas furent diagnostiqués entre 1954 et 1973. Toutefois, nous estimons être en mesure d'affirmer qu'avant les années 1970 le diabète était relativement rare dans cette communauté. Par contre, nous constatons que, dès l'année 1976, le nombre de diagnostics annuel prend une tendance nettement ascendante. Au début des années 1970, le nombre de diagnostics annuel ne dépasse jamais 4. Nous obtenons pour cette décennie une moyenne de 1,6 diagnostic de diabète annuellement.

Les années 1980 sont marquées par une forte accélération du nombre de cas diagnostiqués annuellement. Au cours de cette décennie, nous observons qu'en moyenne 3,1 nouveaux cas de diabète sont découverts chaque année. Mais nous observons un gonflement de la vague de nouveaux cas de diabète au cours de la dernière décennie du XXe siècle. Nous comptons alors jusqu'à 14 nouveaux cas par année et obtenons une moyenne annuelle de 10,4 diagnostics.

La moyenne annuelle de diagnostics de chacune des décennies prise en considération a donc été multipliée par 6,5 entre 1970 et l'aube de l'an 2000. En effet, celle-ci est passée de 1,6 au cours des années 1970 à 10,4 nouveaux cas par année au cours de la dernière décennie du XXe siècle.

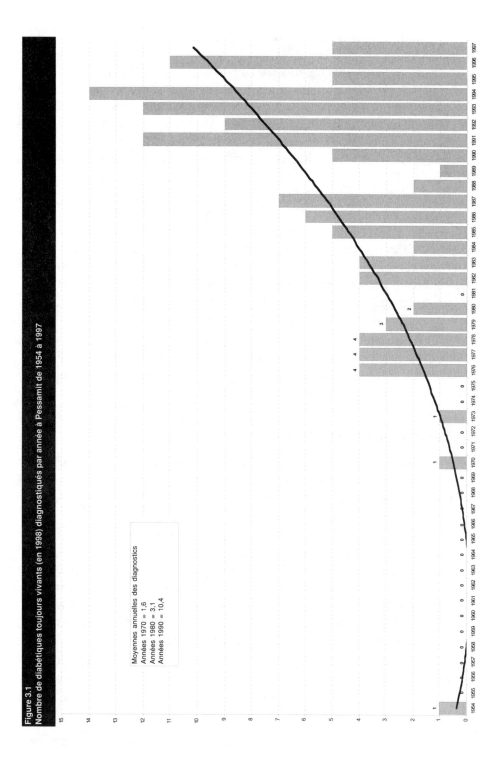

Figure 3.1
Nombre de diabétiques toujours vivants (en 1998) diagnostiqués par année à Pessamit de 1954 à 1997

Moyennes annuelles des diagnostics
Années 1970 = 1,6
Années 1980 = 3,1
Années 1990 = 10,4

Mentionnons que les profils présentés par les communautés d'Ekuanitshit, de Nutakuan, d'Unamen Shipu, de Pakua Shipi et de Matimekush présentent de grandes similitudes avec celui de Pessamit. Ainsi, en considérant les moyennes annuelles de nouveaux cas de diabète à Unamen Shipu, des années 1970 (0,1) à 1990 (5,2), nous obtenons un coefficient multiplicateur de 52. En somme, dans toutes les communautés observées le nombre de nouveaux cas de diabète découverts à chaque année commence à s'accroître très significativement au cours des années 1980.

En bref, ce que nous nommons « épidémie de diabète » paraît être un phénomène qui touche aussi bien la communauté innue de Pessamit que celles d'Ekuanitshit, de Nutakuan, d'Unamen Shipu, de Pakua Shipi et de Matimekush. Par contre, nous sommes également obligés de constater que cette maladie, du moins dans ses dimensions épidémiques, est relativement nouvelle. En effet, nous observons que les années 1980 et encore plus nettement les années 1990 ont été le moment de l'explosion du diabète dans toutes les communautés concernées ici.

Ces nombreuses informations de type quantitatif corroborent le discours populaire qui souligne le caractère nouveau de cette maladie. Ce discours se retrouve à Pessamit mais également dans toutes les communautés que nous avons visitées au cours des dernières années.

LES TAUX DE PRÉVALENCE

L'incidence est le nombre de nouveaux cas enregistrés au cours d'une période de temps déterminée (un mois, une année, etc.), tandis que la prévalence correspond au nombre de personnes porteuses d'un diagnostic à un moment précis.

Les Autochtones présentent les taux de prévalence parmi les plus hauts au monde. Une étude épidémiologique de type longitudinal réalisée par Bennett (cité dans Szathmary, 1987) démontra que le peuple amérindien pima d'Arizona, tout comme les Naurus de la Micronésie dans le Pacifique Sud, présentaient les plus hauts taux de DIND au monde. Par exemple, chez les Pimas, 50 % des personnes âgées de plus de 35 ans étaient, au début des années 1980, porteuses de la maladie.

Les données inédites que nous présentons au tableau 3.1 révèlent qu'à la fin du XXe siècle, les taux de prévalence du diabète rencontrés dans la majorité des communautés innues dépassaient largement ceux

Tableau 3.1
Prévalence du diabète dans les populations du Québec et dans diverses communautés innues

	Québec			Nutakuan			Unamen Shipu			Pessamit			Pakua Shipi			Ekuanitshit			Matimekush		
	Femmes	Hommes	Total	Femmes	Hommes	Total	Femmes	Hommes	Total	Femmes	Hommes	Total	Femmes	Hommes	Total	Femmes	Hommes	Total	Femmes	Hommes	Total
25 à 44 ans	1,7%	1,2%	1,4%	9,3%	14,4%	18,6%	14,5%	10,7%	12,5%	3,6%	3,6%	3,6%	12,1%	14,7%	11,6%	21,0%	15,5%	18,3%	9,5%	6,6%	8,1%
45 à 64 ans	3,7%	5,2%	4,4%	38,6%	29,6%	35,2%	53,3%	25,9%	39,8%	28,6%	12,4%	19,3%	55,6%	22,2%	38,9%	35,7%	25,9%	30,9%	23,8%	20,0%	22,1%
65 ans et plus	11,3%	10,6%	11,0%	85,7%	17,7%	42,1%	31,3%	16,7%	22,5%	21,0%	12,5%	16,9%	16,6%	0,0%	8,0%	58,3%	66,7%	61,1%	20,0%	20,0%	20,0%
Population totale	2,9%	2,7%	2,8%	9,6%	7,0%	8,3%	13,7%	7,9%	10,8%	5,2%	3,6%	4,5%	23,3%	10,5%	16,2%	15,0%	10,0%	12,7%	6,8%	5,2%	6,0%

Sources: Enquête sociale et de santé 1998, p. 287. Listes de bandes et dossiers des bénéficiaires réputés diabétiques de chacune des communautés concernées, 1999.

trouvés dans la population québécoise. Ainsi, en ce qui a trait aux taux de prévalence de l'ensemble de ces populations, nous constatons que toutes les communautés innues présentent des taux de 1,6 à 5,7 fois supérieurs à ceux trouvés dans la population québécoise. De toutes les communautés prises en considération dans le tableau 3.1, Pessamit présente les taux de prévalence les plus bas pour l'ensemble de la population comme pour les différents groupes d'âge.

Il est essentiel de se souvenir du fait que, contrairement à la population québécoise, la population innue de Pessamit (tout comme celles des autres communautés considérées ici) est constituée, dans une proportion de 60 %, de jeunes de moins de 25 ans. Cette réalité nous oblige à considérer les taux de prévalence par groupe d'âge, car le diabète de type II est une maladie qui se déclare davantage aux alentours de la quarantaine.

Ainsi, après avoir pris en compte l'ensemble des personnes diabétiques au regard de l'ensemble de la population, nous avons regroupé ensemble et distinctement les femmes et les hommes de 25 à 44 ans, les 45 à 64 ans et finalement les 65 ans et plus. Les résultats que nous obtenons pour chacun de ces groupes d'âge montrent que les écarts entre les taux de prévalence québécois et ceux des populations innues sont de plus en plus grands. Alors que nous avons, chez les 25 à 44 ans du Québec, un taux de prévalence de 1,4 %, nous obtenons, dans les communautés innues, des taux de 2,5 à 13,3 fois supérieurs. Il est d'ailleurs fort inquiétant de constater que les taux de prévalence du diabète sont aussi élevés dans cette première couche d'âge. En effet, le diabète est considéré comme une maladie qui affecte particulièrement les gens âgés de plus de 40 ans. Cet accroissement du taux de prévalence dans les couches les plus jeunes des communautés innues nous porte à croire que, tout comme cela fut observé à Sandy Lake au Manitoba, le diabète non insulinodépendant tend à se déclarer de plus en plus tôt dans les populations innues.

Chez les 45 à 64 ans, les écarts définis entre les taux de prévalence notés dans les populations innues et ceux de la population québécoise sont cette fois d'environ 4,4 à 9 fois supérieurs chez les premiers. Finalement, chez les 65 ans et plus les écarts sont cette fois de 0 à 5,5 fois supérieurs chez les Innus. Autre fait essentiel à souligner : ce sont pratiquement toujours les femmes qui présentent les taux de prévalence les plus élevés. Pour un homme diabétique nous comptons toujours deux femmes diabétiques et parfois trois. Cette constatation révèle une différence notable entre le profil épidémiologique de cette maladie dans les populations non autochtones du Québec, du Canada et des États-Unis où nous retrouvons plus d'hommes que de femmes diabétiques, dans la population blanche à tout le moins.

Il est évidemment essentiel de mentionner ces hauts taux de prévalence dans les populations innues et autochtones en général. Toutefois, nous devons également mentionner que certaines communautés autochtones présentent des taux de prévalence relativement proches des taux trouvés dans les populations non autochtones. Ainsi, à Wendake, la population présenterait un taux de prévalence du diabète de 4,2 %. À Odanak, le taux de prévalence serait de 3,8 % (CSSSPNQL, 1999). Si nous considérons que les taux de prévalence révélés dans le *Rapport sur l'analyse et l'interprétation de l'enquête médicale régionale* paraissent quelquefois plus élevés qu'ils ne sont en réalité, nous devons nous questionner sur les raisons de taux de prévalence si faibles.

Pourquoi ces exceptions à ce qui semble être une règle? Et au-delà, car à ce niveau les questions ne manquent pas. Pourquoi les taux de prévalence trouvés dans les différentes communautés autochtones révèlent-ils de tels écarts? Pourquoi, comme cela paraît au premier coup d'œil, les taux de prévalence sont-ils plus bas dans les communautés les plus proches des centres urbains? Pourquoi trouvons-nous plus de diabètes dans les communautés où, selon certains discours, les valeurs traditionnelles sont les mieux préservées? Pourquoi, dans la grande majorité des communautés innues, le diabète semble-t-il apparaître seulement à la fin des années 1970? Pourquoi l'apparition du diabète à Matimekush semble-t-elle coïncider avec la fermeture de la ville? Pourquoi les femmes affichent-elles des taux de prévalence aussi élevés? Pourquoi, dans toutes les communautés autochtones considérées, les femmes présentent-elles toujours des taux de prévalence supérieurs à ceux des hommes alors que, dans la société québécoise, ces taux sont pratiquement identiques?

LE DIABÈTE À PESSAMIT

L'Association du diabète du Québec estime qu'environ 5 % de la population québécoise est diabétique, bien que le rapport d'enquête de Santé Québec de 1998 établisse à 2,8 % le taux de prévalence du diabète dans la population québécoise en général. En comparaison de ces données, le taux affiché en 1998 pour l'ensemble de la population de Pessamit serait de 4,9 %, donc relativement près de celui de la population québécoise en général. Par contre, les données obtenues lors de l'enquête médicale régionale (CSSSPNQL, 1999) révèlent un taux de prévalence du diabète à Pessamit deux fois plus élevé que celui auquel nous aboutissons. En effet, l'enquête du CSSSPNQL obtient un taux de 9,3 % de diabète pour la population innue de Pessamit. Les méthodes d'enquête ayant mené à ces taux de prévalence sont toutefois fort différentes l'une de l'autre. Ce fait explique probablement en partie ces écarts.

L'enquête médicale régionale procéda par échantillonnage et distribua un questionnaire auprès de 107 personnes (60 femmes et 47 hommes) représentant environ 4,7 % de la population totale. Pour notre part, nous avons établi le taux de prévalence du diabète en relevant la liste[1] de toutes les personnes diabétiques déclarées et connues à Pessamit. Par la suite, nous avons procédé au calcul de la prévalence du diabète en utilisant la liste de bande la plus récente.

Depuis plusieurs dizaines d'années, la pratique infirmière en milieu autochtone est orientée vers un dépistage et une surveillance intensive qui nous portent à croire que la presque totalité des diabétiques sont connus des milieux de la santé. En ce sens, nous avons la ferme conviction que le taux de prévalence du diabète établi par notre méthode d'enquête est très proche de celui qui existe réellement dans cette population. En plus, considérant la dynamique entourant la problématique du diabète en milieu autochtone, nous estimons que peu d'Innus de Pessamit ignorent le fait qu'ils sont ou non diabétiques.

En prenant connaissance du taux de prévalence pour l'ensemble de la population nous devons toutefois considérer la démographie de Pessamit. Comme nous l'avons déjà mentionné, cette population se distingue nettement de la population québécoise par sa jeunesse. Puisque que le DNID est un syndrome qui se manifeste particulièrement aux alentours de la quarantaine, il s'avère impérieux d'établir des taux de prévalence en prenant en considération les différentes catégories d'âge. Ainsi, un regard comparatif sur les taux de diabète par rapport à l'âge chez les Québécois et chez les Innus de Pessamit révèle des faits troublants.

---

1. L'élaboration de cette liste correspond à une pratique instaurée du temps de l'administration fédérale ; c'est une méthode de travail calquée sur celle élaborée lors des campagnes d'éradication de la tuberculose en milieu autochtone. Toutes les personnes recevant un diagnostic de diabète sont au fur et à mesure incluses dans une liste élaborée et mise à jour par les infirmières. Cette méthode de travail s'apparente à la pratique ayant cours dans un département d'hôpital où chaque bénéficiaire est mis sous le « contrôle » d'une équipe de soins qui s'assure que celui-ci reçoit tous les traitements prescrits. Une telle pratique n'est observable dans aucun village non autochtone de la Côte-Nord, ni d'ailleurs probablement.

En consultant le tableau 3.2, nous constatons qu'à compter de l'âge de 25 ans les taux de diabète obtenus à Pessamit sont nettement supérieurs à ceux rencontrés dans la population québécoise. Bien que le DNID apparaisse rarement avant la quarantaine, du moins dans la population québécoise et canadienne, nous constatons qu'à Pessamit le taux de prévalence est 2,6 fois supérieur chez les 25 à 44 ans à celui retrouvé chez les Québécois. Cette tendance se maintient chez les 45 à 64 ans. D'autre part, nous remarquons également que le diabète touche plus particulièrement les femmes de Pessamit. C'est en effet une proportion de 60 % de femmes qui composent l'ensemble des personnes diabétiques de Pessamit. Ainsi, nous comptons, dans la liste des personnes diabétiques de Pessamit, environ deux femmes pour un homme dès que ces derniers atteignent l'âge de 45 ans.

Tableau 3.2
Prévalence du diabète dans les populations du Québec et de Pessamit par catégorie d'âge et sexe

	Québec			Pessamit		
	Femmes	Hommes	Total	Femmes	Hommes	Total
25 à 44 ans	1,7%	1,2%	1,4%	3,6%	3,6%	3,6%
45 à 64 ans	3,7%	5,2%	4,4%	28,6%	12,4%	19,3%
65 ans et plus	11,3%	10,6%	11,0%	21,0%	12,5%	16,9%
Population totale	2,9%	2,7%	2,8%	5,2%	3,6%	4,5%

Sources: Enquête sociale et de santé 1998, p. 287. Listes de bandes et dossiers des bénéficiaires réputés diabétiques de chacune des communautés concernées, 1999.

Nos informations permettent de constater que la prévalence du diabète à Pessamit s'accroît rapidement depuis quelques décennies seulement. Un recensement effectué en 1991 auprès des infirmières de tous les centres de santé innus permit de constater qu'à cette époque Pessamit comptait 63 cas de diabète. Ce nombre représentait alors un taux de prévalence de 2,9 %. Puis, de janvier 1991 à décembre 1992, le nombre de diabétiques passa à 82 cas et la prévalence grimpa à 3,1 %. Deux années plus tard, soit en 1994, on dénombrait à Pessamit 101 cas de diabète. Ces premières données montrent qu'en quelques années seulement la prévalence du diabète à Pessamit a plus que doublé.

L'apparition récente du diabète dans le profil épidémiologique des Autochtones est parfois mise en doute du fait qu'à ces époques il n'y avait pas de médecins pour diagnostiquer la maladie. Mentionnons d'abord que les infirmières sont présentes dans de nombreuses communautés amérindiennes depuis plusieurs décennies. Par exemple, à Pessamit, les infirmières sont en poste depuis les années 1940. Toutefois, fait assez exceptionnel, dès 1925 Pessamit recevait la visite régulière du docteur Bosset. Par la suite, se succédèrent les docteurs Baroley et Lavallée qui résidèrent tous deux dans la réserve. La glycosurie étant un symptôme fort bien connu des milieux de la santé depuis plusieurs siècles et le diabète étant une maladie emblématique de la médecine, il est fort peu probable que celle-ci soit passée inaperçue aux yeux des professionnels de la santé de l'époque. Toutefois, il est évident que l'intérêt et l'acuité des professionnels de la santé face à ce problème étaient probablement beaucoup moins grands à cette époque qu'ils ne le sont de nos jours.

CHAPITRE 4

Les limites des interprétations génétiques et culturalistes

Nombreux sont les chercheurs qui se sont penchés sur les conditions d'émergence du diabète chez les Autochtones. Le modèle explicatif de la santé publique montre que les composantes génétiques liées à l'appartenance à une «race» ou à un groupe ethnique influenceraient de manière importante cette problématique. En fait, plusieurs suggèrent que cette maladie est liée aux conséquences de changements environnementaux sur des populations porteuses de caractéristiques génétiques particulières. Les concepts qui se trouvent les plus fréquemment utilisés, quand on cherche à rendre compte d'un point de vue théorique de l'émergence du diabète, sont, d'une part, ceux de la génétique et, d'autre part, ceux de l'acculturation. La plupart des textes utilisent ces deux groupes de concepts de façon relativement distincte.

BIOCULTURALISME ET ÉCOLOGISME

Les tenants des paradigmes bioculturel et écologiste sont de toute évidence ceux qui se sont le plus intéressés à la question de l'émergence du diabète chez les Autochtones du Canada, des États-Unis ainsi que du Pacifique. Lorsque nous abordons la littérature anthropologique concernant la problématique du diabète, nous réalisons rapidement qu'elle est intimement associée à la démarche biomédicale et que la question de l'hérédité est incontournable.

L'épidémiologie a mis en lumière l'apparition récente de l'augmentation rapide de la prévalence du diabète dans les populations autochtones d'Amérique, de même que dans plusieurs populations du Pacifique et de l'Australie. De nombreuses recherches ont tenté d'élucider l'étiologie du DIND en adoptant une perspective bioculturelle ou encore écologiste[1]. Nous parlons ici des approches appelées *biomedical anthropology* (Johnston et Lowe, 1984), *biocultural medical anthropology* (McElroy, 1990) ou encore *biocultural epidemiology* (Young, 1988). Chacune de ces approches repose sur le désir d'accroître la collaboration entre les sciences biomédicales et des sciences sociales telles que l'anthropologie.

En adoptant ce paradigme, santé et maladie sont considérées dans le continuum de l'évolution humaine. Les variations environnementales, biologiques et génétiques sont analysées au regard du concept d'adaptabilité. Selon McElroy et Townsend (1989), trois types d'adaptation doivent être pris en considération. Le plus lent et le moins réversible d'entre eux serait celui de l'adaptation génétique du corps humain. Subissant les effets de la sélection naturelle, certains gènes permettant une meilleure survie de l'espèce humaine se verraient transmis plus facilement d'une génération à l'autre. Par la voie de ce mode adaptatif, les humains se transforment physiquement au cours des millénaires en raison de la pression du milieu. La force de la sélection naturelle expliquerait le passage de l'être humain à la position verticale (bipède), le rétrécissement du pelvis de la femme ainsi que l'augmentation du volume de la boîte crânienne. La maladie jouerait un rôle important dans ce processus d'adaptation. Certaines résistances génétiques permettraient à quelques humains de survivre plus facilement dans des environnements donnés et, donc, en raison de leur meilleure adaptation, de se reproduire plus facilement.

Le second mode d'adaptation concerne les transformations physiologiques qui se produisent chez un individu dans le cadre de sa période de vie propre, sans pour autant que cette adaptation se transmette par la voie des gènes. Certaines de ces adaptations se produiraient rapidement, comme par exemple la sudation en milieu chaud ou, plus progressivement, l'augmentation en nombre et en volume des globules rouges lorsque le corps humain se trouve dans des conditions d'oxygène raréfié. Toutefois, adaptation physiologique et bagage génétique sont considérés comme

---

1. Le terme «bioculturel» fait ici référence à l'existence d'une interface entre facteurs biologiques et culturels, d'un espace particulier au sein duquel prendraient forme les dynamiques pouvant générer la maladie et la santé.

intimement liés puisque le second déterminera l'existence du premier et de ses limites.

Finalement, le troisième mode d'adaptation concernera les réponses adaptatives d'un groupe d'êtres humains à un environnement donné. Ces réponses seront consolidées à l'intérieur d'une culture, partagées par un groupe d'individus et transmises d'une génération à l'autre par la voie de l'enseignement informel.

GÉNÉTIQUE, ADAPTATION ET DIABÈTE

Après analyse de toutes les études ayant porté sur la question du DNID, on se rend compte qu'il se dégage une sorte de consensus très net : le DNID possèderait des origines génétiques et les facteurs environnementaux joueraient un rôle important en se combinant aux déterminations de ces dernières. Rappelons que l'obésité est généralement considérée comme un facteur environnemental, lequel serait le plus important d'entre eux (Young *et al.*, 1990). Toutefois, est-il nécessaire de le rappeler, les recherches en génétique tentent également d'isoler un ou plusieurs gènes responsables de l'obésité. Cette dernière passerait alors de la sphère environnementale à la sphère génétique.

Les milieux médicaux reconnaissent la « multifactorialité » de l'étiologie du diabète. Toutefois, la recherche de l'origine génétique de cette maladie, tout comme celle des causes de l'explosion de sa prévalence en milieu autochtone, suscite beaucoup d'attention et d'investissement.

Les milieux de la recherche génétique s'entendent pour dire que la forme commune de DIND se caractérise par une grande hétérogénéité tant clinique que génétique, et que celle-ci rendrait très aléatoire une approche strictement génétique. Plusieurs stratégies sont mises en place par les milieux de la recherche pour mettre au jour les déterminants génétiques du diabète. Ainsi, le DNID serait une maladie polygénique à composante environnementale. L'implication des gènes du système HLAa permet au milieu de la recherche génétique d'affirmer que le diabète est une maladie ayant une forte composante auto-immune, mais que cette dernière ne pourrait, à elle seule, tout expliquer. Des découvertes plus récentes impliquant le locus de l'insuline portent les chercheurs vers des explications plus mécaniques de cette maladie. Depuis 1993, de grandes avancées dans la compréhension de l'aspect génétique du diabète ont été réalisée. De nombreux loci ont été identifiés par les généticiens et ceux-ci paraissent jouer un rôle potentiel dans l'avènement du diabète. C'est l'hypothèse émise en 1962 par le généticien Neel qui a le plus attiré l'attention des chercheurs. Elle a également été appliquée au diabète rencontré chez les Aborigènes d'Australie, chez les insulaires de Nauru et de Samoa ainsi qu'ailleurs dans le Pacifique : c'est l'hypothèse du *thrifty gene* (gène économe) qui se résume comme suit.

Les peuples amérindiens ayant été exposés à des périodes répétées de famine et d'abondance, le corps humain se serait adapté à cet environnement difficile et ingrat en générant un gène dit « économe »[2]. Neel postulera que ce gène permettait au corps humain d'emmagasiner des réserves lors des périodes d'abondance et de puiser à même ces réserves de façon parcimonieuse lors des périodes de famine qui pouvaient s'avérer fort longues. L'hypothèse de Neel repose sur la capacité du corps humain à entreposer des énergies dans un mode de vie générant des périodes de famines alternées avec des périodes d'abondance. Dans la perspective de cette approche génétique, l'apparition du diabète semble en lien avec le processus d'adoption d'une nouvelle culture dominante.

> The « thrifty gene », proposed by James Neel in 1962, and updated in 1982, is the most accepted evolutionary explanation for the occurrence of the diabetic genotype. Additionally, two selective factors have been identified which could increase or maintain this « thrifty gene » in a population: repeated periods of starvation and multiparity (Wiedman, 1987 : 62).

La théorie génétique et l'anthropologie bioculturelle font ainsi l'hypothèse qu'un gène nuisible à la santé sera éliminé par voie de sélection naturelle, à moins que celui-ci n'apporte des avantages tant à la survie qu'à la reproduction des individus qui le portent.

Neel a postulé que, si des gènes contrôlent le niveau d'insuline en réponse à une augmentation de la glycémie, un individu muni d'un gène qui lui permettrait de répondre plus rapidement à une augmentation de la glycémie serait mieux équipé pour entreposer en grande quantité le glucose sous forme de triglycérides dans les cellules. En supposant que les peuples de chasseurs-cueilleurs avaient à vivre dans un environnement difficile où alternaient les périodes de famine et d'abondance, le gène « économe » aurait été très avantageux. Lors des périodes d'abondance, la rapide et grande production d'insuline aurait empêché l'élimination par la voie urinaire des hydrates de carbone alors entreposés sous forme de graisse. Par contre, lors des périodes de famine, ces réserves de graisse

---

2. D'autres parleront de gène « épargneur ».

auraient permis aux individus porteurs du gène «économe» de survivre et de se reproduire mieux que ceux qui en étaient dépourvus. Ce gène assurant la survie aurait été transmis de génération en génération. Les porteurs seraient toutefois désavantagés lorsqu'ils seraient appelés à vivre dans des conditions d'abondance, c'est-à-dire lorsque la nourriture devient disponible de manière régulière sans jamais manquer (Szathmary, 1987 : 39).

Mais si cette thèse a le mérite d'apporter une explication globale, elle soulève néanmoins de nombreuses difficultés. Notamment celle d'imaginer que les peuples autochtones vivaient dans un environnement difficile et qu'ils étaient régulièrement confrontés à des périodes de disettes et de famine. En effet, nombreuses sont les recherches qui tendent à démontrer que les Peuples premiers savaient tirer profit d'un environnement substantiellement généreux qui offrait toutes les ressources nécessaires à l'alimentation, à l'habillement, à la fabrication d'habitation et de moyens de transport.

> Même les populations algonquiennes du Canada qui vivaient surtout de la chasse étaient généralement bien nourries. Somme toute, l'absence de famine et la hausse lente mais régulière de la population amérindienne s'expliquent par le développement d'une horticulture aux rendements extraordinaires et par la présence d'une flore et d'une faune dont l'abondance dépassait l'imagination. «On a calculé que seize kilomètres carrés de forêts dans l'Illinois pouvaient fournir en un an des centaines de kilos de glands et de noix, cent chevreuils, dix mille écureuils, deux cents dindons et même cinq ours» (Delâge, 1991 : 58).

Il est vrai que la littérature concernant les Autochtones fait fréquemment mention de périodes de famine que traversèrent ces peuples. En 1854, le père Arnaud écrivait au sujet des Innus que «la durée de vie leur serait d'un siècle, si leur tempérament n'était souvent épuisé par des marches ou des abstinences forcées ; et aussi, après de longs jeûnes, par une abondance et une qualité de nourriture, souvent peu en rapport avec leurs besoins» (cité par Bédard, 1987 : 83). Dans son journal de voyage, l'abbé Huard écrivait, concernant les Innus de Pessamit qui partaient pour de longs séjours dans le bois, qu'il arrivait «un moment où la dernière mesure de farine est elle-même épuisée. Non seulement on a mangé son pain blanc le premier, comme dit le proverbe ; mais il faut dire adieu à tout pain quelconque, jusqu'au retour à la mer, l'été suivant» (Huard, 1897 : 38-39).

Il est indéniable, selon nous, que ces épisodes de famine ne peuvent être dissociés des nombreuses transformations qui affectèrent la vie des Innus à partir du XVIᵉ siècle, tant dans leurs rapports avec l'environnement qu'entre eux, ainsi qu'avec les non-autochtones. Un premier élément doit être pris en considération. Les nombreuses épidémies qui décimèrent près de 90 % des populations autochtones eurent nécessairement un impact sur les capacités de ces populations à subvenir à leurs besoins. La mort de milliers de femmes et d'hommes ont nécessairement eu un impact direct sur les capacités de ces peuples à puiser leur nourriture à même la nature. Il faut considérer les profondes transformations qui affectèrent les rapports des Autochtones à la nature et, aussi, au niveau de leur système commercial. L'arrivée des Européens en Amérique eut un impact évident sur tout un système économique qui existait et se développait depuis des millénaires. Ainsi, il n'est pas impossible « que le commerce des fourrures ait épuisé graduellement les populations d'orignaux, de caribous et de castors dont les Montagnais mangeaient la viande et qu'ils ajoutaient à leur régime de poissons et d'anguilles » (Trigger, 1992 : 286). On a observé sur des sites archéologiques de villages hurons une période où la quantité d'os de castor est anormalement élevée, ce qui serait vraisemblablement l'indice de l'accroissement de la chasse au début de la traite des fourrures.

Une seconde période est observée sur ces sites archéologiques. Cette fois le nombre d'os de castors est nettement inférieur. Cette seconde période correspondrait, selon les archéologues, à une raréfaction du castor et confirmerait les propos du père LeJeune qui, en 1635, mentionnait que le castor avait totalement disparu de la Huronie (Delâge, 1991 : 164). Il est donc fort probable que les profondes modifications qui affectèrent l'équilibre naturel de l'environnement des Autochtones eurent un impact sur la disponibilité des ressources alimentaires et sur l'avènement des famines.

On peut conclure que le phénomène des famines a bel et bien existé. Toutefois, celles-ci sont beaucoup plus récentes dans l'histoire que ne le laisse entendre une certaine littérature, et elles sont liées à d'autres paramètres que celui d'un environnement avare de ses ressources. La thèse bioculturelle pose ainsi à ce niveau déjà une première difficulté.

UNE ANTHROPOLOGIE QUI RISQUE DE S'ENLISER

En posant le problème du diabète en tant que maladie de civilisation résultant d'une mésadaptation génétique (partagée par de nombreuses ethnies) à un environnement donné, à une culture marquée par la modernité, nous croyons que l'anthropologie bioculturelle tend à évacuer une foule de facteurs sociopolitiques, économiques et culturels qui, de notre point de vue, jouent un rôle central dans l'émergence de cette épidémie. Elle contribue aussi à façonner l'image empreinte de préjugés d'un peuple inadapté et inadaptable à la modernité.

Cette quête du gène responsable du syndrome diabétique chez les Autochtones et d'autres ethnies a mené certains chercheurs à se questionner : « Since the Mexican-American population represents a mixture of Native American and European Caucasian ancestry, it is possible that they too have a high frequency of diabetes susceptibility genes deriving from their Native American ancestry » (Gardner *et al.*, 1984 : 90-91).

Comme nous l'avons vu précédemment, d'autres recherches ont établi une corrélation entre le pourcentage de « sang indien » présent chez les individus appartenant à un groupe précis et le taux de prévalence du diabète rencontré chez ces derniers.

Cette quête d'un facteur biologique particulier était importante à la fin du XIXe siècle, époque où le darwinisme social faisait de nombreux adeptes. Ainsi, les Amérindiens, tout comme ce fut le cas pour les Aborigènes d'Australie ou les Maoris, étaient considérés « as less fitted to survival than Europeans and thus doomed to extinction. [...] Much of the ability of humans to resist disease is based on general functions of the body rather than some process directed at specific disease organisms » (Sagger et Gray, 1991 : 3).

Au cours des années 1930, la tuberculose était devenue une figure métaphorique par laquelle s'exprimait leur propre destin aborigène. L'ouvrage *The Red Man and the White Plague* écrit par D.A. Stewart (1936) considérait que la tuberculose était : « a kind of relentless process of nature, like an earthquake that we could stand in awe of, and be very sad about do nothing to check or change » (Stewart, 1936 : 674, cité par Waldram *et al.*, 1995 : 263).

L'idée de race était prédominante au XlX^e siècle et au début du XXe pour expliquer les différences biologiques rencontrées chez les différents groupes humains et, bien entendu, l'explication de la maladie n'y échappait pas.

Waldram et ses collaborateurs (1995) remarquent que, si la notion de la susceptibilité raciale en rapport avec la tuberculose est encore si présente aujourd'hui, cela démontre à quel point le paradigme biomédical est toujours profondément enraciné dans notre conception de la santé et de la maladie. Nous ajoutons pour notre part que cette quête du gène responsable du diabète dans le bagage héréditaire de différents groupes ethniques est également une preuve de l'omniprésence du paradigme biomédical dans le monde de la recherche concernant le diabète.

L'usage abusif de l'alcool et de ses effets désastreux chez les Autochtones a également été appréhendé par la lorgnette de la génétique. Ainsi, selon cette approche, la constitution biologique des Autochtones, de même que celle des Inuits, ferait en sorte qu'ils métaboliseraient plus lentement l'alcool comparativement à d'autres races ou groupes ethniques. De nombreuses recherches à caractère scientifique ont tenté de comparer la résistance à l'alcool de diverses populations, comme les Aborigènes d'Australie, les Maoris ainsi que les Amérindiens et les Inuits, afin de démontrer qu'elles ne résistaient pas à l'alcool comme les populations d'origine européenne (Fisher, 1987: 82). Tant et si bien que l'explication voulant que « some hereditary peculiarity makes it impossible for Indians to drink without disastrous consequences » (Leland, 1976: 2) s'est rapidement constituée et répandue dans l'opinion populaire.

Certaines recherches ont également tenté de démontrer que le « caractère violent » des Inuits pourrait tout autant s'expliquer par la génétique : « People who have the stature of the Eskimo, described by Grygier (1972) as stout, pasty and constituting the specifical biological type epileptoid, have a biologically determined ineptitude to carry alcohol and consequently are prone to violence » (Leland, 1976: 2).

Ainsi, tout comme pour la tuberculose, les Autochtones seraient physiquement et biologiquement désavantagés par rapport aux nouvelles réalités apportées par la modernité et, « soumis à l'emprise des lois naturelles » de leur constitution, ils céderaient à la violence sous l'effet de l'alcool (Laplante, 1985: 70).

Plus récemment, en 1990, Young, Szathmary, Evers et Wheatley réalisèrent une recherche pour le compte de Santé et Bien-être Canada afin d'établir la prévalence du diabète dans l'ensemble des nations autochtones du Canada. Ces chercheurs utilisèrent, entre autres, l'appartenance à un groupe linguistique « as an index of genetic relationship because there is an association between indigenous language and genes in North America and north of Mexico » (Young *et al.*, 1990: 136). Les résultats obtenus en analysant les données provenant de 76 % des communautés inuites et réserves indiennes du territoire canadien permirent à ces chercheurs d'émettre l'hypothèse suivante : « If indigenous language in North America indicates genetic relationship, then one could posit that Caddoan, Siouan, and Iroquoian-speakers anywhere would have high rates of diabetes » (*Ibid.* : 136-137).

Notre intention n'est pas de contester le fait qu'il existe ou non une composante génétique au syndrome diabétique. Toutefois, les propos de généticiens obligent à questionner l'insistance mise sur certains discours concernant l'explication de l'avènement du diabète chez les peuples des Premières Nations. Comme le mentionne Danze, Penet et Fajardy (1997), bien que d'immenses progrès dans la recherche génétique concernant le diabète aient été réalisés, il ne faut pas perdre de vue que cette maladie a des origines polygéniques et que l'environnement constitue un élément essentiel dans la mise en action de ces complexes génétiques.

Les propos suivants du généticien Albert Jacquard nous mettent en garde contre une « ethnicisation », voire une « racialisation » à outrance du problème du diabète.

> Son déterminisme génétique [au diabète] est encore discuté ; il semble qu'il s'agisse de l'interaction de nombreux gènes qui déterminent non pas la maladie elle-même, mais la prédisposition de l'individu à la manifester ; celle-ci n'apparaît que si la nourriture dépasse un certain seuil de « richesse », le seuil étant lui-même défini par les gènes présents. Tel individu doté de gènes entraînant une forte prédisposition au diabète ne manifestera pas cette maladie si son régime reste suffisamment pauvre ; tel autre doté d'une bien moindre disposition en sera atteint si son régime est d'une richesse excessive. La fréquence constatée dans un pays dépend donc moins de la structure génétique de la population que de ses habitudes ou de ses possibilités alimentaires (Jacquard, 1978 : 57).

Dans son récent ouvrage intitulé *Ni Dieu ni gène*, Kupiec (2000) met également en garde le monde scientifique qui semble être parti à la conquête d'un démiurge accessible, lisible dans le monde des molécules. Bien que de très nombreux gènes aient été isolés en rapport avec des pathologies diverses comme celle du diabète, il s'avère que leurs relations avec ces caractères phénotypiques relèvent davantage de corrélations statistiques.

> Ce fait conduit de nombreux généticiens à relativiser le rôle du gène. On parle, maintenant, de composante génétique et non de déterminisme génétique. [...] Le gène semble ainsi ramené au rang d'un simple

élément situé au même niveau que tous les autres facteurs intervenant dans la composition d'un organisme (Kupiec, 2000 : 6-7).

PROBLÈME ETHNIQUE OU SOCIO-ÉCONOMIQUE?

Il existe, dans la communauté scientifique, un consensus voulant qu'au cours de la vie d'une population, la modernisation ainsi que l'émigration vers un pays occidental contribuent à l'émergence de maladies dites de l'ère industrielle, comme le diabète.

> McKeown's and Omran's observations have been influential in establishing a two component model of the transition in the causes of death – a decline of infectious diseases and a concomitant rise of chronic diseases. This model has received significant support from epidemiological studies in many countries on the increasing prevalence of risk factors predisposing to cardiovascular diseases, such as smoking, diabetes, and high cholesterol levels. These risk factors appear to be rising in many developing countries as well, due to « Westernization ». In economic terms, these patterns are income elastic in that they are responsive to income change (Pearson, Jamison et Trejo-Gutierrez, 1993, dans Murray et Chen, 1994 : 11).

Il paraît réducteur de limiter les études concernant les conditions d'émergence d'une maladie comme le diabète à l'établissement des différences physiques entre les différents groupes ethniques. Les arguments de Corin (1996) nous semblent tout à fait pertinents dans l'établissement d'une mise en garde contre cette tendance réductionniste qui pèse sur nombre des explications portant sur les conditions d'émergence de cette maladie. Cette auteure mentionne que l'utilisation de critères ethnicisant, comme le lieu de naissance ou l'apparence physique, sont inutiles et potentiellement dangereux. Elle précise que ces critères ethniques :

> créent des catégories d'individus apparemment homogènes qui n'existent pas dans la réalité. Un indicateur unique comme l'ethnicité ne permet pas de rendre compte de façon appropriée, et peut-être même pas du tout, de la place complexe que les individus occupent dans la sphère sociale et culturelle. Il faut également se méfier d'indices simples comme les indices d'acculturation (Corin, 1996 : 134-135).

L'approche scientifique de l'ethnicité est essentiellement normative. Les différences ethniques sont généralement établies en fonction de leurs relations au « groupe-étalon » qui le renvoie toujours à la population blanche (Bouhier-Roddier, 1999 : 29).

The « Racial Contract », then, is intended as a conceptual bridge between two areas now largely segregated from each other : on the hand, the world of mainstream (i.e., white) ethnics and political philosophy, preoccupied with discussions of justice and rights in abstract, on the other hand, the world of Native American, African American, and Third and Fourth World political thought, historicaly focused on issues of conquest, imperialism, colonialism, white settlement, land rights, race and racism, slavery, reparations, apartheid, cultural authenticity, national identity, indigenismo, Afrocentrism, etc. (Mills, 1997 : 4).

Certaines recherches veulent démontrer l'existence d'un lien étroit entre l'appartenance à un groupe ethnique et la forte prévalence du diabète. Toutefois, ces travaux oublient généralement de mettre en relief le passé colonial que partage la presque totalité de ces peuples et l'apparition de cette maladie au début des années 1950. De plus, il n'est à peu près jamais fait mention des inégalités socio-économiques. Est-ce le fait d'être biologiquement et génétiquement constitué d'une manière donnée qui doit être principalement mis en cause ? Ne serait-il pas pertinent de s'attarder aux conditions socio-économiques et politiques dans lesquelles certaines populations sont contraintes de vivre en raison de leur appartenance à une « race » ou à un groupe ethnique particulier ? Pour notre part, nous estimons qu'il est du devoir de l'anthropologie de la santé de même que de toutes les disciplines concernées par l'émergence de cette épidémie de prendre en considération la distribution sociale et économique de cette nouvelle maladie et le contexte historique dans lequel elle trouve les conditions favorables à son développement. Ainsi, c'est probablement moins l'ethnie ou la « race » qui se révéleront comme des conditions premières, mais plutôt les conditions socio-économiques et politiques qui prévalent à une période donnée de l'histoire.

La création de ce lien étroit et « scientifiquement démontré » entre une caractéristique physique intrinsèque (sexe, ethnicité, etc.) et la maladie a également pour effet de créer des populations « à risque » tant d'un point de vue objectif (le point de vue de l'autorité biomédicale) que subjectif (celui des populations sous observation). En d'autres mots, les acteurs de ces populations en viennent à intégrer ces notions et à se définir eux-mêmes comme étant « à risque ». Colonialisme des corps, cette intégration de la conception déterministe de leur être les dépossède d'une partie de leur pouvoir sur leur destinée.

ACCULTURATION ET DIABÈTE

L'acculturation est un concept qui cherche à rendre compte des phénomènes qui surviennent lorsque deux populations appartenant à des cultures différentes sont mises en contact régulier et direct. Dans le processus relationnel entre ces deux cultures surviennent des changements chez l'un ou l'autre de ces groupes ou, même, à l'intérieur des deux, changements visant à l'accommodation de l'un vis-à-vis de l'autre.

De nombreuses études concernant le taux élevé de prévalence du diabète chez les Autochtones d'Amérique du Nord inscrivent le concept d'acculturation au centre de leur modèle explicatif. Dans ce modèle, ce n'est pas tant le degré d'acculturation qui constitue un facteur de risque pour la santé. De fait, le processus d'acculturation serait généralement accompagné d'un stress dit d'« acculturation » qui, lui, contribuerait à altérer l'état de santé des individus inscrits dans cette confrontation des modes de vie. Toutefois, ce stress d'adaptation, bien que fréquent, ne serait pas inévitable. Par exemple, l'adaptation des immigrants serait beaucoup plus facile, donc moins stressante, dans des sociétés multiculturelles plutôt que dans des sociétés monoculturelles.

L'analyse anthropologique des nouvelles problématiques de santé chez les peuples autochtones a emprunté le regard culturaliste et a tenté d'expliquer l'émergence de maladies dites de la civilisation, comme l'hypertension et le diabète, par le biais des concepts d'« acculturation » et de « stress d'acculturation ».

Mais doit-on prendre en considération le niveau « d'acculturation » ou celui de « stress d'acculturation » comme élément pathogène ? Doit-on considérer que plus le niveau de « stress d'acculturation » est grand chez un individu ou dans une collectivité, plus le risque de retrouver des pathologies d'ordre psychologique ou physique sera élevé ? Selon une recherche comparative adoptant le modèle d'acculturation et dirigée par Berry (1976a, b), la plus forte prévalence de certains problèmes de santé trouvés chez les Cris de Wemindji sur la côte est de la Baie James s'expliquerait en partie par le faible niveau d'acculturation relative trouvé chez cette population. En effet Berry mentionne que : « Wemindji is the most traditionally oriented of the bands on the coast ; it may be judged to be fairly typical and probably resembles the life found in other bands on the coast a generation ago » (Berry, 1976b : 93).

Le modèle d'acculturation proposé par Berry envisage deux sortes de changements comportementaux attribuables au processus d'acculturation. D'une part, il pourra s'agir de changements de comportements

(*behavioural shifts*) où il y aura glissement d'un comportement traditionnel vers un comportement allant dans le sens de la culture d'accueil ou
dominante. Par ailleurs, il pourra s'agir d'un « stress d'acculturation »
(*acculturative stress*) qui engendrera des comportements inappropriés.
Certaines personnes possédant des attributs personnels suffisamment forts
pour leur permettre de maintenir leur différence à l'intérieur de ce processus de choc culturel ne souffriront pas d'un stress d'acculturation susceptible d'affecter leur santé. Par contre, d'autres individus seront
davantage touchés par les changements culturels et souffriront donc d'un
plus grand stress d'acculturation et, de ce fait, verront leur qualité de santé
diminuer.

Ainsi, selon cette approche, les taux de prévalence plus élevés de
diabète dans les milieux amérindiens en contact avec la culture européenne
pourraient s'expliquer par le stress d'acculturation. Plus une nation autochtone serait en contact sur une longue période avec la culture européenne,
plus elle risquerait d'afficher un taux élevé de diabète.

Les conclusions de l'étude réalisée par Young, Szathmary, Evers et
Wheatley (1990) semblent, à première vue, confirmer cette hypothèse.
Ainsi, ces chercheurs constatent que la latitude où se situe une nation
autochtone sur le territoire canadien serait un puissant indicateur permettant de prédire un taux de prévalence élevé ou non de diabète.

> It explains 30,8 % of the variation in native diabetes prevalence in Ca-
> nada, and is negatively associated with the disease rate. This reinforces
> our contention that latitude indicates the strength of underlying Euro-
> Canadian influence, manifest as lifestyle changes along a north-south
> gradient [...] At a minimum they allow more precise identification of
> groups that are at greatest (Young, Szathmary, Evers et Wheatley, 1990:
> 137).

Les récents résultats dévoilés dans le *Rapport de l'enquête régionale sur
les peuples autochtones* (CSSSPNQL, 1999) apportent des éléments qui remettent en question cette corrélation entre niveau d'acculturation et
prévalence du diabète. En effet, les taux de prévalence enregistrés dans la
nation huronne-wendat sont parmi les plus bas pour l'ensemble des nations autochtones concernées par l'enquête régionale. Nous constatons
que les taux de prévalence trouvés chez femmes et les hommes de cette
nation se rapprochent étrangement de ceux établis pour l'ensemble des
populations québécoise et canadienne. Ainsi, la prévalence du diabète de
Wendake était de 4,2 % alors qu'elle se situait à 15,6 % à Nutakuan et à
9,3 % à Pessamit. Considérant le fait que la nation huronne-wendat est en

contact étroit avec la culture euro-canadienne depuis quelques siècles, nous aurions dû en toute logique y constater un taux de prévalence beaucoup plus élevé. Dans le même sens, nous pourrions souligner aussi, comme nous l'avons indiqué plus haut, la faible prévalence trouvée chez les Abénaquis d'Odanak. Doit-on considérer que les Hurons-Wendats ou encore les Abénaquis d'Odanak sont des Autochtones totalement acculturés, assimilés à la culture euro-canadienne, ce qui en l'occurrence pourrait expliquer les faibles taux de diabète trouvés chez eux ? Il suffit de connaître ne serait-ce que minimalement ces communautés pour savoir qu'elles n'ont jamais cessé de se définir comme autochtones et de fortement revendiquer ce statut.

Les taux d'incidence et de prévalence du diabète des communautés innues de Pessamit, Ekuanitshit, Nutakuan, Unamen Shipu, Pakua Shipi et Matimekush soulèvent des points d'interrogation auxquels le concept d'acculturation ne peut que difficilement apporter des éléments de réponse. Considérant les thèses dérivant de ce concept, il aurait été logique de trouver des taux de prévalence du diabète beaucoup plus élevés chez les Innus de Pessamit, car ce groupe est celui qui a les contacts les plus étroits, les plus constants et les plus anciens avec des non-autochtones.

En ce sens, nous sommes en droit de nous demander pourquoi, malgré ce long et étroit contact entre la société innue de Pessamit et le monde non autochtone, la première grande vague de diagnostics de diabète ne survient que vers les années 1970 ? Par ailleurs, le taux de prévalence du diabète trouvé à Pessamit est le plus faible que nous ayons trouvé dans les communautés étudiées. Pourquoi un tel état de fait, totalement à l'opposé des propositions du modèle de l'acculturation ?

Pourquoi les taux de prévalence sont-ils les plus élevés dans les communautés les plus isolées, les moins en contact avec la société non autochtone ? Les plus hauts taux de prévalence se trouvent à Pakua Shipi (16,2 %), Ekuanitshit (12,7 %), Unamen Shipu (10,8 %) et Nutakuan (8,3 %). Pourquoi, malgré le relatif éloignement de la communauté innue d'Unamen Shipu, le taux de prévalence du diabète est-il parmi les plus élevés de notre échantillon ? Et Pakua Shipi, qui affiche un taux de prévalence du diabète de 16,2 % ?

Que devons-nous penser de tous ces chiffres ? L'enquête auprès des peuples autochtones de Statistique Canada révéla que : « les taux de diabète sont sensiblement plus élevés chez les personnes résidant en région rurale et dans les réserves par comparaison avec celles qui résident en région urbaine et dans les grandes villes (régions rurales = 8,1 %, régions urbaines = 5,3 %) » (Gouvernement du Canada, 1991 : 8).

Nos données vont dans le sens des constatations faites dans cette enquête, et obligent à remettre sérieusement en question les principales thèses actuellement avancées par les chercheurs expliquant l'explosion des taux de prévalence du diabète chez les Autochtones, thèses qui s'appuient sur le concept d'acculturation et sur la génétique et selon lesquelles les taux de diabète les plus élevés sont associés à la pénétration et à l'acquisition d'un mode de vie « occidental » et à l'exposition à une urbanisation croissante. Manifestement, les taux de prévalence présentés vont clairement à l'opposé de ce modèle.

Le modèle d'acculturation suppose qu'en bout de ligne toute culture mise en contact avec une culture majoritaire ou dominante finit par « rejeter » sa culture d'origine. Finalement, elle adopte ou intègre les valeurs et habitudes de la nouvelle culture. Mais ce modèle ne parvient pas à expliquer le « conservatisme » de certaines cultures. Pourquoi le processus diffusionniste d'une culture vers l'autre ne s'effectue-t-il pas sans problèmes ? Pourquoi certaines minorités ethniques et nations minoritaires persistent-elles dans leur désir de différenciation ?

Alors que, selon la logique de l'acculturation, il serait normal de constater aujourd'hui une assimilation de plus en plus grande des nations amérindiennes à la majorité canadienne, nous remarquons au contraire que les communautés autochtones « recomposent et réécrivent leur histoire, une histoire marquée par les déplacements de la frontière, et revendiquent la souveraineté, fût-elle fictive, des États qui les ont incorporées » (Elbaz et Helly, 1995 : 29).

Les modèles culturalistes ont tendance à expliquer la résistance de certains peuples à des traits de « personnalité » culturelle. On dira que : « Indians refusal to respect the authority of their tutors has been interpreted as a further sign of their confusion and inability [...] » (Dyck, 1991 : 27).

La prétendue incapacité de ces cultures à adopter la culture dominante, voire, en des termes évolutionnistes, la culture plus développée, s'expliquera par leur conservatisme. On pourra également soulever que : « That primitive and conservative elements of Aboriginal culture are impediments to "development" and acculturation and therefore mediate much of the culture-conflict which leads to psychopathology » (Reid et Trompf, 1994 : 247).

Toutefois, le problème n'est pas que les sociétés appelées primitives ne succombent pas ou ne succombent que dans une certaine mesure à une politique assimilationniste. Le problème tient au fait que ce refus tend à être compris comme fondé sur les propriétés mentales et intellectuelles de l'être humain plutôt que sur une résistance (passive ou active) des sociétés, résistance qui, pour reprendre le concept de De Certeau, se manifeste comme un ensemble de tactiques qui viennent s'insinuer dans une stratégie globale de domination.

L'approche culturaliste occulte les possibles conditionnements économiques et politiques de la pathologie, expliquant l'apparition de nouvelles maladies comme le diabète chez les Autochtones en l'associant à l'incapacité de ces groupes à gérer le « stress » engendré par le changement culturel ou à sa détermination par des variables génétiques incontournables.

Le concept d'acculturation sous-entend qu'à plus ou moins brève échéance la culture « originaire » finira par s'intégrer à la culture la plus développée. Le maintien du contact entre les deux cultures et son accroissement par le biais d'une plus grande industrialisation, par exemple, devrait nécessairement favoriser la victoire sur les résistances irrationnelles d'individus persistant à maintenir une culture et un mode de vie dépassés. À travers cette approche culturaliste, le maintien de valeurs et de modes de vie traditionalistes résulte de l'éloignement, de l'isolement d'une population donnée vis-à-vis de la culture moderne. Mais, dans le contexte de sociétés industrielles, comme celles des États-Unis, de l'Australie, de la Nouvelle-Zélande ou du Canada, le concept d'acculturation ne parvient pas à expliquer le maintien ni, surtout, le développement de discours identitaires vigoureux et ayant de plus en plus de portée chez les peuples autochtones.

La persistance des cultures périphériques pourrait davantage suggérer une puissante résistance à l'assimilation. Celle-ci ne devrait pas être considérée comme le fait d'individus irrationnels mais plutôt comme l'expression de la résistance de populations qui parviennent à contourner les politiques de gestion des comportements, les stratégies d'acculturation élaborées et planifiées par le groupe dominant.

Il suffit d'observer la pyramide démographique de la communauté innue de Pessamit ou celle de plusieurs autres communautés autochtones pour constater que nous sommes en présence de sociétés extraordinairement jeunes. À titre indicatif, la population innue de Pessamit comptait, en 1998, 56,4 % de jeunes âgés de 25 ans et moins. C'est-à-dire que toutes ces personnes étaient nées à partir de 1973, et qu'à cette date le processus de sédentarisation des Innus de la communauté était depuis longtemps fort avancé. La très grande majorité d'entre eux sont nées et ont grandi dans un environnement offrant électricité, eau courante, radio, télévision, épiceries, dépanneurs, patinoires extérieures et intérieures, écoles primaires et secondaires, collège pour certains et université pour un plus petit nombre. Également, ces jeunes gens ont vu apparaître dans leur milieu de vie les jeux vidéo et, bien entendu, l'ordinateur et Internet.

Cette approche culturaliste qui s'évertue à démontrer les ravages du progrès, les contaminations de la civilisation, persiste à voir dans ces manifestations « traditionalistes » ces discours appelant l'ancestralité, les signes intangibles de l'appartenance au passé et d'une « culture sans tache ». Elle relève d'une vision dichotomique de l'humanité. Elle entretient l'idée de sociétés figées dans la tradition ainsi que le mythe d'une « culture pure » et, pourquoi pas, d'une « race pure ». Et cette approche est encore aujourd'hui largement dominante. Elle relève de l'idée de la « séparation absolue ». Elle procède à « une organisation binaire de notre espace mental ainsi qu'à une répartition dualiste des gens et des genres : le civilisé et le barbare, l'humain et l'inhumain, la nature et la culture, les aborigènes et les allogènes, le corps et l'esprit, le ludique et le sérieux, le sacré et le profane, l'émotion et la raison, l'objectivité et la subjectivité » (Laplantine et Nouss, 1997 : 72).

Nous savons aujourd'hui que les nations amérindiennes qui peuplaient les Amériques n'en étaient pas à leurs premiers contacts avec des cultures différentes. Elles n'étaient pas des nations statiques et atemporelles et étaient tributaires d'une longue histoire. Il existait un vaste système d'échange entre les différents peuples autochtones d'Amérique, et nous savons que de grandes disparités existaient entre ces cultures. Les données historiques actuelles nous laissent croire que chaque nation empruntait, adoptait des éléments culturels d'autres nations, sans que pour autant elle ne se trouve dans un processus entraînant de profonds bouleversements susceptibles d'affecter, par exemple, la situation de santé de son peuple.

Au Canada, innombrables sont les cas documentés de mutation culturelle. Citons ceux des Tagishs (Athapaskan-Déné) du Yukon qui, après avoir établi des liens commerciaux et sociaux avec les Tlingits de la Côte-Nord-Ouest, finirent par adopter leur langue ; ou des Sarcees (Athapaskan-Déné) qui ont émigré vers les Plaines pour se joindre à la Confédération des Pieds-Noirs (Algonquiens) ; ou encore des Assiniboines (Siouiens) qui étaient alliés des Ojibwas (Algonquiens), ennemis traditionnels des Dakotas (Siouiens).

Par quelque côté qu'on la prenne, la thèse de l'acculturation fait problème, tout comme l'approche exagérément centrée sur la génétique s'avère incapable de rendre compte de la complexité des phénomènes qui constituent la problématique du diabète en milieu autochtone.

CHAPITRE 5

Le cas de Pessamit: des pistes pour une interprétation alternative

Nous avons constaté que les approches traditionnelles de l'anthropologie considèrent principalement l'émergence du diabète chez les Autochtones comme une manifestation de leur inadaptation à la modernité, soit à cause d'une génétique particulière, soit par le fait d'une culture constituant un frein à son adaptation à la modernité. Toutefois les taux d'incidence trouvés dans les communautés nous obligent à mettre en question sérieusement ces modèles explicatifs. Les premières grandes vagues de diabète ne datent que du début des années 1970. Ces vagues se sont si rapidement développées au cours des années qui ont suivi qu'elles atteignent, au cours des années 1990, des niveaux impressionnants. Il est donc essentiel de chercher ailleurs des pistes d'explication de l'émergence soudaine et du développement rapide du diabète chez les Autochtones.

Nous sommes toutefois obligés de constater que ce n'est pas le contact permanent entre Autochtones et non-autochtones qui est en cause, puisque l'établissement des Blancs sur la Côte-Nord date de plusieurs siècles. D'autre part, le processus de sédentarisation des Autochtones ne doit pas être le seul phénomène à considérer. En effet, nous savons bien que ce dernier, dans le cas de Pessamit, était enclenché déjà depuis de nombreuses décennies.

À Pessamit, le processus de sédentarisation fut graduel mais constant. En 1864 la réserve ne compte que 34 maisons et, pourtant, 400 autochtones y séjournent l'été. Au tout début, ce sont surtout des femmes âgées qui forment le premier noyau des sédentaires. Plus tard se grefferont à ce premier noyau des vieillards, des orphelins et des infirmes. Au fil des ans, la réserve prend en charge les Autochtones incapables de suivre les chasseurs. Ce sont également les Innus les plus pauvres qui semblent le plus rapidement contraints à demeurer sur la réserve. Ce sont ceux qui, incapables de se payer les biens nécessaires à la pratique de la chasse et de la trappe sur le territoire, sont obligés de demeurer à Pessamit. On peut donc dire qu'à partir des années 1880 cette réserve ressemble à une sorte de camp de réfugiés (Bédard, 1987 : 77-78).

On le voit, à partir de ces quelques indications, les contacts avec les non-autochtones ainsi que le processus de sédentarisation ne peuvent à eux seuls être incriminés. Ces éléments ne fournissent pas d'arguments suffisants pour structurer un modèle explicatif des conditions d'émergence du diabète. Il faut donc se tourner vers d'autres explications.

LA PREMIÈRE VAGUE D'INDUSTRIALISATION ET D'URBANISATION

L'économie de la Côte-Nord

Sur la Côte-Nord du Saint-Laurent, la fin du XIXe siècle et la première moitié du XXe siècle sont marquées par le développement grandissant de l'industrie forestière. C'est l'avènement de cette industrie qui entraîne la fin graduelle du monopole de la Compagnie de la baie d'Hudson. Dans ce coin de pays, les cours d'eau étant toujours les principales voies de communication, nombreux sont les peuplements qui voient le jour aux embouchures des rivières. Songeons aux villages de Tadoussac, Sacré-Cœur, Bergeronnes, Les Escoumins, Saint-Paul-du-Nord, Sault-au-Mouton, ainsi qu'à tous ces autres lieux de peuplement qui s'érigent souvent autour d'une scierie puisant son énergie à même les rivières.

En même temps se développe une agriculture à caractère autarcique. Les fermes les plus importantes se situent dans le secteur de Sacré-Cœur, Bergeronnes et Portneuf. On y cultive surtout le blé, l'avoine, le foin et la pomme de terre. Du côté de l'élevage, nous trouvons surtout des cheptels de moutons puis de porcs, des troupeaux de vaches laitières et de chevaux. Les Nord-Côtiers tirent également profit du commerce du bleuet. Toutefois, les activités agricoles de la Côte-Nord demeurent modestes. Cette agriculture a du moins le mérite de faire vivre une population qui n'a pas à acheter de denrées agricoles à l'extérieur (Perron, 1996 : 307).

La première moitié du XXᵉ siècle voit s'accroître les activités industrielles de la Côte-Nord. De nouvelles perspectives industrielles s'ouvrent. Jusqu'à la fin des années 1920, seule l'industrie du sciage parvient à attirer des capitaux sur la Côte-Nord. Mais l'invention des machines Fourdrinier pour la fabrication du papier en continu offrira de nouveaux horizons à l'économie de la région. Les fibres des forêts de conifères de toute la Côte-Nord seront rapidement convoitées. Clarke City et Pentecôte seront dotées d'usines dont la vocation sera la fabrication de la pâte à papier (P. Frenette, 1996 : 362-370).

L'érection de la ville de Baie-Comeau constitue un événement marquant de l'histoire de la Côte-Nord. Au cours des étés de 1936 et 1937, plus de 5 000 travailleurs arrivant de différentes régions du Québec et spécialement du Bas-Saint-Laurent travaillent sur les différents chantiers qui assureront la mise en place des premières infrastructures de la ville. En juin 1938, sont inaugurées officiellement la ville de Baie-Comeau et son importante usine de pâte et papier. Cette nouvelle ville supplantera rapidement Clarke City qui, jusqu'en 1935, est considérée comme le principal centre urbain de la Côte-Nord.

La croissance industrielle et urbaine de l'après-guerre et l'étatisation de la Montréal Light Heat and Power donnent naissance à l'Hydro en 1944. Par la suite, apparaissent les premiers grands chantiers hydroélectriques. C'est l'accroissement des besoins en électricité des centres urbains comme Montréal, Trois-Rivières et Québec qui stimule particulièrement le développement rapide de l'industrie hydroélectrique. Avec ses nombreuses rivières, la Côte-Nord devient un territoire de choix pour l'érection des premières grandes centrales électriques. En 1953 débute le premier chantier d'hydroélectricité sur la Côte-Nord. Quatre barrages, une centrale et un village, Labrieville, apparaissent dans le décor nordcôtier. En 1956, débute une seconde phase de travaux importants desquels surgiront trois barrages et la centrale Bersimis 2. Puis, seront entrepris les chantiers qui donneront naissance au complexe Manic. Entre 1963 et 1969, 6 000 travailleurs s'affaireront sur différents chantiers qui permettront l'érection du plus grand barrage-poids à joints évidés (Manic 2), ainsi que du plus grand barrage à voûtes multiples et contreforts (Manic 5) au monde.

Parallèlement à ces grands travaux, nous assistons sur la Côte-Nord à la fin du XXᵉ siècle à un véritable *boom* industriel. Des industries reliées au transport et à l'entreposage du grain construisent des quais à Baie-Comeau et à Port-Cartier, érigent des silos à grain ainsi que des élévateurs. En 1956, s'installe à Baie-Comeau la très énergivore Canadian British Aluminium. L'industrie forestière et « des pâtes et papiers » prend également beaucoup d'essor au cours des années 1969 et 1970.

Économie chez les Montagnais de Pessamit

Dans sa thèse intitulée « *Une honorable compagnie, de petits trafiquants et de vauriens* », J. Frenette (1993) analyse les relations commerciales entre la Compagnie de la baie d'Hudson et les Montagnais de Pessamit au cours de la période s'échelonnant entre 1821 et 1870. Nous y apprenons que les ancêtres des Innus de Pessamit étaient, au XIXe siècle, à un stade de développement où l'économie de subsistance avait présence sur l'économie de marché, et cela malgré des décennies de commerce. Toutefois, en ce qui a trait à leurs activités productives, à compter du XXe siècle se dessine une certaine dépendance envers le commerce des fourrures, les Innus se tournant toujours plus vers le piégeage des animaux à fourrure.

Puis, le développement graduel de l'économie capitaliste aura peu à peu des effets sur toute l'organisation sociale et sur la vie quotidienne des Innus. Vu l'importance de l'industrie forestière, les Innus seront rapidement intégrés dans le procès de travail et participent, dès cette époque, à l'économie de marché.

Les Innus de Pessamit ont largement contribué à l'érection des barrages sur les rivières aux Outardes et Manicouagan. Ils sont engagés en tant qu'experts du territoire, à titre de guides, d'hommes de canot. Certains travaillent comme bûcherons ou encore sur les quais comme débardeurs. À la fin de la Seconde Guerre mondiale quelques centaines d'Innus de Pessamit sont embauchés comme guides, défricheurs et ouvriers. Plusieurs gagnent de bons salaires et ils sont appréciés pour leur adresse et leurs nombreux talents. En plus d'être impliqués dans la construction des ouvrages hydroélectriques, plusieurs Innus sont également engagés comme ouvriers dans le projet de construction de la route 138 entre Tadoussac et Sept-Îles.

La fin des années 1940 et les années 1950 représentent une époque où le travail ne manquait pas. Cette période se distinguait des années 1930 où plusieurs Innus auraient souffert de faim.

Il semble ainsi que les rapports entre Autochtones et non-autochtones sont alors empreints d'une relative bonne entente. Lors de notre séjour à

Pessamit, nous avons questionné des membres plus âgés de la collectivité sur le type de rapport qu'ils entretenaient avec les non-autochtones alors qu'ils travaillaient sur les chantiers. La majorité des récits entendus nous révèlent que selon la mémoire des personnes un peu plus âgées de la communauté, les relations entre Autochtones et non-autochtones étaient relativement fréquentes et qu'elles n'étaient pas constamment génératrices de tensions.

> *Avant, lorsque les gens chassaient, ils circulaient sur un grand territoire. Il y avait aussi des non-autochtones. Je me rappelle être dans le bois et il y avait des Blancs. On était avec notre tente et il y avait une tente plus loin où il y avait des Blancs.*

> *Moi, je ne parlais pas français, mais on se cousinait, on jouait.*

> *Dans le temps, dans le bois, les non-autochtones chassaient sur le même territoire et il n'y avait pas de chicane non plus. Le soir, ils revenaient avec de la nourriture, et la famille mangeait. Le lendemain, c'était la même chose. Lorsque tu t'occupes à des choses qui ont un but commun, je pense qu'il n'y a pas de chicane parce qu'il y a moyen de se comprendre. Les règles sont là. Elles sont naturelles. Les règles sont là, au lieu de construire une charte à chaque fois que tu fais quelque chose. C'est tellement technique une charte tandis que la règle naturelle est là, et tout est harmonieux. C'est comme ça que les gens vivaient dans les années avant.*

> *Avant les années 1960, il y avait beaucoup de relations entre les Autochtones et les non-autochtones. Avant les non-autochtones voisinaient les Autochtones, et ils travaillaient avec eux autres, et ils se comprenaient entre eux.* (Homme, 49 ans)

Les rapports entre Innus et non-autochtones n'étaient pas tout à fait exempts de tension. Cependant, l'époque est marquée par des relations assez étroites entre Innus et non-autochtones et ceux-ci paraissent libres de circuler sur le territoire dont ils sont d'ailleurs les experts. En plus, ils sont appelés à travailler avec et pour des non-autochtones. Ils ont accès au travail, à un salaire et, donc, à des biens de consommation disponibles dans la société non autochtone.

LA SECONDE MOITIÉ DU XXe SIÈCLE : LA DEUXIÈME VAGUE D'INDUSTRIALISATION ET D'URBANISATION

L'intégration des Innus dans les activités économiques de la Côte-Nord s'amenuisera rapidement au cours des premières années de la seconde moitié du XXe siècle. La pénétration des non-autochtones sur le territoire autochtone est rapide. Le déboisement de grands segments de la forêt par l'industrie forestière, l'exploitation de nombreuses rivières et le développement de villes comme Baie-Comeau et Sept-Îles auront de nombreuses incidences sur la vie des Innus ainsi que sur leurs rapports avec les non-autochtones.

> [...] les amérindiens sont séparés de leur principal moyen de production, le territoire. En possession de leur seule force de travail, ils ne trouvent pas d'acquéreur sur le marché capitaliste du travail contrairement aux habitants canadiens-français. La mécanisation des opérations forestières s'amorce donc avec l'introduction dès 1936 du camion, vers 1940 du tracteur à chenille, puis en 1945 de la débusqueuse mécanique ; en 1947, la scie à chaîne remplace la sciotte et enfin, le transport par camion supplante en grande partie la drave. Alors commencent les coupes à blanc, les amérindiens sont évincés des tâches mécanisées (Labrecque, 1984 : 80-82).

La spécialisation et la mécanisation de plus en plus grande du travail et le peu de scolarisation des Autochtones de même que la venue massive de travailleurs non autochtones de l'extérieur contribuent à faire en sorte que de plus en plus de travail leur échappe.

Il faut prendre en considération l'accroissement rapide des populations non-autochtones dans les villes et villages qui se développent sur le territoire nord-côtier. Cet accroissement a bien sûr un effet sur la disponibilité des emplois pour les Innus, mais également sur les rapports entre non-autochtones et Innus ainsi qu'entre ceux-ci et le territoire. La diminution de la proportion de la population innue sur la Côte-Nord est due à l'arrivée massive de colons et de travailleurs industriels au cours des années 1950 et 1960.

> *En 60, il y avait déjà des pourvoyeurs et en descendant* [du territoire] *il y avait déjà des chalets. On descendait, on voyait un gars et il nous disait : «Passez pas sur mon terrain». C'est comme ça les Blancs : dès qu'ils sont venus ici, ils ont dit : ça c'est à nous. On était les premiers ici et on ne disait pas c'est à nous. Dès qu'ils débarquent, il faut qu'ils disent : c'est à nous. C'est là que ça a commencé à avoir de plus en plus de chalets. Malgré les chalets, au commencement, on y allait quand même parce qu'eux autres, ils y allaient l'été. Nous autres l'été, on ne chasse pas. Ils avaient le droit d'y aller l'été. Maintenant ils y vont l'été comme l'hiver. L'hiver ils nous dérangent tandis que l'été nous on les dérange pas : on est pas là.* (Homme, 49 ans)

Les années 1960 sont le théâtre de changements considérables dans la situation de l'emploi chez les Innus de Pessamit. Plusieurs facteurs sont à prendre en considération dans l'avènement de ces profondes transformations. La fin des grands projets hydroélectriques est, évidemment, un élément non négligeable, mais il faut également considérer l'arrivée massive de Blancs sur la Côte-Nord. D'autre part, la spécialisation des emplois exigeant une formation scolaire minimale ou, du moins, une formation technique, a un impact majeur sur le nombre d'emplois disponibles pour les Innus. Mais il ne faut surtout pas oublier l'inclusion du territoire de la Côte-Nord dans le procès de l'économie marchande du Québec et du Canada. Cette dernière se concrétise par la construction d'infrastructures comme les routes, les quais et les aéroports qui relient les centres industriels de la Côte-Nord aux centres urbains du Québec et du monde. Ses lois délimitent maintenant tous les paramètres des possibles. L'entité coloniale que constitue le Canada contemporain n'a plus besoin d'« Indiens ». Les vainqueurs écrivent l'histoire. À travers une construction collective qui sélectionne des événements significatifs se constitue une mythologie unificatrice pour ceux qui sont inclus, mais aliénante pour ceux qui en sont exclus (Green, 1995 : 32-41).

> *Les Blancs ne savent pas ce que sont les Indiens. On leur a montré que les Indiens, c'est des sauvages. On leur a montré que les Indiens pouvaient tuer. Ils ont fait des massacres et tout ça. Et je me dis : c'est de l'innocence, c'est vraiment de l'innocence. On peut leur enseigner n'importe quoi et ils vont le croire. Je me rappelle moi, ça me choque toujours, ça me rend mal, tu sais : McCormick, à Baie-Comeau. Si tu connais l'histoire de McCormick... Cet homme-là, c'est un des fondateurs de Baie-Comeau. C'est lui qui a construit l'usine en tout cas. C'était un Américain, un riche. Il est venu s'installer. Il s'était perdu dans le bois puis c'est un Indien qui l'a trouvé. Puis il y a une statue de McCormick à Baie-Comeau. Il y a une statue pas loin de là, à l'usine, en bas. Mais avant, on voyait, il y avait un Indien, en arrière. Lui était en avant. Maintenant, il n'y en a plus ! L'Indien est plus là ! Le mont Tibasse se nomme ainsi à cause d'un Indien. Le mont Tibasse Saint-Onge. C'est lui qui a sauvé McCormick. On a enlevé sa statue parce qu'il était un Indien. C'est du racisme. Enlever la statue de l'Indien qui a ramené McCormick. Maintenant, tu vas voir McCormick au milieu tout seul, l'Indien est plus là.* (Homme, 33 ans)

Détérioration des rapports entre Innus et non-autochtones

Cette époque est marquée par l'accroissement des attitudes racistes ou, du moins, d'intolérance à l'égard des Innus de la Côte-Nord. Les récits d'Innus plus âgés permettent de constater qu'il existait une certaine complicité entre eux et les non-autochtones avant le développement des villes de la Côte-Nord. Par contre, à partir des années 1960, la qualité de ces relations se transforme considérablement. Par exemple, au cours de ces années, on assiste à l'implantation, à Ragueneau, d'une « école intégrée » où Innus et non-autochtones sont appelés à se côtoyer dans les salles de classe. Cette expérience est rapidement abandonnée en raison des nombreux conflits qui surgissent entre les membres des deux communautés.

Au début de la colonisation et jusqu'au début du XXᵉ siècle, le grand nombre d'Innus (en termes de proportion) ainsi que leurs compétences de premier ordre sur le territoire permettent à ces derniers de jouer un rôle important sur l'échiquier de la vie sociale et économique de la Côte-Nord. Par contre, à compter de la fin du XIXᵉ siècle, l'augmentation rapide de la population blanche sur le territoire nord-côtier due à l'accroissement des activités économiques et de l'emprise de l'économie marchande contribue à diminuer les contacts individuels entre Innus et non-autochtones.

Dans le regard et la parole d'un nombre de plus en plus grand de non-autochtones, l'Innu est perçu comme une personne à ne pas fréquenter, à éviter, à garder loin des yeux, des affaires et des relations de la vie quotidienne.

Montée des revendications autochtones

Les années d'après-guerre marquent un accroissement significatif de l'activité économique dans les pays industrialisés de même que sur le territoire de la Côte-Nord du Saint-Laurent. Cette modification de la donne économique engendre des transformations dans les rapports politiques entre les peuples et de façon plus significative entre colonisateurs et colonisés. Les années 1960 sont le théâtre de l'accroissement des frictions entre Innus et non-autochtones sur la Côte-Nord. Mais ces types de conflit sont de plus en plus fréquents à l'échelle nationale et internationale. Dans cette mouvance, surgissent et naissent plusieurs organisations autochtones qui s'inscrivent sur les échiquiers politiques québécois, canadien, américain et international. Cette transformation du paysage politique entre les nations autochtones et l'État canadien n'est pas sans conséquences.

> Face à une politisation croissante chez les Autochtones, consacrée notamment par la création d'organisations nationales comme l'assemblée des Premières Nations (fondée en 1980), le gouvernement du Canada a identifié un autre volet de sa politique autochtone, à savoir la décentralisation (*devolution*) et la création de régimes d'autonomie politique (*self-government*) (Schulte-Tenckhoff, 1997 : 63-64).

La création de l'American Indian Movement (AIM) aux États-Unis et l'avènement du « Pouvoir rouge » (Red Power) ont un impact considérable sur le mouvement autochtone canadien. Ainsi, pendant qu'aux États-Unis nous assistions à l'occupation de l'île d'Alcatraz, la Société des guerriers ojibwés occupe, en 1969, le parc Anishinbe de Kenora, événement qui représente le premier cas de résistance armée du XXe siècle au Canada. Au cours des années 1980 la question de l'enchâssement des droits aborigènes dans la Constitution canadienne mobilise les organisations et représentants politiques autochtones, tandis que les années 1990 seront marquées par la question de l'autonomie politique. Cette dernière paraît de plus en plus comme la solution première aux problèmes sociaux et économiques qui affligent les milieux autochtones. Cette quête ou plutôt cette reconquête du pouvoir par les Autochtones se manifeste au cours de ces années de différentes façons : prise en charge de l'éducation, de la santé, de la justice et de la spiritualité ; développement des associations de femmes autochtones et accroissement de la production des écrivains, artistes, peintres, sculpteurs, chanteurs autochtones (Charest et Tanner, 1992 : 5-7).

La réserve prend les dimensions de pays dans le pays

En 1969, le Livre blanc du gouvernement Trudeau exprimait le souhait de mettre une fin rapide à l'existence des réserves de même qu'au statut particulier des Autochtones qu'il accusait d'être responsables de la pauvreté et de la marginalisation des Amérindiens (Green, 1995 : 38). Mais les protestations furent nombreuses chez les Autochtones du Canada qui s'opposèrent à l'atteinte de leur statut distinct. Nous avons assisté à une montée des revendications à l'échelle nationale et internationale, ainsi qu'à l'intensification, au niveau local, du discours d'affirmation identitaire en regard de la société dominante.

Au Canada, on estime à 2 241 le nombre de réserves. Pour un grand nombre d'Autochtones, c'est en ces lieux qu'ils ont grandi auprès de leur famille et de leurs amis. La réserve est plus qu'un simple village : elle offre un lieu d'ancrage, des racines, une sécurité. Comme le souligne Frideres :

> Even for those who leave, it continues to provide a heaven from the pressures of White society. These factors, combined with the prejudicial attitudes of White culture, create a strong internal pull and external push toward remaining on the reserve. Even if an increasing number of Indians leave the reserve, the absolute population of those who remain will still show a sizable increase. This could pose a number of problems

for Canada. Reserves are potential hotbeds of political and social discontent. In addition, if Indians on reserves become economically developed, they could pose a competitive threat to some Canadian corporate structures. Already, in British Columbia and Alberta, Indians have angered local businessmen by building housing developments on reserve lands close to major cities (Frideres, 1993 : 152).

L'auteur-compositeur Florent Volant mentionnait au cours d'une entrevue radiophonique à Radio-Canada (2000) que, du point de vue des Innus, les réserves n'ont pas eu que des effets négatifs. Elles ont été et sont toujours des lieux de préservation de la langue et de renforcement du sentiment d'appartenance à la nation innue. Alors qu'au début du XXe siècle elle était un lieu de passage, de courts séjours, la réserve est aujourd'hui le lieu où on se retrouve chez soi, au pays. Cet espace est devenu bien plus qu'un simple lieu de résidence entre deux séjours en forêt. Il est devenu l'endroit où l'Innu se retrouve parmi les siens, à l'écart des agressions qu'il subit dans le regard de l'Autre, du non-autochtone, lorsqu'il se déplace en ville, tout spécialement lorsque celle-ci est située à proximité de la réserve. La réserve a rapidement pris des dimensions de pays. Elle est un lieu de connaissance et de reconnaissance. Elle est un lieu d'affirmation et de construction de l'identité innue.

> *Je me suis déjà battue avec des Blancs. On rentre dans un restaurant, j'étais aux études à Roberval, au cégep, et un soir ils disent : « Vous voulez avoir de la peau, il y a des Indiens qui rentrent ». J'étais avec des Atikamekw. Des Atikamekw, c'est malin ça. Et ma chum était grande, alors on a attendu le gars dehors et on l'a battu. La police est venue. Il a passé un mauvais quart d'heure, on était trois contre lui. Il m'est arrivé aussi de me faire refuser dans les hôtels. J'ai eu beaucoup à défendre les étudiants au niveau du racisme et moi aussi j'en ai vécu beaucoup. Souvent au restaurant, j'ai vu ça. Si tu es une autochtone, tu dois payer avant de manger. Aussi, l'appartement, on te refuse. Au téléphone, on te dit c'est correct, on va te louer. Mais tu arrives sur place, ils voient que tu n'es pas un Blanc, ils ne veulent pas te louer. Je me suis battue aussi une autre fois parce qu'encore une fois, on a dit : « Voilà de la peau, il y a une Indienne ». Je me suis aussi fait sortir d'un appartement et j'ai passé en cour pour ça. Le voisin, il faisait du bruit et moi je n'aimais pas ça, mais c'était moi qui devais sortir.*

> *Lorsque je vais à Baie-Comeau, j'y vais beaucoup sur la défensive. Le monde va te surveiller quand tu rentres dans un magasin. C'est toujours ça que j'ai inculqué aux jeunes, de continuer leur vie et de ne pas avoir peur et de se sentir inférieurs. Moi, je me sentais inférieure mais pas longtemps. On est capable de fonctionner aussi. Vu que j'étais quand même dans des activités cela m'a aidée beaucoup à me former un caractère et de ne pas s'apitoyer sur notre identité.*

Quand j'étais à l'école, c'est sûr qu'il y avait une différence avec les étudiants parce qu'on était Autochtone, mais j'ai changé les choses, ce qui fait que les rapports se sont améliorés.

Ici à Betsiamites je me sens bien, je suis avec mon peuple et il y a des choses à faire, à réaliser encore. C'est ici que je veux finir mes jours. Comme prochainement et je voudrais m'inscrire à l'Université de Montréal, je vais sortir encore, mais je vais revenir. (Femme, 46 ans)

La réserve devient le lieu de l'Innu. Dans cet espace s'établissent les différences. Celles-ci s'imposent, s'affirment à l'Autre et à celui de l'intérieur. Ceux de l'intérieur tout comme ceux de l'extérieur savent désormais que l'Innu est différent. Il n'est surtout pas un Blanc ! Il n'appartient pas à la société dominante. Pour paraphraser Mayol (1994), la réserve est l'espace où se joue, se construit le rapport à l'Autre comme être social. La réserve s'inscrit dans l'histoire de l'Innu comme la marque d'une appartenance indélébile. Dans la réserve sont induits des comportements pratiques par lesquels « chaque usager s'ajuste au processus général de la reconnaissance, en concédant une partie de lui-même à la juridiction de l'autre » (Mayol, 1994 : 26).

Si t'es en contact souvent avec l'Indien, si tu vas passer cinq ans avec nous autres, sur la réserve, t'aurais vu plusieurs choses. T'aurais connu le cœur de la réserve. Je veux dire, qu'est-ce qui se passe... Ça, en tout cas, on le sent. Des fois, on sent que la réserve, le village, on sent qu'il est vibrant de jeunesse. Beaucoup de gens. On voit qu'il est vivant. Mais en même temps, du niveau politique, c'est stagnant. C'est trop lent. Ils sont moins habitués à travailler sur un système comme ça. Stagnant, dans le sens que ce que tu développes. Tu développes l'économique, on voit que... Beaucoup de gens pensent qu'on reçoit beaucoup d'argent et tout ça. Mais ils savent pas comment, beaucoup de gens ne savent pas comment, que ça peut être difficile de vivre dans les réserves. Tu sais que dans les réserves, ils savent que ce sont des Indiens. À l'extérieur, ils savent que nous sommes différents d'eux autres. Ils veulent, disons, manipuler nos faiblesses. Tandis qu'au lieu d'avoir un village qui est fort, qui se défend mais qui a le courage d'avancer à sa manière, tout seul à sa manière, à sa façon. On dirait qu'on regarde trop, on se fait trop mener par le gouvernement, on se fait trop tirer. Comme moi, je dis que c'est assez. Que la place des gouvernements n'est pas ici. Des gouvernements fédéral et provincial. Parce que nous avons notre culture, nous avons notre langue, nous avons... Nous voulons instaurer un système qui est propre à nous. (Homme, 33 ans)

En parlant de sa réserve, le discours de l'Innu se politise, se radicalise. Il affirme qu'en ce lieu ne sont pas les bienvenues les instances gouvernementales non autochtones, c'est-à-dire les représentants des gouvernements tant fédéral que provincial. L'Innu a sa culture, sa langue et il a le droit d'établir ses propres lois, ses propres règles et de les faire respecter.

La réserve est un lieu propre à l'Innu. Il y tente d'y faire ses lois, ses règlements, y établit ses façons d'être et de faire. Il y a la façon innue et il y a l'autre façon, celle du Blanc. Quiconque quitte la route 138 et pénètre dans la réserve de Pessamit réalise qu'il y existe des façons de faire et d'être qui tranchent radicalement avec cet extérieur qui est pourtant si voisin. Dans ce village constitué à près de 60 % de jeunes de moins de 25 ans, les rues appartiennent aux enfants et aux adolescents. Ceux-ci déambulent nonchalamment sur le pavé à deux, trois, quatre de large, et parfois plus, tandis que les enfants courent à gauche et à droite. Les chiens trottinent sans crainte dans les rues. Le chauffeur doit rapidement s'y faire et ralentir considérablement sa vitesse. Ici, impossible de rouler à plus de 20-30 kilomètres à l'heure. La police est, à toutes fins utiles, absente. Pas besoin d'agent de la paix pour faire respecter les limites de vitesse. La règle s'impose d'elle-même, par l'attitude, la manière de faire des Innus qui circulent à pied, à vélo ou en voiture.

Un ancien conseiller du conseil de bande nous raconte avoir un jour fait une proposition pour l'adoption du code de la route du Québec sur le territoire de Pessamit.

> *Les gens sont connus ici. On m'a déjà dit que je voulais les faire passer pour les Blancs. C'est quand je voulais que le code de la route s'applique aussi ici à Pessamit et au conseil on m'a dit : « tu nous feras pas passer pour des Blancs. Nous sommes des Indiens. » Moi j'ai dit : « O.K., mais ce qui est important, c'est que l'on ait un code de sécurité routière. » Là, ils ne voulaient pas, ils disaient : « C'est les Blancs qui ont des règles, nous on n'a pas besoin de règles. » Il a une certaine anarchie qui règne ici et on est obligé de composer avec.* (Homme, 49 ans)

Il y a la loi des uns et celle des autres. Celle des Innus et celle des Blancs. Les confrontations entre la loi des uns et des autres prennent de multiples formes sur le territoire de la réserve. Chaque événement alimente le discours identitaire, l'affirmation de la distinction. Nombreux sont les événements qui peuvent mettre le feu aux poudres et faire surgir un discours, des attitudes haineuses et parfois violentes.

> *Tout ce qui se passe ici, ce que l'on peut dire sur moi, je m'en fous. Dans le temps où K. a eu un accident, qu'il avait battu un gars, la première chose que j'ai dit c'est : « Qu'est-ce qu'il faisait ici ? » J'ai dit : « On ne peut pas monter dans notre terrain, il y a plein de monde, on reste ici. » C'était un gars de Ragueneau qui a été blessé par balle. Il avait un VTT et il a foncé sur lui et, lui, il avait son arme. Quand il est tombé, là le coup de feu est parti. C'est lui-même qui est allé chercher le secours. Les policiers ont alors dit de la manière que la balle est rentrée que*

c'était un accident. C'est ça qui est regrettable. Il n'avait pas d'affaire ici. Ça a l'air qu'il avait un chalet ici. Ils font leur chalet sur la réserve. C'est rien que pour pas payer le gouvernement. (Homme, 49 ans)

D'autres événements, moins dramatiques, peuvent tout autant agir comme catalyseurs dans la construction du camp des uns et des autres. À travers ces événements, l'Innu affirme sa spécificité, ses manières de faire, son droit à la différence et à la gestion de son territoire. Sa manière de faire n'est pas celle du Blanc, de celui qui le méprise à l'extérieur de la réserve, l'isole et nie son existence même.

Ça, tu vois que des fois, moi j'ai vécu, en tout cas, il y a pas longtemps, j'avais reçu une amende. J'avais conduit un VTT, toujours à l'intérieur de la réserve. Un VTT sans casque, mais ce sont des Blancs qui m'ont arrêté, des policiers blancs. Déjà, tu vois que je n'ai pas accepté ça. Parce que je voyais d'autres Indiens avec moi, qui étaient là, il y avait surtout deux autres de mes chums qui étaient là, la fois que j'ai été, comme on dit, arrêté par la police, pour la conduite d'un VTT sans casque. Surtout, moi qui étais, disons que j'ai été franc avec le policier, mais c'est lui, en tout cas, c'est moi qui aie mangé, comme on dit, la « marde ». Parce que mes chums qui étaient là en arrière, eux autres aussi avaient des VTT, puis ils ont rien reçu. Ils ont pas dit leur nom, ils ont dit aux policiers que : « T'as pas d'affaires ici. C'est pas ton coin, en tout cas, nous sommes dans notre réserve. » Les autres, c'est ça, mes amis-là, ils ont été plus radicaux dans ce sens-là. Tandis que moi, j'ai essayé de les arrêter, tu sais, qu'on se parle, qu'on se comprenne avec le policier. Mais non, il n'a jamais compris. Puis j'ai payé une amende, j'ai payé une amende de 192 $, un de 80 $ et un de 110 $... Dans le temps j'étais étudiant, je pouvais pas payer. Mais, quand tu dis 192 $ puis en plus c'est sur ta réserve, puis en plus on respectait pas les lois. Les lois comme on dit, provinciales ici, dans la réserve, j'ai vraiment pas encore compris le sens. Mais, j'étais dans ma réserve. Et je circule sur la route parce que je traverse cette route-là, j'avais pas le choix. Je me dis qu'il y a deux justices, il y a une justice pour les Blancs, et une justice pour les Indiens. Je me dis, je me suis dis que ça fait pas longtemps. J'ai dit qu'il faut vraiment que je trouve, que je trace la voie de mes frères pour les défendre et de façon équitable la justice, les lois. Je me dis que Betsiamites, tant et aussi longtemps qu'il n'y aura pas sa propre législation, il n'y aurait pas eu de forces. Comme on dit force spirituelle, en même temps, une force intérieure de chacun des membres de la réserve. Parce qu'on voit que, moi, je sais qu'il y a des jeunes qui sont beaucoup comme moi. Dans le sens qu'ils sont beaucoup, ils se défendent beaucoup. Ils n'ont pas peur. Disons qu'ils ont peur du système. Ils ont peur de la législation blanche. Ils sont contre les Blancs. Avec tout ce qui s'est passé, avec tout ce qui... nous avons vécu des choses. C'est assez, tous les préjugés. On sent que le fardeau qu'on a. On sent que ces personnes-là, quand ils vivent, ils s'en vont à l'extérieur, ils se sentent isolés, ils se sentent mal. Tandis que quand ils sont ici, ici chez eux, ils se sentent plus forts. Parce qu'ils sont *parmi eux autres, parmi leurs frères, ils sont des Indiens. Mais, pas des Blancs. Parce qu'on parle... moi je me dis, il y a des Blancs qui disent que les Indiens n'existent pas et tout, ils devraient s'intégrer complètement au système des Blancs.* (Homme, 33 ans)

La réserve est un lieu par lequel l'Innu retrouve sa confiance. Il y existe dans le regard de l'Autre sans avoir à entreprendre la longue et difficile traversée de la barrière des préjugés. Ces préjugés, ancrés dans la couleur, la typologie, la « race » sont l'expression du mépris des peuples forts et riches (vis-à-vis de ceux qu'ils considèrent comme inférieurs), tout comme de l'amer ressentiment de ceux qui sont contraints à la sujétion (Fanon, 1995).

Les Autochtones sont proches à Hauterive. Il y avait beaucoup de racisme avant. Certains sont racistes. La première fois que je l'ai vécu c'est dans un cours d'histoire. Il y avait quelqu'un qui voulait pas parler des Autochtones dans le temps des jésuites. Pourtant, il parlait des Autochtones puis... en tout cas, un Québécois. Il parlait des Indiens puis il riait des Indiens. Il riait de moi en fait. J'étais là, dans ce cours-là. Moi, je... certaine, certaine forme de violence en tout cas. Moi je voulais le battre. Il parle, il rit de moi, puis ça me choque. Ça me faisait mal. Mais ça me faisait mal dans le sens. Ça me faisait pas mal, pas comme un coup, mais ça me fait mal au cœur. En fin de compte, je me suis pas battu. Je me suis dit, je vais le rencontrer un de ces quatre. Je vais le rencontrer un de ces quatre puis. Je me disais ça. Il faut que j'ai le contrôle. Dans le temps, il fallait que je le contrôle. J'étudiais dans une école blanche. On était quoi ? Huit Autochtones dans cette polyvalente de mille étudiants En tout cas mille étudiants... Mais il y avait beaucoup d'étudiants. Donc, il fallait avoir le contrôle... (Homme, 33 ans)

À l'extérieur de la réserve, l'Innu est fréquemment exposé à un environnement hostile qui lui fait perdre confiance. Il devient, par le biais du regard de l'Autre, ce que le monde dit, pense de lui.

J'étais toujours mal. Je me sentais toujours à part. Parce que, comme j'étais jeune, je sortais de la réserve. Puis quand tu t'en vas en ville. Puis tu commences à parler français et puis tu bafouilles [rire] Ça fait que c'est là, tu manques de confiance. T'essaies de dire tes idées, mais ils te regardent... toi. On t'identifie comme une personne différente des autres. Ça fait que tu parles moins, tu dis moins des opinions. Y'en a qui sont jamais sortis de la réserve. Puis quand ils sortent en ville, ils parlent moins. Ils ont de la difficulté. Parce qu'ils manquent de confiance. Avant, je ne savais pas pourquoi je me sentais comme ça. C'est en vieillissant et en réfléchissant que j'ai su que c'était un manque de confiance. Ça me créait un manque de confiance le fait que les gens n'acceptent pas la différence. (Femme, 33 ans)

Les préjugés sont parfois si grands qu'ils parviennent à briser les rêves de jeunes ouverts sur le monde et l'avenir.

> *Dans le monde, il y a peut être Nadia Comaneci qui a été pour moi une idole. J'ai fait de la gymnastique par moi-même quand j'étais jeune. J'avais même voulu suivre des cours de gymnastique, mais cela n'a pas marché parce qu'il n'y avait plus de place. Lorsque s'est présenté à l'école de Baie-Comeau où les cours se donnaient pour m'inscrire moi et une amie de Pessamit, il est revenu à la voiture et nous a dit qu'il n'y avait plus de place.* (Femme, 32 ans)

La jeune femme qui nous raconte le précédent souvenir n'a jamais pu savoir si, dans les faits, elle et son amie n'avaient pu suivre ce cours de gymnastique en raison d'un réel manque de places. Un doute subsiste. Il subsistera toujours dans son esprit. Lui a-t-on refusé, à elle et à son amie, l'accès à ces cours de gymnastique disponibles pour les membres de la communauté de Baie-Comeau, en raison du fait qu'elles étaient des Innues de Pessamit ? Cette réponse, elle ne pourra jamais l'obtenir.

La confrontation entre Innus et non-autochtones est particulièrement difficile en milieu scolaire urbain. Si difficile qu'un très grand nombre de jeunes Innus ne parviennent jamais à la fin de leurs études secondaires ou collégiales, lorsqu'ils ont à compléter ces dernières en milieu non autochtone. Comme bien des jeunes, les rêves des jeunes Innus sont diversifiés et tournés vers le monde.

> *Être une personne épanouie. Ce n'est pas mon genre de voir dans l'avenir. Avoir une grosse job, moi ce que je souhaite, c'est d'être heureux. Pour moi, c'est ça qui est important. Je me considère heureux actuellement. Pour ce faire, présentement, je m'implique. Exemple, je veux aller à Cuba cet été. Ce que j'aime aussi c'est de voyager. Moi je ne peux pas tenir plus de 2, 3 mois dans la réserve sans partir. Je suis né ici, mais je n'ai pas vécu à l'extérieur. Je sens que j'ai ma place ici dans la réserve.* (Homme, 19 ans)

> *Ben moi, mon rêve, c'est vraiment avoir ma propre maison, ma petite famille puis finir mes études. C'est vraiment juste ça. Tu sais, je demande pas gros. Avoir, je sais pas, une belle maison, un beau char et tout le kit. Un chien… Vraiment comme on voit à la télévision. J'aimerais ça devenir ingénieure. Je voudrais étudier pour devenir ingénieure. Le génie civil c'est plus que les routes. C'est l'arpentage et tout ça. Ça touche à beaucoup de choses. Mais la construction de maisons, c'est présentement mon domaine à moi. Surtout, j'aimerais ça, si c'est possible, revenir ici, travailler ici, avoir une vie ici, élever mes enfants ici. Mais, c'est ça. Tu sais s'il y a pas d'emplois, ça marchera pas.* (Femme, 19 ans)

> *Mon plus grand rêve, ce serait de louer une camionnette et de faire le tour des États-Unis et du Canada avec mes amis. Ce serait mon plus grand rêve. J'aimerais avoir un petit job qui est rentable. Tout le monde dit ça. Faire un voyage et*

*être vraiment libre. Pas besoin d'argent, faire des hold-up. Les États-Unis m'inté-
ressent. J'ai déjà été en Europe. Des fois je me trouvais dans des situations cocasses
parce que j'étais montagnaise. Je ne sais pas encore dans quoi je veux aller plus
tard. Mais je sais que j'aime écrire, écrire des romans.* (Femme, 19 ans)

*[...] travailler plus tard et de continuer mes études. Quand t'as dix ans, on se dit
que l'on va être avocat, vétérinaire, moi j'étais parmi ces jeunes-là qui avaient
cette vision-là : un avenir construit avec des études et une profession.* (Femme,
32 ans)

Mais entre l'expression du rêve et sa réalisation il y a tout un monde.
Et c'est en ce monde que se trouvent peut-être quelques éléments pouvant permettre l'élaboration d'une réponse à l'interrogation formulée
par une femme de Pessamit : pourquoi les jeunes de Pessamit ressemblent
à tous les jeunes du monde ? Ils portent des vestes de cuir, des casquettes
et des lunettes fumées, et se préoccupent de leur apparence physique.
Mais lorsqu'ils parviennent à l'âge de 16-18 ans, ils changent du tout au
tout. Ils quittent l'école, restent sur la réserve, prennent du poids, adop-
tent des comportements, des attitudes, une façon de se vêtir qui sont propres à Pessamit.

*Mon chum ne me disait pas que j'étais trop grosse. Mais il me demandait : « Est-
ce que c'est parce que l'on est à Pessamit, parce que le monde d'ici mange beaucoup et ne se soucie pas de leur apparence physique que tu vis comme ça ? » Je ne
le savais pas. C'est sûr que ma grossesse est pour quelque chose mais j'aurais pu
retrouver mon poids malgré tout. Mais on dirait que moi, je me suis laissée aller
complètement. C'est ça qu'il me demandait : « Est-ce que c'est parce qu'on est à
Pessamit que tu te laisses aller et que tu fais comme toutes les autres ? » Ici, tu as
tendance à ne plus porter attention parce qu'ici, le monde en général fait de
l'embonpoint.*

*Quand j'étais à Québec, c'est rare que je mangeais chez nous. Je mangeais dans
les restaurants ou je lunchais au bureau avec une sandwich. Je ne mangeais pas
bien nécessairement, mais je ne grossissais pas. Rendue ici, au début, je n'avais
pas de maison. Je restais chez mes parents. Alors cela a changé mes habitudes
alimentaires, dans le sens que l'on mangeait ce que l'on appelle les mets canadiens comme fricassées, pommes de terre, viandes, etc. C'était toujours ça comme
menu. Moi j'ai commencé à prendre du poids durant ma grossesse et je prenais à
peu près 4 repas par jour et je mangeais pour trois. De la poutine, j'en mangeais
à tous les soirs. Je mangeais mal. Je mangeais des cochonneries, des chips, de la
crème glacée. Dans le fond, je mange ce que je trouve dans le milieu. Je ne sais pas
si je n'avais pas fait ma période de grossesse à Pessamit si je me serais nourrie
autrement. Ça aurait peut-être été différent. On dirait que tu es plus actif. J'allais
chez ma grand-mère, chez ma tante après le souper et je mangeais. Pourtant, je
m'étais préparée à ma grossesse.* (Femme, 32 ans)

Le corps du jeune Innu se transforme à l'image du message social du milieu qui l'accueille et qui lui permet d'exister. Son corps devient

> [...] le support premier, fondamental, du message social proféré, même à son insu, par l'usager : sourire / ne pas sourire, est par exemple une opposition qui répartit empiriquement, sur le terrain social du quartier, les usagers en partenaires « aimables » ou non : de la même manière, le vêtement est l'indice d'une adhésion ou non au contrat implicite du quartier, car, à sa façon, il « parle » de la conformité de l'usager (ou son écart) à ce qui est supposé être la « correction » du quartier. Le corps est le support de tous les messages gestuels qui articulent cette conformité : il est un tableau noir où s'écrivent, et donc se rendent lisibles, le respect des codes, ou l'écart, par rapport au système des comportements (Mayol, 1994 : 27).

> *Quand tu as 20 ans, tu as le goût de partir. J'ai fait mon secondaire 4 et 5 à Baie-Comeau et j'ai haï, et encore aujourd'hui, Baie-Comeau. C'est une ville que je n'aime pas du tout. Parce que je n'aime pas les gens. Parce qu'il y avait du racisme. On se faisait crier des noms. Je me rappelle en secondaire 4. On était pensionnaire la semaine, et on revenait les fins de semaine. Je me rappelle en début d'année, l'autobus était plein. Quarante étudiants de Pessamit qui vont faire le secondaire 4 et 5 et, à la fin de l'année, on s'est retrouvé à peu près huit étudiants. Cela était dû à l'adaptation, au racisme, à la gêne. Quand tu dis que tu as toujours étudié ici, tu as toujours parlé en montagnais et tu te retrouves tout seul de Montagnais dans ta classe, et ils te demandent de faire un exposé oral, et ton français n'est pas trop parfait. C'est toujours une insécurité. D'après moi, les jeunes qui ont décroché, c'est beaucoup plus à cause de l'adaptation. Ce n'est pas à cause du potentiel. Je me rappelle en secondaire 4, j'ai toujours eu un petit côté influençable. Quand je voyais que tout le monde décrochait, j'arrivais chez nous quand j'étais tannée et je disais à ma mère, moi aussi j'arrête. Alors elle m'a dit, tu veux arrêter, arrête. Mais ne pense pas que tu vas traîner sur la rue. Tu vas rester à la maison pour faire le lavage, laver le plancher, faire la nourriture, etc. Alors, ça ne m'intéressait pas. Alors je me suis dit, je continue et j'ai terminé mon secondaire comme prévu sans jamais avoir aimé aller à cette école. Je me sentais à part des autres élèves non autochtones. Je n'appartenais pas à leur milieu, je ne parlais pas la même langue et ça paraissait. Les autres ne se mêlaient pas aux jeunes Montagnais. Le temps que l'on était à l'école, on restait dans la famille d'accueil. Moi j'étais bien dans les familles d'accueil. On pouvait être cinq, six filles dans la même famille d'accueil et cela ne me créait pas de problème. Pour moi ce qui était problématique, c'était l'école. Des fois, il y avait des bagarres entre Montagnais et les Blancs. Si je n'ai pas décroché, c'est peut être aussi le goût des études. Je voulais terminer mes études sans nécessairement savoir dans quelle branche je voulais aller. Je savais que je voulais aller au cégep parce que j'aimais ça étudier. Le racisme que l'on subissait à l'école, on n'en parlait pas nécessaire-ment beaucoup. On en parlait, mais pas pour faire des théories. On se disait, je*

suis tannée, as-tu vu comment on nous regarde, on est rentrée et as-tu vu comment ils nous ont crié après. C'est sûr que l'on se disait des choses de même.
(Femme, 32 ans)

J'avais des problèmes comme je ne parlais pas bien français. Il y a des fois que je n'osais pas parler parce que j'avais peur que l'on dise : qu'est-ce qu'elle veut dire par là, je ne la comprend pas. C'est gênant ça quand tu es avec des non-autochtones dans une classe et tu n'oses pas donner ton opinion parce qu'ils ne te comprendront pas. Les Autochtones vont se tenir ensemble. Les Autochtones vont être plus à l'aise entre eux autres. Les professeurs, des fois, ils n'oseront pas te poser des questions parce qu'ils savent que l'on n'est pas intégré dans le groupe. Une fois à la polyvalente de Haute-Rive, à un moment donné, moi et mon frère nous étions dans un cours de géographie. Le prof, ce jour-là, nous a parlé des races dans le monde. Un gars de la classe s'est alors mis à parler des races inférieures en nous regardant, moi et mon frère. Mon Dieu... J'ai rencontré ce gars-là plusieurs années après. Et j'étais encore en maudit. Mais, moi, je lui aurais donné un coup de poing. On ne pouvait pas s'exprimer comme il faut, mais maintenant, les jeunes, ils s'expriment plus entre eux, mais il faut dire qu'ils sont plus à l'aise avec la langue et ils vont mieux pouvoir leur répondre en français. Des fois, j'aurais aimé être une non-autochtone. Parce que je voulais être comme les autres. J'aurais souhaité ne pas être une Autochtone, j'aurais aimé être une Blanche. Il m'arrive des fois, lorsque je suis à Baie-Comeau, de penser que si je pouvais me laver, pour enlever la couleur de ma peau, peut-être que les choses seraient plus simples, plus faciles. (Femme, 32 ans)

Impossible pour cette jeune femme innue d'échapper au regard réducteur du non-Autochtone. La couleur de sa peau, de ses cheveux, la forme de son visage et de ses yeux, tout l'identifie au monde autochtone. Son aspect physique ne lui donne aucune chance. Elle est surdéterminée de l'extérieur. Elle n'est pas l'esclave de « l'idée » que les autres ont d'elle, mais de son apparaître. Elle vit la honte, la honte et le mépris d'elle-même (Fanon, 1995 : 93-94).

SURVEILLANCE ET PUNITION ÉMANANT DE L'ÉTAT

Au cours du XXᵉ siècle, l'État colonial inscrit et manifeste avec plus de vigueur sa présence à l'intérieur de la réserve. Cette présence s'exprime par la voix de l'Église, de l'école, des représentants de l'ordre et de la santé. Chacun de ces secteurs représente une des composantes indispensables à l'entreprise disciplinaire coloniale. Celle-ci demande la mise en place de règles, de structures, de techniques et de mécanismes qui assurent l'assujettissement des Innus. Le pouvoir doit produire des limites, des manques. Il énonce des lois que le discours juridique vient limiter et circonscrire. La *Loi sur les Indiens* est, en quelque sorte, l'expression légale de ce pouvoir étatique, des limites et des manques imposés. Il faut désormais que l'Innu intériorise les règles et les limites imposées. C'est à l'intérieur de la réserve que l'État structure ses mécanismes de contrôle des individus.

Surveillance de l'identité

Le premier lieu de surveillance est certainement celui de l'identité. La loi concernant les Indiens reçut sa sanction royale le 22 mai 1868. Une application rigoureuse de cette loi qui établissait des notions d'Indiens « pur-sang », « demi-sang » et « quart-sang » pouvait avoir pour résultat de retirer le statut à des personnes que les communautés avaient toujours considérées comme leurs (Savard et Proulx, 1982 : 130). En 1887, le Surintendant général se voit conférer le pouvoir de déterminer qui est membre d'une bande indienne et qui ne l'est pas. Sa décision est sans appel. Seul le gouverneur en conseil peut entendre un appel et renverser la décision du Surintendant. Au sens de la loi canadienne, la reconnaissance du statut indien n'avait rien à voir avec l'ascendance indienne. Ainsi, une Innue qui épousait un non-Indien se voyait automatiquement émancipée. En d'autres mots, elle perdait automatiquement son statut d'Indienne. Le « concept d'émancipation correspond au souhait des Européens, à leur arrivée en Amérique, de faire accéder les Indiens à leur civilisation » (Dupuis, 1991 : 43). Cette règle de l'émancipation est demeurée en vigueur jusqu'en 1985. Cette année-là, la Loi C-31 sera adoptée, ce qui permettra à de nombreuses femmes de retrouver leur statut d'Indienne.

> *Avant on avait pas le droit de rester sur la réserve, à cause de la Loi C-31. C'était pas la communauté, c'était la loi, et cela faisait que l'on ne pouvait pas avoir de maison. C'était la Loi des Indiens que le conseil de bande appliquait. Quand la Loi C-31 est passée on était contente.* (Focus groupe, femmes 42 à 58 ans)

Au yeux de l'État colonial, l'établissement du statut d'Indien n'a jamais été considéré dans l'optique d'établir qui avait ou non accès aux droits associés à ce titre. Le statut d'Indien était plutôt considéré comme un outil visant à déterminer à qui les politiques d'assimilation sociale pouvaient être appliquées (Armitage, 1995 : 86).

Surveillance et morale

La rupture entre les sociétés autochtone et non autochtone s'actualise par le biais de l'intervention directe de l'État, mais également par le biais de la morale en vigueur et de l'Église. Un couple d'Innus de Pessamit nous a entretenu de ce qu'il nommait la « dictature des curés » durant les années 1950. « Ils nous empêchaient de voir des Blancs. Il y avait une scierie sur la pointe là-bas. Sur cette pointe là, vivaient 500 à 600 personnes. Les curés ne nous laissaient pas y aller. Il nous interdisaient de danser des "sets carrés" ». Des soirées dansantes ont tout de même lieu. Elles se déroulent en cachette, derrière des fenêtres habillées de rideaux bien clos.

À la fin du XIXe siècle, les manifestations rituelles comme la danse et le battement du tambour étaient sévèrement réprimées, à partir des mêmes a priori moraux qui pesaient sur les non-autochtones francophones, mais peut-être de manière plus marquée encore pour les « Indiens », brebis fragiles à la foi tiraillées par un passé païen aux yeux du missionnaire. L'exercice de cette autorité des représentants de l'Église sur les activités à caractère cérémoniel ou ludique s'inscrit plus tard (en 1927) dans la voie d'une mesure émanant de l'État. C'est en effet à cette date que le surintendant général des Affaires indiennes est investi du pouvoir de réglementer l'exploitation des salles de billard, des salles de danse et autres lieux de divertissement. L'objectif ultime de cette mesure est de faire en sorte que les Indiens deviennent travaillants et qu'ils ne consacrent pas trop de temps aux activités de loisir accessibles aux non-autochtones.

La mémoire est précise. Les échanges de bons procédés, de courtoisies et de plaisirs entre Autochtones et non-autochtones marquaient le quotidien. La rupture entre les deux sociétés s'actualise sous les regards de l'Église qui, pour protéger les « bonnes mœurs » des Innus, exerce une surveillance et une autorité morale de tous les instants. C'est dans les espaces chaque fois plus réduits de la clandestinité que s'effilochent peu à peu les échanges ludiques entre les membres des deux sociétés. Et peu à peu, chacun d'elle s'enfonce au fil des années dans sa propre « solitude ».

Surveillance et éducation

Selon le *Rapport de la Commission royale sur les Peuples autochtones*, les visées assimilationistes de l'État ne sauraient être plus précises qu'au chapitre de l'éducation. Au cours de la première moitié du XXe siècle et pendant une longue période de la seconde moitié, la discipline et le châtiment, mis au service du changement culturel, forment le contexte dans lequel se retrouvent bon nombre d'enfants autochtones du Canada. À l'école, les enfants doivent suivre un régime rigoureux. Celui-ci consiste à se lever tôt, à travailler, à prier, à étudier et, enfin, à se reposer.

« Les pensionnats ont considérablement bousculé notre vie », nous dit une femme dans la cinquantaine en présence de son mari. « Les fonctionnaires venaient chercher les enfants des familles plus misérables. Nous autres, nous vivions dans des familles plus aisées. Nos pères allaient dans le bois et trappaient. Les enfants étaient transportés vers Sept-Îles ».

Surveillance et santé

À Pessamit, la présence d'infirmières est assurée depuis les années 1940. Fait particulier, dans cette communauté, ce sont les médecins qui, les premiers, offrent des services de santé, dès 1925. Toutefois, ce n'est probablement pas la disponibilité des ressources médicales qui est responsable de l'accélération de la mise en place de soins médicaux. Plutôt, devons-nous considérer comme facteur déterminant la forte prévalence de tuberculose chez les Innus de l'époque.

> L'absence de données chiffrées ne nous permet pas de mesurer les ravages de la tuberculose chez les Montagnais, mais une évaluation chez les Cris des baies James et Hudson pour la fin du XIXᵉ siècle, démontre qu'elle est responsable du tiers des décès. Cette infection demeure, jusqu'en 1950, la principale cause de mortalité des Indiens et des Inuits. Pour beaucoup, le sanatorium a remplacé la réserve (Bédard, 1987 : 83).

Les efforts consistant à accroître les services de santé auprès des membres des Premières Nations après la Seconde Guerre mondiale sont attribuables à l'humanitarisme d'après-guerre qui a permis de donner un élan à l'État providence canadien. Mais ce sont surtout les craintes engendrées par la prolifération des cas de tuberculose dans les collectivités autochtones qui ont précipité la mise en place de services de soins auprès des membres des Premières Nations.

L'arrivée de la médecine en milieu innu ne s'est manifestement pas produite sans créer certains remous et conflits. Les Innus détenaient des savoirs médicinaux qu'ils pratiquaient et transmettaient depuis bien des lunes. La forêt constituait pour eux une ressource inépuisable de produits médicinaux. Au sein de la collectivité se retrouvaient des femmes et des hommes reconnus pour leurs connaissances et leur habileté à prodiguer des soins utilisant la médecine innue. Cette collectivité comptait également sur les savoirs et habiletés de quelques sages-femmes qui assistaient les parturientes.

Les soins instaurés dans le cadre de l'application des programmes d'éradication de la tuberculose au cours des années 1920 ont offert de

multiples occasions et de nombreux moyens pour imposer, de façon auto-
ritaire, les pratiques de soins médicaux dans la grande majorité des communautés indiennes du Canada.

Les relations que les services de santé aux Indiens entretiennent
avec les populations amérindiennes au cours des dernières décennies,
notamment lors des périodes de lutte contre des maladies associées à la
mort et à la contagion, ont particulièrement marqué le cours de l'histoire
de ces populations. Dans ces créneaux, le savoir savant obtient un puissant point d'entrée.

> *Il y avait la tuberculose un moment donné. Plein de gens partaient. Il y avait
> comme une espèce d'habitude : ils arrivaient ici au printemps, au mois de mai-
> juin. Il passait des radiographies à tout le monde, les jeunes, le monde, et puis
> parmi ce monde-là, il y en avait 15-20 qui partaient pour trois mois, six mois, des
> fois plus longtemps. Il y avait des gens qui ne voulaient pas partir. C'était la
> police qui allait les chercher. Ils n'avaient pas le choix. Il fallait qu'ils partent
> parce que la tuberculose était contagieuse. Elle était mortelle. C'était comme si ces
> gens-là avaient commis des meurtres. La police en arrière de tout ça. Même les
> enfants allaient pas là l'école des fois, ben des fois et la police allait chercher les
> enfants. Cette époque-là, c'était assez dur, je pense, pour les mères de famille, les
> pères de famille qui voyaient leurs enfants partir pour l'hôpital. Moi je suis parti.
> Je suis parti moi aussi au sanatorium de Gaspé. Dans ce temps-là, j'étais jeune.
> J'ai été là neuf mois. J'avais à peu près huit-neuf ans. Quand je suis parti, je
> pense que je me suis ennuyé. J'avais un collier où c'était marqué « Gaspé ». Mon
> nom et... « Gaspé ». Ça, c'était ma seule identification. Quand je suis revenu,
> c'était la même affaire. Un collier avec mon nom et... « Pessamit ». Je suis revenu
> tout seul, sans escorte, rien. Beaucoup de gens ont vécu ce genre de situation-là.
> Ça, je m'en souviens, quand je suis revenu, je pense que je suis revenu dans le
> mois de mai.* (Homme, 55 ans)

En ce qui concerne la manière dont sont dispensés les soins de santé
aux membres des Premières Nations, on reconnaîtra bien sûr que, depuis
cette époque, elle s'est transformée. Toutefois, malgré le processus de prise
en charge de leurs services de santé par un grand nombre de communautés autochtones, les approches paternaliste ou de maternage instaurées
au cours des précédentes décennies se sont globalement maintenues. Nous
sommes obligé de constater que le pouvoir autochtone n'est pas toujours
le corollaire d'une amélioration des conditions de vie et de santé dans les
communautés : les solutions retenues par les nouvelles autorités vont souvent dans le sens d'une application conforme aux modèles appris par le
passé plutôt que vers la mise en place de solutions originales et adaptées
au milieu.

Dans les milieux autochtones, les services de santé ont initialement été élaborés et structurés à partir d'impératifs répondant aux exigences de la santé publique des années d'avant et d'après la guerre et de la lutte contre la tuberculose. L'objectif premier de la structure consistait à identifier chacun des contacts de la personne diagnostiquée comme tuberculeuse. C'est ainsi que chacun des contacts était, qu'il le veuille ou non, inscrit dans un fichier. Son nom, son sexe, son âge, la date du diagnostic, le nom de tous ses contacts, le détail des prescriptions le concernant, autant d'informations entrées sur la fiche d'identification d'un individu. Les coordonnés permettant de joindre et de retrouver rapidement l'individu concerné étaient inscrites sur la fiche. En d'autres mots, chaque individu était identifié aux dimensions d'une fiche sur laquelle il était décrit, personnifié selon des paramètres qui assurent sa visibilité aux yeux des professionnels de la santé. L'individu est sur la fiche, la fiche est dans la boîte, la boîte est au dispensaire, entre les mains et sous le contrôle des professionnels de la santé.

Cette procédure existe toujours et elle est appliquée dans plusieurs centres de santé destinés aux membres des Premières Nations. D'ailleurs, nous sommes parvenu à établir les taux de prévalence et d'incidence des populations innues des villages grâce à l'existence de ces fichiers. La même chose s'est avérée impossible à obtenir dans les communautés blanches de la région car il n'y existe pas de systèmes comparables. Dans les villages non autochtones, une personne diagnostiquée comme diabétique est considérée comme responsable d'elle-même et de ses rendez-vous avec le médecin ou avec l'infirmière.

Inversement, dans les villages autochtones, les diabétiques sont automatiquement inscrits au fichier et insérés, sans que pour autant ils y consentent, dans une procédure de soins contrôlés entièrement par le personnel infirmier. Les infirmières sont ainsi à même de suivre de très près le parcours d'une personne diabétique. Est-ce que cette personne prend assidûment ses médicaments ? Vient-elle renouveler ses ordonnances pharmaceutiques ? Quand devra-t-elle rencontrer le médecin, l'ophtalmologue, la nutritionniste, l'infirmière ? S'est-elle, oui ou non, présentée à son rendez-vous ? Suit-elle sa diète ? Est-ce que sa glycémie est contrôlée ? A-t-elle perdu ou gagné du poids ? Voilà quelques-unes des questions auxquelles les professionnels de la santé œuvrant dans les milieux autochtones peuvent pratiquement toujours obtenir réponse en consultant, soit la « fiche de suivi », soit le dossier médical du diabétique. En bref, on peut considérer que les réserves indiennes sont gérées par les professionnels de la santé comme des départements d'hôpital.

Aucune population du Canada n'est autant contrôlée, surveillée, fichée que les populations amérindiennes vivant dans les réserves. À ce chapitre, les systèmes de surveillance des services de santé en milieu autochtone sont particulièrement remarquables et « exemplaires » : « Elsewhere I have argued that this relationship often resulted in the medicalization of community life as local nurses monitored the everyday well-being of people in the community as if they were all patients on a hospital ward » (O'Neil, 1986b : 122).

Ainsi dans de nombreux centres de santé en milieu autochtone, chacune des maisonnées est, à toutes fins utiles, considérée comme le serait une chambre en milieu hospitalier. Chacun des individus, vivant pourtant dans un espace de vie considéré comme privé, est sous la surveillance étroite des professionnels de la santé et plus spécialement des infirmières. Difficile dans ces conditions de ne pas retrouver à l'œuvre tous les éléments de la théorie du panoptisme de Michel Foucault et de sa conception du bio-pouvoir. Comment imaginer dès lors que ces logiques de pouvoir si marquées et si spécifiques n'ont aucune incidence sur la manière dont les populations autochtones vont être amenées à se définir ? Et c'est en voulant chercher à en éclairer les effets que nous avons été amené à appréhender l'importance de la réserve comme lieu de construction identitaire, tout comme à cerner le poids déterminant de ces facteurs identitaires sur l'ensemble des comportements associés à l'émergence du diabète.

CHAPITRE 6

La réserve: lieu de construction culturelle et identitaire

. . . .

Exclus du procès de production, confinés dans un lieu nommé réserve, les Innus tentent de créer un espace de vie viable, où il serait possible d'expérimenter au quotidien le bonheur. Et l'exercice de ce bonheur collectif a ses propres règles. De nouvelles manières d'être surgissent dans le milieu. Elles se retrouvent dans différents segments de la population, dans différents groupes d'intérêts. Malgré une apparente homogénéité, on découvre dans la population Innue de Pessamit l'existence de champs de forces, de zones pour les mal-nantis et d'autres pour les bien-nantis, de groupes aux intérêts parfois fort différents. On constate ainsi que les intérêts varient considérablement d'un segment de la population à un autre, d'une génération à l'autre. Le regard sur les générations permet de constater que d'importantes variations existent entre la culture innue perçue et vécue.

En ce lieu nommé réserve, en ce lieu où l'Innu se définit en tant qu'être distinct de cet «Autre» de la société dominante, le discours identitaire revêt un caractère quotidien, se fait omniprésent. Être ou ne pas être Innu est la clé d'accès à une existence relativement paisible sur la réserve. Alors, pas besoin de clamer son droit à l'existence, de lutter contre le regard, l'attitude répressive du non-autochtone qui sans cesse relègue l'Innu dans le camp de la marginalité. Dans la réserve, tous existent, dans une relative simplicité, se reconnaissent dans et par leurs façons d'être et de faire. Ils se retrouvent entre eux et se reconnaissent par le fait de leur adhésion à ce que nous pouvons nommer la « culture locale ». Même s'il ne faut pas oublier que cette culture locale entretient et développe des ramifications importantes avec l'ensemble de l'autochtonité nationale et internationale.

Certains codes nous intéressent particulièrement en raison de leurs liens étroits avec le diabète. Ils concernent spécialement l'alimentation, le rapport au corps ainsi que la manière de consommer de l'alcool. Il est possible d'établir une trajectoire dans laquelle nous percevons les trans-formations de l'acte alimentaire, de la façon de boire ainsi que de l'aspect corporel de l'Innu au cours des dernières décennies. Toutefois, ces trans-formations ne correspondent pas à ce que certains nomment des déviances, des phénomènes attribuables à l'acculturation ou encore à une incapa-cité d'adaptation à la modernité. Au contraire, nous estimons que ces transformations correspondent à des métissages, à des créations émanant de l'action quotidienne d'acteurs sociaux vivant en marge de la société dominante.

Au sein de la réserve qui s'inscrit à l'intérieur d'un réseau d'échanges entre nations autochtones de toutes les Amériques et du monde, se cons-truit, s'actualise une culture innue contemporaine et locale. Cette culture est l'expression du groupe, de ses préférences, de ses interdits, de ses modèles. Elle est également plurielle en ce sens qu'il est illusoire de cher-cher à en tracer un portrait univoque, d'identifier son « essence ». Cette société est constituée de groupes partageant bien sûr une histoire com-mune, des intérêts et un territoire communs. Mais dans cette société se trouvent aussi des intérêts divergents. Au sein de toutes les couches, parmi tous les groupes d'intérêts, se constituent des règles d'inclusion, des inter-dits, des valeurs, des modèles qui dynamisent l'ensemble de la société innue. La culture qui s'y développe est ainsi la résultante de toutes les appréciations des acteurs sociaux, des tensions internes et externes à la société innue. En même temps, la réserve est un lieu social qui induit chez ses habitants des comportements, des manières d'être et de faire par les-quels « chaque usager s'ajuste au processus général de la reconnaissance, en concédant une partie de lui-même à la juridiction de l'autre » (Mayol, 1994 : 26).

Cependant cette dynamique culturelle se développe dans un con-texte socio-historique tout à fait particulier. La construction, l'élaboration de cette culture autochtone s'inscrit dès lors dans ce que Frantz Fanon nomme « un inévitable processus de libération nationale, de renaissance ou de naissance de l'État». À ce niveau, il faut prendre en considération les conditions exogènes au milieu innu de manière à comprendre la dynamique qui cimente dans un tout d'apparence homogène les individus composant cette société. Dans un contexte où l'Innu affronte quotidiennement le regard du non-autochtone qui le repousse à la marge, il lui est essentiel de construire un lieu, un intérieur, un chez-soi, un pays. Au sein de ce « chez-lui » il n'a plus à éprouver son « être » pour autrui. Il n'a plus, en principe, qu'à être Innu. Il n'est plus au premier regard, le « sauvage », le « lâche », le « paresseux », le « kawish », le « profiteur ». Il existe en tant qu'individu, en tant que personne, en tant que femme, homme, mère, père, frère, sœur, cousin, cousine, et non en tant qu'Autochtone ou Indien. Il n'a plus à affronter le Blanc qui l'opprime par la lourdeur de son regard qui l'identifie uniquement par son paraître. Il n'a plus à disputer une place (Fanon, 1991 : 89).

À l'intérieur de la réserve, conçue ici en tant que réalité locale mais aussi relevant de dimensions nationales, s'est établie, spécialement au cours des dernières décennies, une série de codes culturels et identitaires que nous pouvons étroitement relier à l'émergence du diabète. Toutefois, il est essentiel de considérer l'élaboration et la création de ces codes depuis la perspective d'une démarche d'affirmation politique et identitaire profondément ancrée dans des dimensions relevant de l'ordre du « macro ». Ces codes sont créés à partir des matériaux de la modernité mais également à partir de matériaux relevant de l'histoire, de cette histoire que l'Innu réinterprète chaque jour afin de servir ses intérêts contemporains. L'élaboration de l'identité innue « emprunte ses matériaux à l'histoire, à la géographie, à la biologie, aux structures de production et de reproduction, à la mémoire collective et aux fantasmes personnels, aux appareils de pouvoir et aux révélations religieuses » (Castells, 1999). Cette identité s'élabore dans le processus de la résistance d'acteurs qui, pour survivre à l'intérieur de la réserve, s'y barricadent. Cette identité s'élabore sur la base de principes étrangers ou contraires à ceux qui imprègnent les institutions de la société qui les dominent.

> An interpretation of northern history based on a model of internal colonialism argues that from the moment northern Native people were first contacted by Europeans looking for cheap natural resources, their ability to determine their own livelihood was made problematic. From this perspective, the contemporary independence movement based on the emergence of ethnonationalist organizations is the natural product of a century of struggling to maintain some sense of independence and

autonomy, rather than reflecting a growing familiarity with southern institutional systems (O'Neil, 1986 : 121).

Toutefois, nous devons nous garder d'identifier les traits caractéristiques d'une « identité ». Nous aimons bien qu'un individu ait une identité bien définie mais chaque être est doté d'une série d'identités ou pourvu de repères plus ou moins stables qu'il active successivement ou simultanément selon les contextes (Bruna, 2000).

Il est également important de ne pas considérer ces manifestations culturelles et identitaires comme des défaillances culturelles, des écarts faisant offense à une culture qui relève d'une ancestralité mythique. Elles sont le résultat d'actes créateurs, d'actes de métissage mettant en évidence l'engagement d'acteurs sociaux qui cherchent à construire, dans un contexte de colonialisme interne, une réalité sociale quotidiennement tolérable. Elles sont l'œuvre de l'histoire où des sociétés, des cultures se mélangent. Ces mélanges, ces métissages sont irréversibles et partie prenante de ce processus ininterrompu. Elles sont les manifestations de la participation des acteurs sociaux, des productions humaines.

TRANSFORMATIONS DE L'ACTE ALIMENTAIRE ET IDENTITÉ

> Ce qu'on mange là, précise Cyril, c'est pas vraiment indien. C'est de la cuisine indienne antillaise. On est si loin de l'Inde, les gens pouvaient pas toujours se procurer les mêmes épices, il fallait se débrouiller. C'est l'histoire, c'est le changement, cette cuisine.
>
> À l'autre bout de la table, Ash, jusque-là concentré en silence sur ce qu'il mangeait, laisse bruyamment choir ses couverts sur son assiette. Yasmin n'a de lui qu'une vision partielle à cause du contre-jour qui l'éblouit ; elle distingue le jeune visage, épuré par les éclats de lumière qui le sculptent, et elle se demande ce qui a suscité une parelle colère.
>
> Attention, Patron ! proteste Ash. T'es pas loin de dire qu'on n'est pas vraiment indiens.
>
> Je parle de cuisine. Du point de vue racial, si...
>
> Neil BISSOONDATH, *Tous ces mondes en elle*

Certains facteurs de risque sont identifiés dans le modèle explicatif du diabète élaboré par les milieux de la santé publique. Ces facteurs sont davantage associés aux comportements et au mode de vie. Les scientifiques et les professionnels de la santé parlent ici des facteurs de risque modifiables du diabète (LLCM, 1998). Les habitudes alimentaires en font partie.

Le type d'alimentation est, depuis plus d'un siècle, associé à l'avènement du diabète (Himsworth, 1935). L'excès d'un apport calorique, un déséquilibre dans les proportions de certains macro-nutriments (protéines, gras, carbohydrates), un excès d'hydrates de carbone raffinés, une déficience en certains nutriments comme le chrome et le zinc et un faible apport en fibres alimentaires sont autant de facteurs alimentaires soupçonnés de jouer un rôle dans l'évolution du diabète. Mentionnons que la consommation d'alcool est également suggérée comme un facteur de risque non négligeable relevant des habitudes alimentaires

Lorsqu'une personne reçoit un diagnostic de diabète, elle reçoit du même coup une série de conseils, recommandations et prescriptions concernant de nombreux aspects de sa vie. Les comportements alimentaires sont particulièrement visés par les professionnels de la santé. Ceux-ci considèrent les comportements alimentaires strictement comme des habitudes. Conséquemment, les réseaux de la santé qui desservent les communautés ont investi et investissent toujours des ressources humaines et financières importantes dans le secteur de la nutrition. Tous ces efforts ont pour but d'assurer la transmission de « bonnes et saines habitudes alimentaires ».

Par exemple, depuis le début des années 1990, deux guides alimentaires adaptés à la culture innue ont été élaborés et diffusés dans un grand nombre de communautés. De leur côté, les services de santé innus de Pessamit bénéficient des services d'une technicienne en nutrition originaire du milieu, en plus d'avoir accès aux services d'une diététiste de Baie-Comeau. Une nutritionniste travaille également aux services de santé de Pakua Shipi, Unamen Shipu, Ekuanitshit et Nutakuan. Pourtant, malgré des efforts constants et répétés, il est difficile d'apporter des modifications substantielles dans les comportements alimentaires des populations visées, et encore plus chez les personnes diabétiques elles-mêmes qui sont plus ciblées que d'autres.

Les insuccès répétés des approches classiques de la santé relèvent, en partie du moins, du fait que les sciences dites exactes appliquent leurs méthodes et leurs conceptions de façon sans doute rigoureuse, mais quelque peu réductrice. Ces approches reposent sur deux illusions. D'abord, elles supposent que les pratiques alimentaires ne relèvent que d'habitudes ou de comportements qu'il suffit de corriger. Ensuite, elles font souvent preuve d'un positivisme naïf en considérant que science et vérité se confondent (Fischler, 1993 : 13). Si l'homme se nourrit de protéines, de glucides, de vitamines et de lipides, il assimile du même coup une série de symboles, de mythes et rêves. L'acte alimentaire est un acte « humain total ». Il convoque l'homme dans sa globalité. L'ordre du mangeable est déterminé par un ensemble complexe comprenant, entre autres, les représentations sociales, les pratiques de distinction, les croyances, les coutumes, les mythes ainsi que le sens du sacré (Poulain, 1995 : 19). Toutes les cultures du monde sont pourvues d'un appareil de catégories et de règles alimentaires et d'une série de prescriptions ou d'interdictions concernant ce qu'il faut manger et comment il faut le manger (Fishchler, 1993 : 58). De nombreuses études démontrent une profonde association entre la nourriture et l'identité de l'individu mais également d'un groupe social (Giard, 1994 ; Garine, 1995 ; Counihan et Van Esterik, 1997 ; Beardsworth et Keil, 1997).

Ainsi, l'anthropologue Wilk (1999) aborde la question de la cuisine *authentiquement nationale* dans les Caraïbes en analysant le cas particulier du Belize. Il montre que les choix alimentaires sont utilisés tant d'un point de vue personnel que social et politique pour exprimer et manifester l'appartenance à un peuple, à une nation ou pour se distinguer des autres. De plus, Wilk démontre que ce qui est considéré comme une nourriture authentiquement nationale est une construction. Celle-ci peut se comprendre en prenant en considération le contexte actuel, mais également le contexte historique. Ainsi, il propose « to bring back the discussion back to earth in Belize, we need to begin with the colonial regime of consumption and describe the way it set the stage and provided scenery for the drama of local versus global » (Wilk, 1999 : 249).

Le discours des Innus de Pessamit et d'autres communautés permet de constater que l'acte alimentaire s'est considérablement transformé au cours des dernières décennies et que ces transformations sont intimement liées aux rapports entretenus entre le milieu innu et la société dominante. La définition de la nourriture dite innue s'est modifiée au cours des décennies. Progressivement de nouveaux éléments, provenant de la culture dominante, ont été intégrés dans le champ de la « nourriture traditionnelle », de la « nourriture innue ». Alors que certains voient dans ce phénomène un processus d'acculturation résultant d'un inéluctable processus d'homogénéisation de la culture locale à la culture globale, nous préférons aborder ce processus dans une perspective de construction identitaire locale. Ainsi, au niveau local, nous assistons à une construction culturelle originale dans le cadre de sa rencontre avec la culture dominante ou globale.

Nourriture accessible et inaccessible

La banique est présentée comme le pain traditionnel innu. Il y a moins d'un siècle, ce pain se cuisinait toujours dans du sable (pas n'importe lequel : recueilli souvent en bordure de rivière) préalablement réchauffé à l'aide d'un feu de bois. Aujourd'hui, il est généralement fait sur la cuisinière, dans un poêlon ou au four.

L'appellation banique proviendrait du terme *bannock* qui désigne toutes les sortes de pains plats fabriqués en Écosse, en Irlande et dans le nord de l'Angleterre depuis des siècles. De toute évidence, le pain traditionnel innu est en quelque sorte le résultat d'emprunts où plutôt d'inclusions d'éléments culturels étrangers, tels que la farine et sa cuisson, éléments considérés depuis des décennies comme appartenant au cœur même de la culture innue.

L'exemple de la banique illustre le processus d'inclusion d'éléments alimentaires dans le champ culturel et identitaire du peuple innu. Les gens les plus âgés racontent que l'alimentation des Innus, avant les années 1950, était principalement constituée de farine, de graisse, de sel et de thé ainsi que de viande de bois. Nos informateurs n'associent jamais, de prime abord, ces aliments à une nourriture de Blanc. Au contraire, ces éléments constitutifs du menu des familles innues qui séjournaient pour de longues périodes dans la forêt apparaissent dans le discours contemporain comme intégrés depuis toujours à la trame identitaire, à la culture innue. Voici en quels termes un homme nous décrit ses souvenirs quant à son régime alimentaire à l'époque où il séjournait de longues périodes dans le bois, avant les années 1950.

> *Du thé, du pain, de la banique, de la graisse, du saindoux. Les soirs, des fois, je mangeais du lièvre ou bien du castor. La seule fois qu'on mangeait bien, c'était le soir. De la mélasse et parfois on changeait pour de la cassonade. Des fois le soir on mangeait de l'orignal. C'était principalement l'hiver qu'on allait dans le bois. Maintenant mon alimentation, c'est du Cool-Aid, du porc, de la viande hachée.*
> (Homme, 49 ans)

À l'exception du lièvre, du castor et de l'orignal, tous les autres éléments constitutifs de sa diète sont des produits que, nécessairement, ses parents se procuraient au comptoir du magasin général. Une femme âgée nous raconte pour sa part qu'au cours des années 1920 à 1940, les Innus de Pessamit mangeaient, à l'occasion seulement, de la viande de bois comme de l'orignal ou du castor.

Le repas dominical

> *On ne devait pas manger de porc, je pense bien, très souvent. Peut-être le dimanche. La viande, on n'en mangeait presque pas. Parce que la viande n'était pas disponible là-bas. Il n'y en avait pas. [...] Qu'est-ce que l'on mangeait ? Il devait y avoir du jambon. Ce que l'on vendait, nous autres dans les magasins, c'était du bacon, en morceaux. Et après ça, il y avait des morceaux de jambon que l'on vendait et puis il fallait les conserver durant l'été. Il fallait conserver le bacon et le jambon pour ne pas que les mouches se mettent dedans. Le commis qu'il y avait là, à la Baie d'Hudson, il sauçait ça dans le sirop. Puis il mettait du je ne sais pas quoi sur le dessus. C'était comme de la sciure de bois.* (Femme, 83 ans)

Cet extrait nous mène à une piste intéressante concernant les dynamiques d'inclusion de nouveaux éléments alimentaires dans la culture innue à l'occasion de rapports coloniaux. Cette informatrice associe la viande de porc à un aliment relativement rare dans le menu quotidien des Innus de la première moitié du XXᵉ siècle. Cette viande est présentée comme un mets qui se consomme plus spécialement le dimanche. Dans ce village, comme dans bien d'autres, l'emprise de la religion catholique a permis de donner au dimanche une connotation toute particulière : « jour du Seigneur » évidemment mais également jour de repos, jour du repas dominical. Pour ce repas, la table est mise et bien mise ! Elle est ornée de la plus belle vaisselle et la cuisinière de la maison s'efforce de faire plaisir, de gâter ses convives.

Les aliments consommés en cette journée étaient choisis en fonction de leur caractère festif. Il s'agissait d'aliments qu'on ne pouvait consommer quotidiennement et qui, en quelque sorte, étaient associés aux produits de luxe. Ainsi, des informatrices nous mentionnent en se remémorant à leurs enfances, au début des années 1960, que :

> *Le dimanche, quand il n'y avait pas de sucrerie, c'était pas comme un dimanche ordinaire. Parce que ma grand-mère, à tous les dimanches, quand on restait chez elle, elle nous préparait un gâteau, du Jello avec du Dream Whip.* (Femme, 45 ans)

Une autre femme, un peu plus âgée, raconte que lorsqu'elle était enfant, le dimanche représentait une journée bien spéciale. C'était la journée « du gros luxe ». Le menu du repas était constitué de « porc frais, de poulet, de bonne soupe, de gâteau et de Jello ». Ces aliments associés à des produits de luxe étaient seulement accessibles aux personnes qui détenaient un emploi salarié.

Une femme plus âgée raconte que lorsqu'elle était enfant, dans les années 1950-1960, le dimanche représentait une journée bien spéciale.

C'était la journée « du gros luxe ». Le menu du repas était constitué de « porc frais, de poulet, de bonne soupe, de gâteau et de jello ». Ces aliments associés à des produits de luxe étaient particulièrement accessibles aux personnes qui détenaient un emploi salarié.

> *On mangeait du poulet. On mangeait des gros desserts, du Jello, des gâteaux. C'était du luxe pour moi. Des fois, je faisais du ménage chez mes tantes et je mangeais là. Je trouvais qu'on y mangeait bien parce que mes tantes n'étaient pas des femmes qui avaient beaucoup d'enfants. J'ai même deux de mes tantes qui n'en avaient pas du tout. Elles travaillaient pour Hydro-Québec et avaient de bons salaires. Quand j'allais chez mes tantes, elles ne payaient pas pour mes services mais c'était pourvu que je puisse manger ce que j'y trouvais. Et c'était déjà beaucoup.* (Femme, 55 ans)

Ces extraits illustrent la stratification de la diète alimentaire au cours de la première moitié et du début de la seconde moitié du XXe siècle à Pessamit. Le repas quotidien était composé, à l'occasion, de viande de bois mais comme nous le soulignait avec humour une informatrice : « [...] quand j'avais neuf ans, neuf ans et demi, je me rappelle qu'en hiver on mangeait des patates, des patates, des patates avec du lard salé, des patates bouillies. Parfois ce pouvait être des macaronis avec des patates... » (Femme, 51 ans). Elle mentionne cependant, avec d'autres, que le dimanche : « On mangeait du porc, du poulet ou des pâtés à la viande ». Une informatrice de 41 ans dit que lorsqu'elle était petite, « le luxe c'était un gâteau ou de la tarte et cela n'arrivait que le dimanche normalement. Quand mes sœurs ont commencé à travailler, elles ont commencé à acheter des liqueurs, des gâteaux... »

Dans ce contexte, comme le souligne Wilk (1999), les produits locaux comme la viande de bois ainsi que certains aliments déjà fortement intégrés à la trame alimentaire sont positionnés au bas de l'échelle d'appréciation. Par contre, les produits alimentaires consommés de façon régulière par les Blancs, par ceux qui vivent dans la réserve (commerçants, fonctionnaires, prêtres, professionnels de la santé, etc.) se trouvent au haut de cette échelle. Nourriture des pauvres et des colonisés *versus* nourriture des riches et des gens du pouvoir.

L'alimentation est au cœur du développement de l'obésité. Il est totalement illusoire de tenter de comprendre les transformations du schéma corporel autochtone sans considérer les transformations qui ont traversé l'acte alimentaire. Ces transformations sont des actes de création culturelle émanant d'acteurs sociaux soucieux d'indépendance et d'autonomie dans un contexte de colonialisme interne. Elles sont l'œuvre du métissage, mécanisme survenant dans un contexte historique marqué par des rapports de force de type colonial. Ce métissage permet à certains éléments associés à la culture dominante de devenir tout à coup compatibles avec la culture locale, mais également sources de nouveaux éléments totalement imprévus.

C'est dans ce contexte du milieu du XXe siècle que s'est considérablement transformé l'acte alimentaire innu à Pessamit. Ces transformations ont permis l'inclusion dans la trame identitaire de nouveaux éléments originalement associés à la culture dominante mais qui, rapidement, sont devenus des éléments de la culture locale. Toutefois, bien d'autres produits alimentaires de même origine ne sont pas parvenus à s'y inscrire. Il est fort intéressant de constater qu'un très grand nombre de produits alimentaires étiquetés comme *fast food*, « malbouffe » à forte teneur en sucre raffiné, font aujourd'hui partie du panier d'épicerie d'une majorité de familles innues. C'est donc par le biais du procès de consommation que s'est considérablement transformé le code alimentaire et identitaire de l'Innu au cours des dernières décennies. L'individu, la famille, le groupe contournent les interdits et les impossibles pour prendre leur place dans le « Monde ». Ce jeu d'emprunts, ce bricolage culturel met selon nous en évidence la nature des rapports entretenus entre la société innue et la société dominante.

Aliments d'inclusion – aliments d'exclusion

Nombreuses sont les transformations qui ont modifié l'acte alimentaire innu et qui lui donnent ses dimensions et dynamiques contemporaines. À l'intérieur de la réserve, se sont définis des comportements, des attitudes, des façons et manières d'être ainsi que de manger qui permettent de distinguer qui est « de l'intérieur » et qui est « de l'extérieur ». Qui est Innu et qui ne l'est pas. Ce qui n'est pas innu sera fréquemment associé au monde des non-autochtones, à la société blanche, la société dominante. La seconde moitié du XXe siècle a donné lieu à un accroissement des revendications des peuples des Premières Nations et parfois à l'antagonisation des rapports avec la société non autochtone. Dans ce contexte les caractéristiques identitaires donnant droit à l'inclusion dans un groupe ou dans un autre jouent un rôle central.

Dans son ouvrage *Peau noire, masques blancs,* Franz Fanon (1995) fait état de la crainte que suscite, dans un groupe de jeunes antillais, celui qui s'exprime bien en français. On dit qu'il faut faire attention à lui, qu'il est un quasi-Blanc, qu'il parle comme un Blanc. Des manifestations tout à fait similaires existent en milieu innu. Au regard de la langue bien sûr, mais également en ce qui a trait à la manière de manger et à la composition du panier d'épicerie. Et cette association effectuée avec le monde des Blancs n'est pas sans occasionner des effets néfastes chez l'individu qui en est affublé. « Kawish », « sauvage » à l'extérieur de la réserve, « Blanc » à l'intérieur. Quels choix s'offrent à l'Innu ainsi considéré comme un « Blanc », comme une « pomme[1] », un « traître » par les siens ? L'individu est marginalisé dans son milieu, par les membres de sa propre communauté, s'il acquiert ou intègre des comportements, attitudes ou valeurs associés à l'Autre. Cet Autre, c'est le Blanc, le colonisateur, l'exploiteur des forêts, l'envahisseur des territoires, l'usurpateur des droits ancestraux, l'ennemi.

La dichotomie entre nourriture de « Blancs » et nourriture « innue » va bien au-delà des représentations classiques qui opposent « viande de bois » à produits commerciaux associés aux Blancs. Le choix de certains produits alimentaires modernes ne pose aucun problème alors que d'autres entraînent des commentaires réprobateurs à la personne prise en flagrant délit de consommation. La consommation de *fast food*, de boissons gazeuses, de sucreries de toutes sortes et de pâtisseries n'entraîne généralement aucun commentaire réprobateur de la part de l'entourage. Il en va autrement en ce qui concerne certains autres choix alimentaires. Ainsi, une jeune femme nous a raconté qu'un jour sa mère lui a dit, en la voyant manger des légumes, que jamais elle n'aurait cru que ses enfants mangeraient comme des Blancs.

> *Il y avait un genre de petit parc où il y avait un petit rassemblement. Des vieux se sont assis là. Moi je me suis assis avec ma conjointe puis les autres. Là y'en a un qui dit en me regardant : « Ah, un Blanc qui vient manger avec nous autres ! » C'était parce que je mangeais avec une fourchette. J'ai lâché ma fourchette et j'ai mangé avec mes mains. Je me suis dit : je vais suivre leur façon. Les vieux étaient contents. J'ai mis la fourchette de côté.* (Groupe focus : hommes 25-45 ans)

Manifestement, ces propos associant des comportements alimentaires au monde des Blancs semblent avoir une forte influence sur les personnes à qui ils sont destinés. Dans le contexte moderne, l'association au monde des Blancs est reçue comme une injure, une insulte, une condamnation. Être associé au monde des Blancs, c'est se voir associé au camp ennemi, être confronté à l'exclusion du groupe.

---

1. Cette association à la pomme vient du fait qu'on dira d'un individu qu'il est « rouge » à l'extérieur et « blanc » à l'intérieur.

Loin des yeux... loin des ragots

Le prochain extrait permet d'identifier quelques éléments qui constituent le menu quotidien de plusieurs familles innues à Pessamit. Les articles énumérés se retrouvent sur la majorité des tables de Pessamit et de bien d'autres communautés autochtones.

> *Puis avant, les anciens, eux autres ils mangeaient pas des affaires en « canne ». Ils faisaient leur cuisine. Tandis que de nos jours, quand on prend des « cannes » puis des affaires. Nous autres, on mange surtout du steak haché. Les enfants, quand on fait la cuisine, n'en mangent pas. Ça fait qu'on fait des affaires qui se préparent rapidement : du steak haché ou bien des frites. On fait cuire ça dans la graisse, dans du beurre. Des légumes, on n'en mange pas. Des pommes de terre, oui, mais c'est rare. C'est plutôt des frites ou du riz. On mange aussi des affaires en « canne », comme des ragoûts de boulettes. Les enfants en mangent. Des fèves au lard en « canne » aussi. Le spaghetti aussi ! Mais des fois, ils se font une poutine, des hamburgers, des hotdogs. Ce qui leur fait plaisir, c'est des hamburgers et des frites.* (Femme, 46 ans)

Certains et certaines qui désirent acheter des fruits ou des légumes dans les quelques épiceries et dépanneurs de Pessamit se butent à leur non-disponibilité ou encore à leurs prix extrêmement élevés.

> *Ce qu'il y a dans les épiceries, c'est juste des chips et du chocolat.. C'est ça qu'ils se payent comme desserts, comme gâteries. Ici, t'as pas de bons gâteaux, mousses aux framboises, comme à Québec. Tu sais des bons desserts avec des affaires qui sont le fun. Ici, tu manges un Jos-Louis. En tout cas, moi je connais beaucoup de familles qui n'achètent pas beaucoup de fruits ou de légumes. Eux autres, leurs légumes, c'est le choux, les patates. Moi, des fois, je suis renversée ; quand je veux faire une salade. Je suis allée à l'épicerie ici ! Ça m'a coûté cinq piastres pour une pomme de laitue. Elle était à moitié pourrie. Ça ne te tente pas. En plus, pour le monde ici, c'est pas consistant une salade* [rire]. (Femme, 32 ans)

On explique souvent la difficulté de promouvoir la consommation de fruits et de légumes auprès des populations des Premières Nations par le fait qu'ils sont plus onéreux dans la réserve à cause de l'éloignement et du coût élevé du transport. Alors, pourquoi les Innus de Pessamit comme ceux de Nutakuan préfèrent-ils s'approvisionner en fruits et légumes dans des magasins appartenant à des Blancs, situés à quelques kilomètres de leurs villages ? Ces denrées alimentaires ne coûtent ni plus ni moins cher aux commerçants non autochtones qu'aux gestionnaires autochtones. C'est ici qu'interviennent, à notre avis, des choix qui relèvent principalement de la structure identitaire locale dominante.

À Pessamit, on retrouvait en 1998 quelques petits dépanneurs et deux petites épiceries (Le Montagnais et Picard). À cette époque, un commerce qui présentait les caractéristiques d'une épicerie de taille moyenne a fait faillite. Dans ce lieu que nous avons fréquenté à plusieurs reprises, nous trouvions dans les comptoirs réfrigérés quelques fruits et légumes. Toutefois, la majeure partie du temps, l'aspect de ces aliments était médiocre parce qu'ils demeuraient trop longtemps sur les tablettes. Mais est-ce que personne ne les achetait en raison de leur piètre aspect ou bien parce que personne ne s'intéressait à ces fruits et légumes? Nous sommes devant cette question comme devant celle qui cherche à résoudre qui de l'œuf ou de la poule doit être placé au début de l'énoncé.

Une de nos sources nous a dit que la fermeture du commerce avait été précipitée par l'attitude d'un grand nombre de résidents de Pessamit qui ont, à toutes fins utiles, boycotté l'épicerie. En effet, une rumeur voulait que les propriétaires (Innus) aient bénéficié d'une substantielle subvention du Conseil de bande. Ainsi, après l'ouverture du commerce, des personnes ont fait circuler une pétition mentionnant que ce magasin avait été acheté grâce à une subvention injustifiable. Selon nos informations, la rumeur était non fondée. N'empêche que le mouvement de boycottage a eu des effets dévastateurs. Ce mouvement ne s'est appuyé que sur une rumeur persistante et vigoureuse, et a utilisé des réseaux de communication informels qui traversent l'ensemble de la communauté et rejoignent des groupes d'intérêts spécifiques.

Peut-on émettre l'hypothèse que ce mouvement de boycottage ait été, dans une certaine mesure, relié au type de commerce que voulaient développer les nouveaux propriétaires? La réponse ne repose probablement pas sur un aussi simple énoncé. Toutefois, nos observations nous permettent de constater que l'organisation et l'inventaire de cette épicerie différaient nettement de ce que nous observions à l'intérieur des autres commerces ayant pignon sur rue à Pessamit. En somme, nous estimons que le type de commerce faisait, en quelque sorte, outrage à des valeurs importantes du milieu et largement admises par celui-ci.

> *Moi je connais du monde qui ont été obligés de partir, car ils étaient victimes de ragots. Ils vont dire : c'est des gens de la haute. Ça, c'est associé à un gars qui est à part, qui n'est plus de la gang. Comme moi, je ne suis pas normal, je ne prends pas de drogue. Je me rappelle, il y a deux ans, j'ai dit : moi, je ne prends pas de drogue. Alors, ils ont pris leurs ingrédients et ils ont été plus loin et ils ont fumé et ils sont revenus s'asseoir avec moi. Je ne savais pas comment l'interpréter à l'époque : «Est-ce que c'est pour la drogue qu'ils vont ailleurs ou bien c'est par respect pour*

moi, parce que je n'en prends pas, qu'ils aiment mieux ne pas en prendre devant moi ?» Remarque qu'il y a quand même des gens qui vont inspirer du respect peu importe ce que tu vas faire. C'est sûr qu'il y a vraiment des gens qui sont mis à part et qu'ils ne les inviteront pas quand ils vont faire des affaires. (Homme, 49 ans)

Toutes nos observations nous portent à croire que, fréquemment, les Innus de Pessamit, comme ceux de Nutakuan, préfèrent se rendre à l'extérieur de leur milieu pour acheter fruits et légumes. Une femme de Nutakuan nous a dit préférer se rendre à Havre-Saint-Pierre pour effectuer son épicerie. Or, un tel voyage représente environ cinq heures de voiture, aller et retour. C'est pourtant le Conseil de bande de Nutakuan qui est gestionnaire du seul magasin d'alimentation de la réserve[2]. Du moins, est-il gestionnaire de la bâtisse destinée à la vente d'aliments. Cependant, à l'exception des barres de chocolat, des croustilles, gâteaux et boissons gazeuses de toutes sortes, il est impossible de trouver quelque aliment que ce soit sur les étagères de ce commerce. La situation est pratiquement similaire à Pessamit où l'inventaire en confiseries, gâteaux et autres aliments de faible qualité nutritionnelle est important. À l'inverse, il est difficile d'y trouver une pomme de laitue ou encore quelques tomates fraîches. La majorité des Innus de Pessamit se rendront plutôt à Baie-Comeau pour faire leur épicerie.

À Unamen Shipu, sur la Basse-Côte-Nord, se produit un phénomène tout à fait similaire. Dans cette région on trouve, à cheval sur les limites de la réserve et du village non autochtone, le magasin général Northern. Ce commerce est, sans aucun doute, la plus grosse épicerie desservant les deux communautés. Toutefois, il existe dans le village non autochtone une épicerie de petite taille ainsi qu'un dépanneur offrant quelques aliments de première nécessité. Manifestement, à chaque arrivée hebdomadaire du *Relais Nordique*[3], les étalages de chacun de ces commerces se garnissent de nouveaux aliments. Toutefois, nous avons remarqué que la veille d'un arrivage par bateau, les étalages réfrigérés du Northern contenaient toujours une bonne quantité de fruits et de légumes, dont la fraîcheur laissait cependant nettement à désirer.

---

2. Ce magasin a fermé ses portes en 1999 et au moment où nous écrivions ces lignes il était toujours fermé.

3. Le *Relais Nordique* est le navire qui effectue la navette hebdomadaire entre Rimouski et Blanc-Sablon sur la Basse-Côte-Nord. Pour tous les villages qui ne sont toujours pas reliés par la route 138 au reste de la province, ce navire demeure la principale source d'approvisionnement en denrées alimentaires ainsi qu'en marchandises diverses.

Le lendemain du pasage du *Relais Nordique,* les étalages présentaient des fruits et des légumes de bien meilleure apparence, ceux de la veille ayant pratiquement tous pris le chemin de la poubelle. En 1999, la gérante en poste au Northern nous a mentionné qu'il en était ainsi chaque semaine. Les Innus d'Unamen Shipu consomment rarement ces produits. Toutefois, l'inventaire des boissons gazeuses, des croustilles et de pâtisseries est sans cesse renouvelé. Peut-on établir un lien entre ces constatations sur l'état des produits disponibles dans les dépanneurs et le propos d'un homme d'Unamen Shipu qui nous affirmait être incapable de s'acheter certains types d'aliments sans être l'objet de sarcasmes en étant comparé aux Blancs ?

Il existe dans les villages innus comme ceux de Pessamit, d'Unamen Shipu ou de Nutakuan une forme de système de surveillance. Celui-ci assure le maintien et la cohésion de comportements alimentaires qui doivent répondre à des critères, à des codes clairement associés à l'identité moderne et locale de l'Innu.

Dans le même sens, évoquons l'exemple de la communauté atikamekw d'Opitciwan. Depuis ce village, il faut rouler environ cinq heures sur plusieurs centaines de kilomètres de route forestière avant de parvenir à la route 169 et finalement rejoindre la ville la plus proche, Saint-Félicien. C'est dans cette ville qu'un grand nombre d'Atikamekw d'Opitciwan se rendent chaque semaine pour faire leur épicerie dans un supermarché. Là, contrairement à ce qu'ils retrouvent dans la principale épicerie de leur village, les produits alimentaires sont davantage variés et les fruits et légumes présentent un niveau de fraîcheur supérieur. À lui seul, le déplacement entre Opitciwan et Saint-Félicien exige un minimum de dix heures en transport, un véhicule automobile et des dizaines de litres d'essence. Les dépenses engagées par ces déplacements font considérablement grimper le coût de la facture d'épicerie. En ce sens, le fait de mentionner qu'à Opitciwan le coût des aliments est plus élevé ne peut résister à quelques critiques élémentaires. Les raisons qui motivent ces longs déplacements ainsi que la consommation modérée dans les commerces de la réserve d'Opitciwan sont nécessairement beaucoup plus complexes qu'un simple calcul comptable.

Conclusion

L'acte alimentaire des Innus s'est profondément transformé au cours des dernières décennies, tout comme leur schéma corporel. Manger, c'est bien plus que nourrir son corps biologique. C'est également nourrir et être en rapport avec son corps social et politique. Par l'entremise de la nourriture, l'acteur social entre en contact avec les autres membres de sa propre société et tout d'abord ceux de sa propre famille. Par l'entremise de la nourriture, l'acteur social entre aussi en relation avec son environnement tangible et intangible. Ainsi, il peut établir une relation avec la nature ou encore avec le monde spirituel qui l'habite et l'anime. Manger permet également d'accéder à un statut social et de faire valoir la place que l'on souhaite occuper ou que l'on occupe tout simplement dans la société. La nourriture, le repas, les manières de manger sont au cœur de l'organisation sociale, sont une clef d'accès pour accéder au droit d'être considéré comme un citoyen à part entière dans un groupe social donné. À cet effet, les paroles de Rigoberta Menchú sont tout à fait révélatrices : « Nous ne faisons confiance qu'à ceux qui mangent la même chose que nous » (Rigoberta Menchú, citée par Élizabeth Burgos, 1983 : 19).

OBÉSITÉ : HISTOIRE ET IDENTITÉ INNUE

L'obésité est associée au diabète depuis un grand nombre d'années (West, 1978). Elle induirait un état de résistance à l'insuline circulante. Si la question de l'obésité s'avère importante dans le modèle explicatif biomédical, celle de la distribution des graisses corporelles revêt aussi une grande importance.

L'identification de l'obésité en tant que facteur nuisible à la santé n'a certes pas toujours été au cœur des arguments de la médecine. Les premières critiques de la lourdeur corporelle datent vraisemblablement de la fin du XVe siècle.

La personne bien portante et bien enveloppée sera aux premières loges de la société au XIXe siècle. Le ventre trouvera dans ce siècle beaucoup de dignité auprès de l'élite bourgeoise, ce qui fera écrire à Honoré de Balzac que « le notaire long et sec est une exception ». De son côté, Théophile Gauthier a écrit que « l'homme de génie doit être gras ». Si aujourd'hui paraît dans la société occidentale une certaine « obésophobie », il en était tout autrement au cours du siècle des Lumières alors qu'une certaine rotondité était plutôt bien considérée. Les rondeurs corporelles, dans les années 1800, étaient synonymes de santé, de prospérité et de respectabilité. Cette même époque associa maigreur à maladie et tout particulièrement à la « consomption » que l'on nomme aujourd'hui tuberculose. D'ailleurs, il n'y a pas si longtemps, lorsque le médecin arrivait au village, il demandait qu'on lui désigne les personnes maigres, ce signe étant associé à la tuberculose. D'autre part, Cauvin (1987) rapporte que fertilité, corpulence, embonpoint et graisse ont pratiquement toujours été universellement associés dans les représentations du corps de la femme. Ainsi, tout nous indique que le culte moderne de la minceur féminine est dépourvu de précédent historique.

Ces quelques éléments d'histoire nous montrent qu'il faut appréhender l'obésité dans une perspective culturelle et socio-économique si nous désirons parvenir à comprendre l'ampleur de cette réalité et son enracinement dans un contexte social. Le façonnement du corps ne répond pas seulement à des impératifs biologiques. Si le corps de l'être humain relève de la nature, il est également un produit de la culture, de cette culture sans cesse en mouvement, en mutation.

Les chercheurs Goldblatt, Moore et Stunkard ont établi en 1965 qu'une forte association existait entre la baisse de la prévalence de l'obésité et l'accroissement du statut socio-économique des individus. Des recherches américaines ont établi que les enfants de la classe ouvrière américaine étaient généralement plus gras que les enfants appartenant au milieu économique supérieur (Garine et Pollock, 1995). Une recherche réalisée chez les Massa du nord du Cameroun a mis en évidence que la stature et le poids d'un individu étaient fortement associés par les membres de cette communauté africaine à la force et tout particulièrement à la prospérité et au pouvoir. Pour sa part, Prinz a montré que, chez les Azandés, l'obésité des femmes était perçue positivement par les hommes et les femmes alors que celle des hommes pouvait être perçue négativement par les hommes tandis que les femmes la considéraient positivement. Toutefois le phénomène de l'obésité chez les peuples autochtones fut initialement pris en considération par les milieux biomédicaux et ceux de la santé publique d'un point de vue biologique et génétique.

La modélisation du corps de l'Innu s'inscrit dans un processus de définition interne de l'identité innue et l'acquisition des traits qui le caractérisent peut se comprendre en prenant en compte les phénomènes d'exclusion du procès de production de l'économie marchande qui ont marqué les années 1950. Mais dans un même souffle, cette définition du corps de l'Innu s'inscrit dans un processus de lutte identitaire, de revendication, de négociation politique. S'il est relativement facile de tracer le parcours des négociations politiques et de réaliser l'inventaire des moyens utilisés, des gains réalisés, des pertes et des échecs, il est beaucoup plus difficile mais non moins important et utile de percevoir au niveau « micro » les résultats « parcellaires », les créations au quotidien qui résultent des phénomènes déterminés par le niveau « macro ».

En somme, le corps de l'Innu est le support premier et fondamental de messages sociaux généralement diffusés à l'insu de l'usager. Le corps de l'Innu est son premier et son plus naturel instrument. Le corps est en quelque sorte le support de tous les messages qui traversent la société. Le corps de l'Innu est multidimensionnel (Sheper-Hugues et Lock, 1987). Il est « corps individuel » en ce sens que chaque individu est conscient des traits physiques qui le distinguent des autres individus qui l'entourent. Il est également « corps social » en tant que représentation symbolique par laquelle s'effectue une interprétation de la place occupée par l'Innu dans la nature, la culture et la société. Il est le lieu par lequel l'Innu réinterprète quotidiennement la place qu'il occupe entre la nature et la société. Finalement, le corps de l'Innu est « politique ». Ce « corps politique » est le lieu d'exercice d'un pouvoir social. Il est la réponse à cette question foucaldienne. Quelle sorte de corps la société désire-t-elle ? De quel corps a-t-elle de besoin ? Comment ce corps peut-il se distinguer de l'Autre ? Comment peut-il être un outil, un instrument de reconnaissance et d'établissement d'une solidarité ?

L'obésité chez les Innus

L'obésité a été identifiée comme un facteur de risque pour la première fois en 1911 à la suite d'une compilation de données d'une compagnie d'assurance américaine. Aujourd'hui, l'obésité est associée aux conséquences néfastes qu'elle induirait sur les taux de morbidité et de mortalité. Ce sont spécialement les complications cardiovasculaires qui se trouvent au centre du portrait épidémiologique tracé à partir de corrélations impliquant l'obésité. De son côté, la littérature médicale établit que les taux de mortalité due à des maladies comme le diabète ou aux accidents et aux interventions chirurgicales, sont nettement plus élevés chez les personnes obèses et proportionnelles à l'importance de l'obésité (Berkow, Fletcher *et al.*, 1988 : 1007). Pour la santé publique, l'obésité est devenue un facteur de risque de premier ordre qu'il importe de réduire.

Mais une fois ces constatations posées ou cette association corrélative inscrite à titre d'argument central, il reste encore bien des questions en suspens : pourquoi trouvons-nous tant d'obésité en milieu Innu et, de ce fait, un « facteur de risque » associé avec force à la genèse du diabète ? Cette importante prévalence de l'obésité est-elle une réalité de longue date ? Pourquoi est-il si difficile d'obtenir des résultats dans l'application des volets du programme de santé visant une perte pondérale chez les bénéficiaires ou dans la population en général ? Pourquoi assistons-nous à l'apparition de l'obésité chez des personnes de plus en plus jeunes en milieu autochtone ?

L'obésité est considérée par les milieux de la santé comme une accumulation de gras, et un poids excessif est associé à une masse corporelle dépassant les standards reconnus pour un sexe donné, un groupe d'âge, une taille, dans une population considérée en bonne santé (Charzewska, 1995 : 178). Le *Manuel Merk* établit pour sa part que l'obésité est arbitrairement définie par un poids corporel supérieur de 20 % de celui des tables du poids rapporté à la taille. La littérature propose de nombreuses approches pour définir ce qu'est l'obésité, mais aujourd'hui l'indice de masse corporelle (IMC)[4] est la mesure la plus largement reconnue par les milieux de la santé du Canada, des États-Unis et d'Europe.

Au cours de l'année 1999, nous avons établi l'IMC moyen prévalant dans les communautés innues de Pakua Shipi, Unamen Shipu, Nutakuan, Ekuanitshit et Matimekush. Pour parvenir à ce résultat, nous avons obtenu, grâce à la collaboration des infirmières des centres de santé, le poids, la taille, l'âge et le sexe des personnes de plus de 15 ans ayant consulté au moins une fois un professionnel de la santé au cours d'une période de plus d'un mois. Comme nous le constatons au tableau 6.1, l'IMC moyen des adultes de chacune de ces communautés se trouve nettement au-dessus de la zone D qui correspond à un IMC de plus de 27[5]. Cette troublante

---

4. L'indice de masse corporelle (IMC) est une mesure qui s'obtient en établissant le rapport obtenu par la division de la masse corporelle (kg) par le carré de la taille (m) (M/T2). Selon le rapport d'un groupe d'experts des normes pondérales constitué par la Direction de la promotion de la santé, Direction générale des services et de la promotion de la santé (1978), « l'IMC est la seule mesure qui satisfait aux huit critères choisis comme base pour déterminer la meilleure mesure pouvant servir à l'élaboration des nouvelles lignes directrices associant le poids à la santé ». Par exemple, l'enquête Condition physique Canada de 1971 permit d'établir un lien entre la prévalence de l'hypertension artérielle chez les hommes dont l'IMC était supérieur à 27. Il en irait de même au sujet de la prévalence du diabète. Une forte association fut a été établie entre l'augmentation de la prévalence chez les femmes et un IMC se situant entre 27 et 30. Une seconde hausse de cette prévalence était perceptible lorsque l'IMC parvenait à 31 ou le dépassait 31. Des corrélations ont également été établies entre un IMC supérieur à 27 et des problèmes de santé tels que l'hypercholestérolémie et certains cancers (Gouvernement du Canada, 1988 : 21-28).

5. Zone A : tout IMC se situant sous la barre des 20 et qui est associé à certains problèmes de santé. Zone B : correspond à un IMC se situant entre 20 et 25 et qui correspond à un poids satisfaisant pour la plupart des gens. Zone C : correspond à un IMC se situant entre 25 et 27 et qui peut entraîner des problèmes de santé chez certaines personnes. C'est dans cette zone qu'apparaît l'augmentation des risques de contracter un diabète de type 2, de souffrir d'hypertension ou encore d'hypercholestérolémie. Zone D :

	Pakua Shipi	Unamen Shipu	Nutakuan	Ekuanitshit	Matimekush
Tableau 6.1					
IMC moyen chez les adultes (15 ans et plus) des populations innues					
de Pakua Shipi, Unamen Shipu, Nutakuan, Ekuanitshit et Matimekush					
IMC moyen	30,4	34,3	35,4	34,2	29
IMC moyen (hommes)	27,2	33,3	32,3	31,6	29,6
IMC moyen (femmes)	33,5	35,2	36,5	35,9	29

Sources : K. Fecteau, 2000; K. Fecteau et B. Roy (dir.), 1998; B. Roy (dir.), 1999a; B. Roy (dir.), 2000.

réalité soulève de nombreuses questions, notamment celle d'établir si cette forte prévalence d'un poids associé à l'émergence de problèmes de santé est un fait ancien ou récent!

Dans leur rapport d'évaluation concernant l'implantation d'une intervention éducative destinée aux patients cris diabétiques, Lavallée, Robinson et Verronneau (1994) mentionnent qu'il est difficile d'obtenir des résultats relatifs à la perte de poids des personnes diabétiques, et que cette difficulté est probablement enracinée dans une « tendance séculaire à l'obésité, observée chez les Cris depuis une dizaine d'années » (Lavallée, Robinson et Verronneau, 1991 ; Thouez *et al.*, 1990). L'utilisation de l'adjectif « séculaire » laisse entendre que l'obésité chez les Cris, et peut-être chez tous les peuples des Premières Nations, existe depuis des siècles. Voilà une affirmation qui mériterait d'être documentée. Bien que l'enquête de Santé Québec auprès des Cris de la Baie-James (Daveluy *et al.*, 1994) démontre qu'à la fin des années 1980, 80 % des Cris présentaient un IMC non associé à la santé (46 % = obésité, 34 % = embonpoint), nous ne partageons pas l'affirmation voulant que l'obésité soit une réalité très ancienne chez les peuples des Premières Nations.

En 1948, le père Lionel Labrèche décrivait les Innus de Pessamit en reprenant à son compte des propos du père Lejeune datant de 1633. Il y décrivait les Innus comme des personnes grandes, fortes, robustes et bien proportionnées. En somme, aucune observation relative à la présence d'obésité.

---

correspond à un IMC se situant au-dessus de 27. Les personnes ayant un IMC supérieur à 27 risquent plus que touts autres de souffrir de diabète, d'hypertension, de certains types de cancers et d'une série d'autres problèmes de santé.

Les témoignages recueillis dans quelques documents historiques nous portent à croire que l'obésité est une réalité relativement récente dans l'histoire innue. Comme les préoccupations relatives à un poids excédant les standards acceptés sont présentes en Europe dès le XVe siècle, nous estimons que les observations rapportées par certains écrits historiques peuvent être considérées comme des indices valables. La première description écrite concernant l'obésité chez les Autochtones se rapporte aux Pimas et fut faite par Russel en 1908.

Indice supplémentaire : selon une série de photographies d'Innus des régions de Sept-Îles, de Nutakuan et du Labrador, au cours de l'année 1924, et que nous avons pu consulter grâce à l'amabilité de monsieur René Boudreault, l'excès de poids ne semble pas être le lot de la majorité des Innus de cette période.

Lors de notre enquête, nous avons recueilli de nombreux témoignages qui tendent à démontrer que l'obésité était relativement rare avant la seconde moitié du XXe siècle. Voici à cet effet un extrait tiré d'une entrevue réalisée auprès d'un homme de 55 ans de Pessamit. Cet informateur nous offre un regard rétrospectif concernant certains aspects de la physionomie de membres de sa famille appartenant à des générations antérieures.

> *Moi, j'ai connu l'époque où les gens étaient déjà obèses. Sauf que lorsque je regarde les photos de famille, comme mon arrière-grand-père, moi, mon grand-père, ma grand-mère, c'était tous des gens élancés, grands, minces. Mon père était grand et mince alors que ma mère était assez costaude. J'ai lu un écrit d'un Père d'ici et en parlant des gens de Pessamit il écrivait qu'ils étaient grands, élancés, maigres comme des squelettes, comme des oies. [...]*
>
> *Je vais te raconter le récit de mon père. Lorsqu'il rencontrait des femmes maigres, ben, il disait : « T'es-tu une feluette toi ? Es-tu malade ? Qu'est-ce que t'as ? » Quand mon père est arrivé ici à Pessamit, il y avait des femmes maigres. C'est probablement ça qui l'a fait choisir ma mère aussi. Parce que ma mère, elle, je l'ai toujours connue costaude. Quand il voyait une femme maigre, ce n'était pas son affaire ! Ça lui prenait une bonne femme, grosse. Je l'ai toujours entendu parler comme ça. Même d'autres personnes parlaient ainsi. Ils avaient pour leur dire qu'une bonne femme costaude, elle pouvait accomplir beaucoup de besogne.*
> (Homme, 55 ans)

Plusieurs éléments sont à retenir de ce témoignage. Tout d'abord, on constate que la physionomie de l'Innu s'est transformée au cours des dernières décennies. À travers ces dires, l'homme nous transporte probablement vers le début du XXᵉ siècle en faisant référence à ses arrière-grands-parents décrits comme des « gens élancés, grands, minces ». Notre informateur mentionne ensuite un écrit d'un Père ayant œuvré dans la communauté de Pessamit. Vraisemblablement, il s'agit du Père Labrèche qui exerçait son ministère au cours des années 1950. Ce témoignage nous amène donc au milieu du XXᵉ siècle. Cette référence nous permet d'entrevoir une société innue où l'obésité n'est pas un fait notable. Par ailleurs, il semble qu'une transformation s'opère dans le schéma corporel des femmes de la seconde moitié du XXᵉ siècle ainsi qu'au niveau des attentes des hommes envers celles-ci. Son père, raconte-t-il, désirait trouver une femme « costaude », parce que c'est l'indice d'une femme pouvant abattre beaucoup de besogne. Par ailleurs, le père de notre informateur n'est manifestement pas originaire de Pessamit : il arrive de la région du Lac-Saint-Jean et se retrouve à Pessamit où, semble-t-il, les femmes ne présentent pas les mêmes caractéristiques physiques que dans sa région. Cette autre information nous permet d'émettre l'hypothèse que le schéma corporel des Innus s'est probablement modifié d'une région à l'autre à des époques et selon des rythmes différents.

Une femme de 44 ans nous parle de ses grands-parents comme des personnes présentant des caractéristiques physiques éloignées du profil de la personne obèse. Elle nous laisse entrevoir un changement dans le schéma corporel des Innus au cours des dernières décennies, spécialement en ce qui concerne les femmes.

> *Ma grand-mère était très petite et pas grande et pas grosse non plus. Mon grand-père était très grand et pas gros non plus. Ma mère, elle, avait tendance à être grosse mais cela a diminué avec l'âge et surtout quand elle a commencé son diabète. Mon père était grand et il n'était pas gros pour son âge.* (Femme, 44 ans)

De son côté, une femme de plus de 80 ans nous affirme que les Innus d'aujourd'hui présentent un poids nettement plus élevé que ceux d'autrefois. Elle associe cette modification du profil de l'Autochtone à divers changements dont ceux de l'alimentation. Après nous avoir mentionné que les Innus de la fin des années 1990 « sont plus gros qu'avant », cette informatrice poursuit en nous indiquant que cela doit provenir de la nourriture.

Il y a cinquante ans, les gens n'étaient pas gras. Je ne sais pas ! C'est peut-être la façon de manger. C'est ça qui fait engraisser, je pense. Parce qu'il y a tellement de cochonneries que l'on mange... Que nos jeunes mangent... Que les miens mangent.
(Femme, 83 ans)

Les extraits d'entrevues qui précèdent nous permettent de constater qu'il existe dans la population innue de Pessamit la reconnaissance d'un changement de l'apparence physique chez les femmes et les hommes au cours des dernières décennies. On peut toutefois se demander si cette reconnaissance reflète une prise de conscience collective, à l'instar de ce que souhaite la santé publique.

Bien que nos informateurs mentionnent que l'obésité d'aujourd'hui représente une réalité du corps des Innus qui tranche avec celle de leurs grands-parents et arrière-grands-parents, nous ne pensons pas pouvoir en conclure qu'il existe dans la population innue en général une prise de conscience du fait que l'obésité représente une « menace pour la santé ».

La perception de l'obésité

Si pour les représentants du monde de la santé publique, l'obésité se reconnaît, se mesure, et représente une cible importante d'intervention, il en va tout autrement pour la population innue. À l'occasion d'une étude réalisée auprès de la population d'Unamen Shipu sur la Basse-Côte-Nord (Fecteau et Roy, 1999), 182 questionnaires ont été distribués auprès de femmes et d'hommes de 15 ans et plus. Un peu plus de 30 % de la population visée a été rejointe de cette manière[6].

Dans une liste de onze propositions, huit questions invitaient les participants à choisir les trois problèmes de santé qui menaçaient le plus les cercles de santé des bébés, des enfants, des adolescents, des adultes, des femmes, des hommes, des aînés d'Unamen Shipu. Les choix de problèmes de santé proposés aux répondants étaient les suivants : maladies de peau, alcoolisme, asthme, diabète, drogue, hypertension, suicide, problèmes de communication, obésité, maladies du cœur.

Ce qui nous intéresse ici concerne l'identification de l'obésité en tant que « problème de santé ». Dans l'ensemble, ce problème n'a été que

---

6. Nous utilisons les résultats obtenus dans cette recherche parce que nous croyons qu'ils peuvent être inférés à la population innue de Pessamit. De plus, une recherche similaire à celle-ci fut a été réalisée au cours de l'année 1998-1999 à Natashquan et des résultats tout à fait comparables ont été furent obtenus.

très faiblement identifié par les répondants, tous groupes d'âges et de sexes confondus. Seulement 13,8 % d'entre eux ont identifié l'obésité comme «problème menaçant le cercle de la santé[7] d'Unamen Shipu», alors que l'alcoolisme a reçu 64,5 %, la drogue 61,2 % et le diabète 46,7 %. Par contre, l'obésité a été identifiée avec plus de force dans le cas des cercles de la santé des bébés (28,7 %), des enfants (28,3 %) ainsi que des femmes (32,1 %). Ce qui nous a semblé particulièrement remarquable est le fait suivant: plus les répondants appartenaient aux couches jeunes, plus ils avaient tendance à identifier l'obésité comme un problème menaçant le cercle de la santé.

Cette tendance a été remarquée à chacune des questions concernant l'identification des trois problèmes de santé qui menaçaient le plus le cercle de la santé des différentes couches de la population. Notre interprétation de ces résultats nous porte à croire que la perception des schémas corporels diffère d'un groupe d'âge à l'autre et que, de ce fait, les critères de convenance peuvent aussi varier.

Perte de poids et maladie

Nombreux sont les indices qui nous portent à croire que l'obésité est associée à une norme identitaire, c'est-à-dire à une norme au travers de laquelle les Innus de Pessamit se reconnaissent. Nos observations nous amènent à penser que cette constatation est applicable à plusieurs autres communautés autochtones. Une des manifestations les plus évidentes de cette norme s'exprime dans son association à la santé: la perte de poids est ainsi fréquemment associée à la perte de la santé, à la maladie. Les témoignages établissant cette corrélation sont particulièrement nombreux à Pessamit, mais également dans d'autres milieux innus. Afin d'illustrer cet élément, nous utiliserons quelques extraits d'entrevues provenant de Pessamit et d'ailleurs.

Le premier extrait provient d'une entrevue réalisée auprès d'une jeune femme de Pessamit. Ses propos révèlent l'existence d'un système de référence propre à cette communauté qui n'est située qu'à quelques

---

7. La notion de «cercle de la santé» dérive du concept de *Medicine Wheel* qui provient de la culture des Premières Nations d'Amérique. Ce concept autochtone généralement associé à la nation mohawk a été porté à l'attention du public lors de la publication de l'ouvrage *The Sacred Tree* en 1985. Ce cercle est constitué de quatre quadrants qui représentent les quatre forces fondamentales.

dizaines de kilomètres de Baie-Comeau. Pourtant, cette femme a été confrontée à un autre système de référence au moment où elle s'est installée dans la ville de Québec pour y vivre pendant quelques années. Subissant le regard des Autres, qui dans ce cas sont les citadins de la ville de Québec, elle a dû composer avec une nouvelle perception d'elle-même.

> *Être grosse... En tout cas ! Il est difficile de répondre à cette question. Parce que ça dépend vraiment. Comme moi quand j'étais jeune, j'étais costaude. Ça ne me faisait rien. Je ne me sentais pas grosse. C'est quand j'ai mis les pieds dans un milieu comme la ville de Québec que je me suis sentie grosse. Tout le monde était petit, puis moi j'étais assez costaude.*
>
> *C'est là que j'ai voulu maigrir. J'ai grossi et je me sens mal dans mon linge. Mais être maigre ou être grosse... Ici, il n'y a pas beaucoup de monde qui passe des commentaires là-dessus, sur le poids ? Le seul commentaire qu'on entend, c'est qu'on est gros du ventre, petits des jambes, tu comprends ? On dit : on est faites de même. On ne pourra jamais être comme dans les revues en tout cas. Nous autres, c'est ça. On est faites carrées, costaudes, des gros ventres, des petites jambes.* (Femme, 33 ans)

À Pessamit, comme dans un grand nombre de communautés des Premières Nations, le fait de perdre du poids est fréquemment associé à la maladie. En fait, maigrir est associé à une perte de santé, à l'apparition d'une maladie ou parfois à un comportement associé à la consommation de drogue. Cette association entre un état de santé socialement reconnu et la masse corporelle prend parfois des dimensions qui vont jusqu'à ébranler les parents, spécialement les mères, dans leurs compétences parentales. On craindra qu'un enfant du village soit malade parce qu'il présente un physique considéré comme anormal. Lorsqu'un enfant est considéré comme « trop maigre » par des membres de la communauté ou de la famille, des pressions sont exercées sur les parents afin qu'on le fasse manger davantage. Cet extrait d'une entrevue réalisée auprès d'une Innue de Nutakuan est à cet égard fort révélateur.

> *Ma fille, elle est maigre. Elle n'est pas grosse. Mais les femmes disent : « Ta fille est maigre ! Est-elle malade ? » Puis, en dedans de moi, je me pose la question : « Est-ce qu'elles disent vrai ? » Puis, un beau jour, on a amené ma fille au dispensaire, juste pour vérifier si elle n'était pas malade, parce qu'elle était maigre. Elle était mince. On est arrivé, ils l'ont examinée et puis ils ont dit qu'elle était normale. Elle était plus normale que les autres [rire].* (Femme, 55 ans)

Femme grasse, beauté et sexualité

Ce n'est pas auprès de la gente masculine qu'une Innue désirant perdre quelques kilogrammes trouvera réconfort et encouragement. Le témoignage suivant d'une femme innue nous relate son expérience en tant que diabétique ayant investi des efforts pour perdre du poids.

> *Ils* [des hommes de la communauté] *me disaient que je n'étais pas belle. Puis que je ne prenais pas soin de moi. : « T'es plus... t'es plus... Comment est-ce qu'ils disaient ça ? Ta chair est plus... En tout cas t'as plus de graisse. T'as plus de graisse ». Ils disaient : « Une femme qui a beaucoup de graisse, c'est plus l'fun, c'est plus touchable... c'est plus "poignable", à taponner ». Moi, je ne m'occupais pas de ça. J'ai dit c'est moi. C'est moi qui doit me prendre en main. C'est pas eux qui vont me dire quoi faire. J'ai tout entendu ! Tout ce qui est négatif envers ma personne. « Ton linge est trop grand ». Après ça qu'est-ce qu'ils disent ? « Ton mari te donne pas assez de sexe. » Après ça... « Tu ne dois pas être bonne au lit. » Toutes sortes d'affaires comme ça. Parce que je perdais du poids.* (Femme, 46 ans)

Le témoignage d'une jeune femme est révélateur du fait qu'il existe dans la communauté de Pessamit des normes incontournables au regard de l'apparence physique et particulièrement de la masse corporelle. Cette jeune femme scolarisée et originaire de la communauté a longtemps séjourné à l'extérieur du milieu, soit pour des études, soit pour le travail. De retour dans sa communauté d'origine en compagnie de son mari, elle constate rapidement que de nombreuses transformations s'opèrent chez elle. Après un certain nombre de mois passés dans son village natal, elle réalise, tout comme son conjoint d'ailleurs, que son poids s'est accru de 18 kilogrammes, que ses habitudes alimentaires ont considérablement changé et que sa manière de s'habiller s'est radicalement transformée. Les changements de son schéma corporel lui paraissent plutôt anormaux par rapport à son style de vie, ses exigences et ses critères personnels.

Il est important de mettre en relief cette phrase prononcée par notre informatrice afin d'éclairer une des motivations qui guide ses choix alimentaires : « Dans le fond, je mange ce que je trouve dans le milieu. » Pessamit est situé à un peu plus de 30 minutes de voiture de Baie-Comeau, à l'est, et de Forestville, vers l'ouest. Ragueneau se trouve à moins de 10 minutes. Dans chacune de ces localités, et particulièrement à Baie-Comeau, on trouve plusieurs épiceries qui offrent une grande variété d'aliments. Pessamit se trouvant sur la route principale est donc relié à toutes ces localités urbaines. Il est facile de s'approvisionner en aliments de toutes sortes. À vrai dire, une bonne variété d'aliments sont disponibles chez les commerçants de Pessamit, au même titre que chez ceux des villes et villages avoisinants. Alors, pourquoi existe-t-il un choix si limité d'aliments dans la réserve ?

Jeunesse et schéma corporel

La directrice des Services de santé de Pessamit nous a fait observer, lors d'une conversation sur la question du diabète dans la communauté, que la transformation des jeunes de Pessamit était tout à fait remarquable vers les 16-18 ans. Très souvent, mentionna-t-elle, nous remarquons que les jeunes adolescents ressemblent à tous les jeunes que nous pouvons croiser ailleurs au pays. Ils sont minces, portent des vestes de cuir, des verres fumés et des coupes de cheveux à la mode. Soudainement, à la fin de l'adolescence, voilà que leur corps se transforme. Ils gonflent, deviennent gras, à l'image de plusieurs autres membres de la communauté. Cette observation met en relief la cohabitation de différents schémas corporels dans la population innue de Pessamit, variation particulièrement remarquable depuis une perspective générationnelle.

Nous avons réalisé des observations similaires dans d'autres milieux innus. En 1996, dans la communauté atikamekw d'Opitciwan, un homme corpulent, au début de la quarantaine, nous a dit qu'il trouvait difficile de subir les sarcasmes des jeunes : « Les jeunes se moquent de moi parce ce que je suis gros. » Ce type de comportements, de moqueries envers l'obésité, peut également se remarquer à Pessamit ainsi que dans d'autres communautés. Ces manifestations illustrent l'existence d'un discours divergent au sein de la communauté envers une norme sociale concernant le schéma corporel qui paraît très forte.

Nous assistons à une transformation du schéma corporel de l'Innu depuis plusieurs générations. Nous sommes néanmoins bien loin d'une « tendance séculaire » à l'obésité. Les quelques extraits qui suivent proviennent d'entrevues réalisées auprès de jeunes de Pessamit. Ils permettent d'appréhender l'existence d'un mouvement dans la conception du corps qui brise la perception qui tend à homogénéiser le corps de l'Innu dans une « tendance ». Toutefois, l'association générationnelle entre les différentes perceptions et conceptions du corps de l'Innu ne peut s'expliquer uniquement par le rapport à l'âge. Cette corrélation avec le facteur âge met en perspective des parcours de vie fort diversifiés et des rapports à l'histoire qui doivent être mis en relief. L'absence ou la présence de scolarisation des acteurs joue aussi un rôle dans cette variation et dans les rapports formel et informel avec le monde extérieur à la réserve.

Ce premier extrait tiré d'une entrevue réalisée auprès d'un jeune homme au début de la trentaine ayant vécu en milieu urbain et possédant une formation universitaire illustre que nous ne pouvons appliquer mur à mur cette description des attentes.

> *Moi, je voudrais sortir avec une femme. Je préfère une mince. Donc, les critères [rire], les critères que je me mets c'est que... Moi je n'aimerais pas sortir avec une femme grasse. Moi, j'aime une femme qui... J'aime une femme qui est un peu sportive. Parce que moi aussi je pratique beaucoup de sports. Je me dis qu'en pratiquant le sport avec une femme, comme le ski de fond, c'est très plaisant, c'est très intéressant.* (Homme, 33 ans)

Un autre nous mentionne que le fait qu'une femme soit plutôt grasse ne le dérange pas. Il n'élabore pas davantage sur cette question, mais son discours laisse voir une variable quant aux attentes que révélait le discours des femmes. Les considérations de ce jeune homme en ce qui a trait à la beauté d'une femme ne portent pas principalement sur le nombre de kilogrammes.

> *Chez une fille, je regarde la beauté. Mais si elle est grasse, cela ne me dérange pas plus que ça. J'ai beaucoup d'amies qui sont grasses. Je ne sais pas pourquoi, mais je regarde souvent les souliers. On dirait que ce genre de personnes, qui ne fait pas attention à ses souliers ou qui a des bas troués, cela ne m'intéresse pas. Je ne dis pas que je fais toujours attention à ma santé, mais je suis assez scrupuleux pour mon hygiène corporelle.* (Homme, 19 ans)

Un autre extrait, provenant d'une entrevue réalisée auprès d'une jeune femme de 19 ans, rend compte des attentes de certaines couches de la jeunesse innue. Les propos de cette jeune femme qui fréquente un établissement collégial révèlent un regard historique et critique sur un passé plus ou moins récent ainsi qu'envers sa contemporanéité.

> *Mais mettons que je vais voir quelqu'un que j'ai connu tout le temps plus petite, qui est rendue très, très grosse. Tu sais, elle a un problème. Soit qu'elle mange ses émotions ou qu'elle a un problème, un manque de vitalité. Mais, c'est sûr que ça ne prend pas grand chose pour prendre du poids. Tu sais, t'as juste une petite peine d'amour, tu pars à manger. Il y en a qui se reprennent pas non plus. Avant ça, on disait, il y a un certain temps, dans certaines communautés, que quand quelqu'un maigrit, c'est quelqu'un qui est malade. Le fait d'être gras, c'était un critère de santé. Mais aujourd'hui, tu regardes les jeunes, ils veulent tous peser cent livres. Ceux de mon âge, mais les petites, celles qui vont entrer dans l'adolescence, elles veulent plus s'identifier aux mannequins qu'on voit. Mais tu sais, c'est quand même... Moi, je trouve ça, que c'est trop mince.* (Femme, 19 ans)

En résumé

L'obésité est un phénomène relativement nouveau dans la société innue, du moins dans les proportions qu'il prend aujourd'hui. Mais est-ce que ce corps s'est uniquement transformé et construit en regard d'impératifs biologiques et génétiques ?

L'obésité n'est pas seulement un phénomène qui s'impose. C'est une réalité corporelle qui correspond à des désirs, à des souhaits, à des interprétations. La force, la réussite, la beauté et même l'attrait sexuel sont associés peu à peu au corps gras, bien portant. Être gras, c'est être en bonne santé. Ce que nous suggèrent les précédentes pages, c'est que le corps est aussi le fruit d'une construction des acteurs sociaux.

L'obésité s'est peu à peu inscrite dans la trame identitaire et culturelle propre à la société innue de Pessamit. C'est avec ce corps bien portant que l'Innu contemporain se reconnaît et reconnaît les siens. C'est avec ce corps que l'Innu crée des liens sociaux et d'appartenance avec son groupe communautaire, voire national. Reconnu au sein de cette société, ce corps n'est pas anormal ni malade. Il est un signe de reconnaissance, il est un outil d'affirmation identitaire au quotidien tant auprès des siens que des Autres. Le corps de l'Innu est le plus naturel des objets mais il est également ce lieu où s'inscrit son histoire et qui dévoile, en quelque sorte, certaines caractéristiques de son rapport aux siens, aux Autres, et de la place qu'il occupe dans son univers. Si ce corps est « anormal » aux yeux des professionnels de la santé, il est tout à fait « normal » à ceux de l'Innu. Surtout que, sans ce corps façonné de manière à répondre à la convenance sociale actuelle, l'accès à sa propre société risque d'être compromis.

CHAPITRE 7

Consommation d'alcool
et identité innue
. . . .

Aborder la question de l'alcool n'est pas dénué d'intérêt à l'occasion d'une recherche sur le diabète. Bien que l'alcool ne soit pas directement considéré comme un facteur de risque dans l'avènement du diabète,
sa consommation peut être associée à l'obésité qui, elle, est considérée
comme un facteur de risque important du diabète. Selon les paramètres
biomédicaux, la consommation d'alcool est présentée comme un facteur
de risque non négligeable relevant des habitudes alimentaires (Colditz *et
al.*, 1991).

Dans les pages qui suivent, nous illustrerons nos propos concernant
le métissage de la culture, l'inclusion de nouvelles valeurs, de nouveaux
codes dans la structure identitaire de l'Innu à partir de l'exemple des
comportements tournant autour de l'alcool. Nous tenterons d'illustrer
comment les comportements associés à l'alcool se sont modifiés au cours
des dernières décennies et que ces transformations sont intimement reliées aux dynamiques de niveau « macro » et aux inventions quotidiennes
des acteurs sociaux de l'époque. Nous le constaterons, ce métissage des
comportements reliés à l'alcool a une incidence importante sur l'interprétation de l'identité innue depuis la seconde moitié du XXe siècle.

Nous avons cherché à identifier auprès de nos informateurs quelques-
uns des critères d'inclusion et d'exclusion à la société innue de Pessamit.
L'alcool et les comportements qui y sont rattachés se sont avérés des

éléments incontournables. Fait important, les discours des jeunes et des gens plus âgés présentent des variations importantes qui révèlent une transformation des actes associés à l'alcool et de la signification même de l'alcool chez les Innus en fonction des différentes couches d'âges.

STRATÉGIES D'ÉTAT, TACTIQUES ET RÉSISTANCE DES INNUS

En 1874, le gouvernement canadien adoptait une loi qui interdisait à un Indien de s'enivrer, à l'intérieur ou à l'extérieur d'une réserve. La peine encourue pour ce délit était d'un mois d'emprisonnement. Si ce dernier refusait de fournir le nom de la personne qui lui avait vendu l'alcool, une peine supplémentaire de quatorze jours s'ajoutait à la précédente. En 1876, ces dispositions étaient intégrées à l'*Acte des Sauvages*, et la simple possession d'alcool s'ajoutait comme autre délit. En 1951, une révision de la *Loi sur les Indiens* créa une exception. Désormais, conformément à la loi provinciale, un Indien pouvait être en possession d'alcool s'il est dans un lieu public, mais l'ivresse demeurait une infraction.

> *Mon arrière-grand-père était marin. Il faisait la navette et venait approvisionner les gens d'ici. Il avait toujours de l'alcool avec lui. Mais comme c'était un marin et que c'est la coutume du marin de boire, il buvait. Il avait le droit d'en prendre, mais il ne pouvait pas en débarquer sur la réserve. Avec l'interdiction des Blancs, les Indiens n'avaient pas le droit de boire à l'extérieur. S'ils étaient invités par un Blanc, exemple, à la taverne, ils avaient le droit de boire. Mais s'ils avaient le malheur d'avoir un policier qui rentrait dans le bar, il pouvait l'arrêter parce qu'il était en état d'ébriété. Ou bien, ne serait-ce que seulement être dans le lieu de débit de boisson, ils ne devaient pas être là. Parce que l'on disait que les Indiens ne savent pas boire. À force de boire en cachette parce que tu n'as pas le droit, tu t'habitues et tu deviens saoul et cela ne paraît pas que tu es saoul. (Homme, 49 ans)*

Cette loi interdisant aux Indiens de consommer de l'alcool contribue à la stratification des produits de consommation. L'accessibilité à certains produits alimentaires est limitée pour les Innus en raison de leurs conditions socio-économiques mais surtout, dans ce cas, à cause de dispositions légales ségrégationnistes. Ce que les Blancs consomment sans crainte de se faire importuner par les représentants de l'État colonial est inaccessible aux Innus. Si ce dernier s'aventure à consommer ce produit illicite, la société blanche s'est donné le droit de le punir.

Lorsque les hommes âgés de plus de cinquante ans nous racontent des évènements relatifs à leur consommation d'alcool, au cours des années 1950-1960, leur narration est teintée d'un ton heureux, victorieux dirions-nous. Les éléments mis en jeu par les narrateurs sont souvent de même nature. D'une part, tous se positionnent contre l'interdiction de consommer de l'alcool, c'est-à-dire contre la *Loi sur les Indiens* et l'autorité coloniale qu'elle symbolise. En bref, ils se positionnent en tant que héros entreprenant un combat contre un agresseur extérieur. Cet agresseur, personnifié par l'agent de la GRC, représente l'autorité de l'État et de sa loi. L'objet de la quête de nos héros est évidemment l'objet interdit, c'est-à-dire l'alcool qui se trouve nécessairement sur un territoire éloigné extérieur à la réserve. Il faut que le héros du récit parvienne à déjouer le gardien de la loi. Ensuite, il doit pénétrer le territoire ennemi, se procurer l'objet de la quête et revenir, victorieux, sur son propre territoire pour finalement festoyer.

Si on utilise les catégories de l'analyse structurale du conte, on verra que les récits de nos acteurs nous mettent en présence du manque et de sa réparation, d'une interdiction et de sa transgression, d'un combat et de la victoire du héros et, finalement, d'un retournement significatif de situation (Propp, 1970 : 208).

Tous les récits entendus nous amènent à considérer qu'il s'est déroulé, au cours des années 1950-1960, des événements importants autour de la question de l'alcool. Ces événements ont fait de ce bien de consommation l'objet d'une quête importante. De fait, ils ont transformé son statut de bien de consommation en celui de symbole de victoire sur l'oppresseur. Objet interdit aux Innus par les représentants de la société dominante ennemie, son acquisition par les personnages des récits les hissait au statut de héros.

> *Tu en avais à Ragueneau. L'alcool s'y vendait. La GRC surveillait plusieurs fois par année. Même si on pouvait faire de la bière à la «bibite». On faisait ça avec de la mélasse et du «Fleshman». Des fois, il y en avait, quand la GRC surveillait, qui était assez «tuff» pour en rentrer sur la réserve. Mon beau-frère, parfois, il allait chercher des caisses et il les rentrait par en arrière. Il y en a qui prenaient des canots et ils allaient chercher ça et ils les vendaient. Quand on t'interdit tu le fais et quand on ne te l'interdit pas tu ne le fais pas. Regarde les jeunes ici et ailleurs et on leur dit de ne pas boire et ils vont boire plus. Quand ils boivent, on ne sait pas où ils sont, ce qu'ils deviennent. Ils boivent ensemble et ils rentrent à minuit. Avant ça, dans les années 50-60 ils buvaient tout avant de rentrer sur la réserve. Aujourd'hui, quand tu as un carnaval, ils boivent, ils boivent avec leurs enfants. Les enfants, ils les voient faire.* (Homme, 49 ans)

Les récits de nos informateurs nous ramènent à deux concepts importants élaborés par de Certeau. D'abord, la *Loi sur les Indiens* et son application sur la réserve, par le biais des agents de la GRC, évoquent le concept de « stratégie », c'est-à-dire le principe cartésien qui postule que tout peut se mesurer, s'observer et se contrôler. D'autre part, les Innus en cause dans les récits font preuve d'une créativité qui relève cette fois du concept de « tactique » : acte de création qui ne repose sur aucun projet global et qui fonctionne au coup par coup, qui profite des occasions.

> *Avant 72 on avait deux gars de la GRC qui surveillaient si on ne rentrait pas de l'alcool. On en a rentré en la cachant. Les agents surveillaient. Pour rentrer de la boisson, il fallait user de ruse, de stratégie.* (Homme, 49 ans)

Un élément qui attire notre attention dans les récits de l'époque relatifs à l'alcool est celui de la résistance, de la combativité des hommes de Pessamit face à l'autorité personnifiée par les agents de la GRC. La réserve recevait fréquemment la visite d'agents de la police fédérale. Leur présence sur le territoire découlait de la volonté de l'État de faire appliquer ses lois sur la réserve qui relevait de l'autorité fédérale. Cette présence de représentants de la loi nous laisse croire que l'autorité de l'État colonial recevait suffisamment d'opposition pour exiger que des mesures coercitives soient prises.

En effet, les récits entendus à Pessamit nous montrent que les Innus n'entendaient pas accepter l'autorité fédérale qui leur interdisait l'accès à ce bien de consommation. Cette interdiction et son application ferme par l'autorité fédérale constituaient du coup une accentuation de l'isolement et de l'exclusion des Innus.

> *Ici, en cachette. C'était interdit par la GRC. Quelqu'un qui sentait la boisson, ils l'embarquaient. Mais moi s'ils m'interpellaient, ils se devaient d'être corrects ! S'ils ne sont pas réguliers, moi non plus je n'étais pas correct. Je me battais. Je me suis battu souvent. Il y avait deux Autochtones dans la police, mais eux ils étaient... Une fois, il y avait une soirée. Tout d'un coup, ils me sautent dessus. Je n'étais pas saoul, mais pompette. Ils nous ont sauté par en arrière. Ils m'ont donné un coup poing, j'ai dit : « Arrêtez, arrêtez ! Quand même que vous êtes deux ou trois, je vais me défendre. » Ils ont arrêté et ça été correct. Ça me faisait plaisir de me battre avec la police.*

> *Une fois je marchais dans le chemin, je ne faisais rien, mais j'étais saoul par contre. Il me pogne et il me dit : « Toi, tu vas rentrer. » J'ai dit : « Arrête moi ça sinon tu vas avoir du trouble avec moi. » Lui, il ne voulait pas. Tu sais comment c'est la police. Alors, je me battais.*

> *J'ai souvent été en prison. Je restais là. Ils ne me maltraitaient pas parce qu'ils avaient peur de se battre. Une fois j'ai dit : « Venez les trois. » Ils ne sont pas venus. Moi, j'étais prêt.* (Homme, 57 ans)

De plus en plus exclu de l'économie marchande, marginalisé dans le discours de la société dominante, dans l'incapacité de se procurer certains biens de consommation, l'Innu adopte une logique de résistance quotidienne. Dans ce contexte, ceux qui parviennent à se procurer ce bien interdit prennent aux yeux des autres membres de leur milieu des allures de « vrais hommes », de « guerriers ».

Les récits mettent en scène des hommes qui usent de ruses et de subterfuges pour d'abord trouver un endroit où il est possible d'obtenir de l'alcool. L'Innu doit se rendre dans un village voisin, le plus souvent Ragueneau. Il lui faut alors convaincre le commerçant de lui en vendre. Le commerçant prenait également un certain risque. En effet, selon les dispositions de la *Loi sur les Indiens*, celui qui procurait de l'alcool à un Innu s'exposait à des sanctions pénales. Une hausse significative du prix de la caisse de bière constituait souvent un élément suffisant pour convaincre le commerçant de contrevenir à la loi. L'Innu devait ensuite parvenir à faire entrer la marchandise dans la réserve. L'enjeu était de taille : une somme importante était investie ; se faire prendre signifiait la perte d'un butin chèrement acquis à laquelle s'ajoutait un risque d'emprisonnement. Mais rapporter sur leur territoire ce bien si convoité représentait probablement la plus importante source de gloire. Dans ce contexte, la connaissance des Innus du territoire devenait un atout précieux.

Les chemins empruntés par les détenteurs du précieux butin étaient nombreux. Parfois, le retour s'effectuait par le bois *via* divers sentiers. Parfois, la voie des eaux était privilégiée. Une autre avenue était la route proprement dite. Il fallait toutefois très bien camoufler l'alcool dans le véhicule. Une autre possibilité consistait à payer chèrement un chauffeur de taxi pour qu'il accepte de faire pénétrer clandestinement quelques caisses de bières dans la réserve.

> *Il fallait qu'ils se camouflent, les gens qui voulaient boire à l'époque. Ils allaient se cacher dans le bois. Le soir ou la nuit,, ils allaient chercher leurs choses et ils les apportaient chez eux. Si tu rentrais par le chemin, c'est sûr que tu te faisais fouiller. C'était systématique. À partir du moment où on a eu le droit de rentrer de la boisson sur la réserve, la GRC est partie. Je me rappelle. Il y avait du monde qui arrêtait chez mon père. Ils descendaient une fois par mois et parfois, une fois par deux mois. L'été, ils ne descendaient pas du tout. Ils montaient chez nous et ils avaient un sac à main et ils mettaient quelques bières dedans. Je pourrais aller jusqu'à te dire que dans les années 55-59, on avait encore la GRC ici. Il y avait un policier qui, des fois, jouait aux cartes avec nous autres. Là, il y avait des gens qui fabriquaient de la bière et le policier jouait aux cartes avec eux. Et il ne les arrêtait pas lui.* (Homme, 62 ans)

Jusqu'aux années 65... Puis parce que je parle de prohibition, c'était surtout le vin, l'alcool, la bière et même le parfum.. Je pense que la gendarmerie avait autorité encore sur la communauté. S'ils rencontraient, par exemple, quelqu'un qui sentait un peu le parfum ou la lotion à barbe, ils le ramassaient et l'amenaient en prison. Parce qu'il y avait de l'alcool dans le parfum. C'était encore pire parce que les gens sortaient, avaient une haleine de boisson, ils allaient en prison. Et puis c'était une amende de douze piastres pour sortir. Mais ça, c'était vraiment la période de restriction, et puis aux alentours de 70, ça a commencé vraiment à changer. Nous autres, on avait fait un référendum pour enlever la Loi sur les Indiens, enlever la clause sur l'alcool. Dans ce temps-là, tout le monde avait peur. Aujourd'hui, ça va prendre un coup. Avant ça, si t'allais chercher une caisse de 24 à l'extérieur, soit à Ragueneau ou à Sainte-Thérèse, il fallait que tu la prennes au complet avant de rentrer ici. Les gens se saoulaient comprends-tu. Les accidents, il en arrivait dans le champ. Et puis on a eu le droit d'avoir de la boisson ici dans la communauté. C'est sûr, les gens prenaient un coup pas mal fort. Là, pendant une période de trois ou quatre mois. À un moment donné, ça s'est stabilisé. Puis les gens ont continué à consommer de la même manière que dans le temps de la prohibition. Ils avaient une caisse de 12, il fallait qu'ils la boivent. Ça se saoulait. (Homme, 55 ans)

La consommation excessive d'alcool est abordée par les tenants de la santé publique comme une habitude acquise, comme un comportement à risque pour la santé. Pour notre part, nous pensons qu'il est essentiel de comprendre en quoi ces comportements qui desservent les intérêts du groupe qui les acquiert sont développés et promus par lui. Ils s'inscrivent, selon nous, dans un processus de résistance et d'affirmation.

Les discours entendus chez les acteurs de différents âges de la société de Pessamit révèlent des strates de l'histoire de la construction d'une composante importante de la trame populaire de l'identité innue moderne. Il n'est peut-être pas « politiquement acceptable » de considérer les comportements associés à l'alcool comme des composantes de la structure identitaire innue. Toutefois, nous avons la ferme conviction que tel est le cas, et cette construction émerge de créations quotidiennes réalisées par des acteurs vivant dans un contexte de colonialisme interne, d'exclusion et de pauvreté. Animés d'une volonté de rendre viable un univers de vie restreint et restrictif, ces créateurs de la vie quotidienne ont, à partir des matériaux de la modernité disponibles dans et hors de leur milieu, élaboré et construit un « ici et maintenant » tolérable.

ÊTRE OU NE PAS ÊTRE UN VRAI INNU

Dans une recherche effectuée en France, Castelain démontre que les comportements des dockers du Havre associés à l'alcool relèvent avant tout de normes identitaires profondément ancrées dans l'histoire qui assurent à l'individu son appartenance au groupe. Il montre que les racines de ce qui est nommé «alcoolisme» se trouvent dans la non-reconnaissance, le rejet et le mépris : «Nous les pauvres, on n'existe pas, on n'est rien et c'est pour ça qu'on boit, pour être quelque chose en se serrant les coudes» (Castelain, 1989 : 67). En contrevenant à *Loi sur les Indiens*, c'est-à-dire en développant mille et une manières de faire pour accéder à l'alcool, ce bien chargé de symbolique sociale, interdit à l'Innu, celui-ci exprimait sa résistance à l'exclusion, à sa négation par la société dominante. Ces hommes qui parvenaient à contourner la loi et qui parfois s'affrontaient aux agents de la GRC faisaient figure de héros dans leur milieu.

En cherchant à identifier certains critères d'inclusion et d'exclusion au groupe innu de Pessamit, nous avons demandé à nos informateurs de nous faire part des moments de leur existence où ils avaient ressenti l'exclusion du sein même de leur communauté. Les propos recueillis, particulièrement chez les jeunes, nous ont semblé fort significatifs. Tout individu s'inscrivant en faux par rapport aux pratiques de consommation d'alcool est exposé à des manifestations d'ostracisme au sein de sa communauté.

Selon l'intervenant du PNLAADA[1] du Centre de santé de Pessamit, la difficulté la plus importante rencontrée par la personne qui désire cesser de consommer de l'alcool réside dans les commentaires désobligeants et les pressions subies de l'entourage.

> *Ils reçoivent des pressions de leurs compagnons de consommation. On leur dit : «T'es devenu comme un curé», «T'es plus mon chum», «Tu fais plus partie de la gang», «T'es pas un vrai», «T'es pas de la gang»... Ça, c'est toutes des expressions qu'on entend, et c'est dur pour les personnes qui font le cheminement de la non-consommation. Ils ressentent le jugement de leurs compagnons de party. Ils ont peur de changer de chums. Parce que si tu changes, tu laisses ton chum de consommation pour en prendre un autre qui ne consomme pas. Les gens se parlent pas beaucoup, pas beaucoup ici. Quand tu veux te faire un autre chum, ça prend du temps. Surtout les gens qui ont consommé depuis plusieurs années.* (Intervenant du PNLAADA)

---

1. Programme national de lutte contre l'abus de l'alcool et des drogues chez les Autochtones.

La consommation d'alcool est, dans un milieu comme Pessamit, un puissant critère d'inclusion au groupe. Au regard des commentaires désobligeants et ostracisants que reçoit un Innu manifestant le désir de cesser de boire ou refusant tout simplement d'en consommer, nous estimons pouvoir considérer la consommation d'alcool comme un critère identitaire innu.

Évidemment, certains diront que nous pouvons retrouver de telles formes de solidarité dans des milieux non autochtones. Mais en milieu autochtone cette caractéristique se complexifie de dimensions politiques qui trouvent leurs points d'ancrage dans les phénomènes d'exclusion et d'intolérance. Perdre un ami ou un groupe d'amis est une chose, mais se voir affublé de l'étiquette de « Blanc » ou de « pas-tout-à-fait-autochtone » au sein de sa propre communauté propulse l'individu qui en est victime dans un non-lieu. Victime de racisme à l'extérieur de la réserve, voilà qu'il vit également au sein de sa propre communauté une autre forme d'intolérance qui risque de le mener à la marge, voire à l'extérieur de la réserve.

Nous rejoignons les constats et l'analyse de Castelain, lorsqu'il considère que chez les dockers du Havre : « la capacité à consommer de l'alcool conformément aux normes collectives est un signe de l'identité du groupe auquel aucun docker digne de ce nom ne se dérobait, sous peine de déchéance » (Castelain, 1989 : 61).

Cette déchéance, il s'avère que quelques membres de la communauté l'ont vécue et la vivent toujours.

> *Depuis que j'ai arrêté de boire, tu vois, je suis tout seul. Je n'ai plus d'amis. Les amis que j'avais avant… Je dis que c'était mes amis parce que je payais la traite à mes amis. Aujourd'hui, j'y vais là-bas. J'y vais pour aller voir mes amis. Ils ne me parlent pas parce que je ne bois pas. C'est ça qui me manque un peu aussi. Les amis que j'avais avant là ! On parlait beaucoup tu sais. Comme on fait là. Mais aujourd'hui, ils ne viennent pas. Ils ne me parlent pas.* (Homme, 46 ans)

Chez les dockers du Havre, Castelain constate que l'abstinence ou l'arrêt pur et simple de la consommation d'alcool d'un individu provoque, chez les autres, des réactions de solidarité. Ces réactions ont pour effet d'exclure l'individu qui adopte des comportements non conformes. Ainsi, l'abstinent est considéré comme le fou du village, le paria du quartier, le marginal chez les marginaux.

CHAPITRE 8

Une communauté: des groupes d'intérêts

Les codes identitaires de la modernité innue que nous avons fait apparaître émanent de la vie quotidienne des individus, des maisonnées, des familles, des rues, des arrière-cours, des commerces, des écoles qui font que Pessamit est Pessamit. Ce sont les façons d'être et de faire qui définissent ce lieu social que l'on nomme réserve, mais qui prend bien plus les dimensions d'un pays dans le pays. Alinsky (1971), entre autres, a mis en lumière le fait que les gens appartenant à des milieux défavorisés (*powerless individuals*) créent la trame identitaire de leur milieu d'appartenance en opposition ou en conflit avec un groupe social qui occupe une meilleure position. De nombreuses recherches portant sur l'identité de groupes sociaux démontrent que la trame identitaire nécessite la création d'axes autour desquels sont définis les critères d'inclusion ou d'exclusion. Qui est dedans? Qui est en dehors? (Abrams et Hogg, 1990).

La réserve est un lieu où l'Innu se sent chez lui, à l'abri du regard du non-autochtone qui le rejette sans cesse du côté d'une marginalité, d'une existence qui n'est pas la sienne. Dans ce lieu, chaque individu doit s'ajuster au processus général de la reconnaissance, être « convenable ». Chaque individu doit concéder une partie de lui-même à la juridiction de l'autre. En naissant dans une réserve et surtout en choisissant d'y vivre en permanence, l'individu doit obligatoirement accepter et adopter les façons de faire et d'être du milieu, un ensemble d'obligations et de liens.

Les pratiques de la réserve relèvent d'une convention collective tacite. Bien qu'elle ne soit pas écrite, elle est lisible par tous les acteurs de la réserve à travers les codes du langage et des comportements. Toute non-soumission à ces codes ou transgression attire l'attention, amène des commentaires. Des normes existent, et elles sont suffisamment pesantes pour engendrer l'exclusion de ceux qui ne s'y conforment pas (Mayol, 1994 : 26).

Certains codes nous intéressent particulièrement en raison de leurs liens étroits avec le diabète. Ils concernent particulièrement l'alimentation, le rapport au corps ainsi que la manière de consommer de l'alcool. Les transformations historiques affectant ces codes ne sont pas à ce que certains nomment des déviances, des phénomènes attribuables à l'acculturation ou encore à une incapacité d'adaptation à la modernité. Au contraire, nous estimons qu'elles sont métissages, créations émanant de l'action quotidienne d'acteurs sociaux vivant en marge de la société dominante.

De nouvelles manières d'être surgissent ainsi dans le milieu. Elles se retrouvent dans différents segments de la population, différemment présentes selon les groupes. Car malgré une apparente homogénéité, on découvre dans la population Innue de Pessamit l'existence de champs de forces, de zones, pour les mal nantis et pour les bien nantis, de groupes aux intérêts parfois fort différents. En ce sens, il nous paraît essentiel de considérer la communauté innue de Pessamit selon une perspective générationnelle. On constate ainsi que les intérêts varient considérablement d'un segment de la population à un autre, d'une génération à l'autre. Le regard sur les générations permet de constater que d'importantes variations existent entre la culture innue perçue et vécue. Ces distinctions et différences sont importantes à prendre en compte puisqu'elles se révèleront au cœur de toute une dynamique sociale de surveillance et de contrôle.

UNE COMMUNAUTÉ INNUE – DES GROUPES D'INTÉRÊTS

Certains discours concernant les milieux autochtones tendent à laisser croire que ces populations sont homogènes. La dénomination «Autochtones» est souvent porteuse d'une conception voulant qu'il y ait «une» façon d'être autochtone. Les discours concernant le diabète et les Autochtones n'échappent à cette tendance à la généralisation.

Pour désigner une collectivité autochtone, les milieux de la santé utilisent souvent le terme «communauté autochtone». Et c'est à partir de celle-ci et de la vision qu'ils s'en font qu'ils vont tenter de planifier interventions et programmes de santé. Toutefois, nous considérons, à l'instar de Foster, que ces approches s'appuient sur des conceptions erronées qui ont dans le passé considérablement nui et continuent de nuire à l'approche dite communautaire. Foster a identifié cinq de ces idées fausses qui se trouvent souvent à la base de l'organisation de programmes communautaires et qui précipitent leur insuccès :

- *Les communautés sont homogènes.* Dans les faits, l'expérience démontre qu'au sein des communautés les intérêts particuliers l'emportent souvent sur le souci des objectifs communautaires.

- *La connaissance suscite automatiquement les changements de comportements souhaités.* L'expérience montre que les connaissances nouvelles n'entraînent pas toujours des changements et que les pratiques dites traditionnelles sont rarement dénuées de tout intérêt.

- *Les dirigeants des communautés agissent au mieux des intérêts de la population.* Il arrive que les individus choisis par les agents communautaires en profitent pour tirer profit de la position qu'ils occupent.

- *Les pouvoirs publics et les agents communautaires partagent les mêmes objectifs en matière de développement communautaire.* Il arrive que les administrateurs mobilisent les ressources locales afin de libérer des capitaux en vue d'autres programmes. Il peut en résulter des conflits d'intérêts pouvant freiner les programmes et le développement communautaire.

- *Les activités de développement communautaire ne créent aucun conflit pour les planificateurs.* La nécessité d'obtenir des résultats tangibles, souvent en contradiction avec la nécessité de laisser à la communauté le temps de s'engager, créera des difficultés aux planificateurs. Les spécialistes définissent parfois les besoins communautaires en fonction de leur propre formation et de leurs intérêts.

Ce que Foster met en lumière dans ces cinq énoncés, c'est que la communauté est un milieu hétérogène, pluriel et complexe, même si elle définit des lieux communs où sont partagés des intérêts. Et qu'il est essentiel de prendre en considération les différentes forces et groupes qui agissent, interagissent, créent des alliances ou des ruptures à l'intérieur de ce lieu nommé communauté. C'est en prenant en compte l'ensemble de ces phénomènes que l'on pourra accéder à une meilleure compréhension des dynamiques qui contribuent à la genèse de réalités comme le diabète.

Le concept de groupes d'intérêts, élaboré par Sartre (1960) et appliqué par Trigger (1992) de même que par Jacques Frenette (1993) dans le cadre de recherches en milieu autochtone, nous paraît ici tout à fait pertinent. Il est essentiel de considérer que les acteurs d'une communauté peuvent être habités par des choix divergents et ce, parce qu'ils sont déterminés par des intérêts différents. L'imbrication forcée d'individus dans une ou des catégories figées, rigides, comme celles des «Autochtones» ou des «Innus», ne permet pas de saisir toutes les nuances, les finesses, les forces, les faiblesses, les points d'union et de rupture qui se trouvent au sein de cet univers collectif. Voilà pourquoi il est essentiel de considérer le rôle des individus dans le cadre du devenir et donc de l'«événement historique».

Le concept de groupes d'intérêts, c'est-à-dire de «regroupements spécifiques se formant dans une société lorsque plusieurs individus, dans des situations historiques concrètes, partagent et défendent des intérêts communs» (Trigger, 1992: 236-237), nous est utile pour tenter d'appréhender les dynamiques complexes qui animent une communauté innue comme Pessamit. Ce concept nous permet de départager les positions, de faire ressortir les liens qui unissent des groupes pour des temps précis ou les conflits qui les opposent. En somme, il met en lumière des positions différentes adoptées par des ensembles d'individus, même s'ils sont issus de la même culture, d'un même groupe social ou de groupes opposés. Il permet de mettre en scène des femmes et des hommes; des jeunes, des adultes et des aînés; des traditionalistes et des tenants de la modernité; des gens scolarisés et d'autres qui le sont moins; des assistés sociaux, des sans emploi et d'autres occupant des postes bien rémunérées. L'apparente binarité qu'implique la distinction «communauté autochtone-société blanche» cache au sein même de la communauté des mouvements complexes, des mosaïques de couleurs qui révèlent des trajectoires complexes.

EMPLOI, REVENUS ET SENS COMMUNAUTAIRE

Ce qui distingue les groupes, c'est tout d'abord les revenus. Ceux qui ont un job et ceux qui en n'ont pas. À l'intérieur de ceux qui en ont, il y a une subdivision. C'est parce qu'il y a des gens qui veulent vraiment profiter des autres. Il y en a qui veulent faire du tort à certaines personnes, mais il y en a d'autres que ça ne les dérange pas. Il y a par contre d'autres groupes qui ont des revenus et qui font du bon travail. Ils ne veulent pas faire du tort à personne en autant qu'eux ils gagnent un salaire. Et il y a un autre groupe de gens qui veulent vraiment faire de quoi pour la communauté. Il y a ces 4 groupes. Ceux qui n'ont pas de revenus, il y a ceux qui prennent un coup. Ils vont se tenir ensemble. Il y a ceux qui prennent un coup et qui prennent de la drogue : ils vont se tenir ensemble. Ensuite, il y a ceux qui prennent uniquement de la drogue. Il y a aussi les gens qui sont sur le bien-être et qui ont vraiment le sens communautaire. Eux autres, ils veulent vivre paisiblement, ne veulent déranger personne. Ils vont se regrouper, mais ils vont se regrouper beaucoup moins pour festoyer. Au bingo, il va y avoir ceux qui ont entre 30-70. Ce n'est pas juste des femmes, il y a certains hommes. (Homme, 49 ans)

Cet extrait d'entrevue nous semble intéressant, non seulement parce qu'il reconnaît l'existence de groupes d'« intérêts », mais aussi parce qu'il tente de les cerner à partir de distinctions qui nous semblent très fécondes et qui recoupent nombre de constations que nous avons pu faire. Il s'en dégage que la collectivité de Pessamit présente, aux yeux de certains, des divisions reposant d'abord sur le revenu : le fait de détenir ou non un emploi positionne un individu dans l'un ou l'autre des groupes. Le groupe constitué des personnes qui occupent un emploi serait, selon lui, divisé en deux catégories : ceux qui cherchent à faire du « tort aux autres », qui tirent avantage de leur situation pour « profiter des autres » et, d'autre part, ceux qui, bien que détenant un emploi, cherchent à travailler pour leur communauté, ne dérangent pas et font du bon travail. Par ailleurs, notre informateur identifie quatre autres groupes auxquels sont associés des gens qui ne détiennent aucun emploi ou qui bénéficient de peu de revenus.

Nous retenons de cet exposé que chacun des groupes se constitue autour de trois axes. Le premier, et probablement le plus important, est celui de la présence ou de l'absence d'un emploi. La centralité de cet axe est fort significative. Il situe l'individu dans l'un ou l'autre des grands groupes, mais également à l'intérieur ou en marge de l'économie marchande. Il situe également l'individu face à l'accessibilité à des biens de consommation offerts localement, mais également hors de la réserve, hors de la marge. Il est l'expression du paradoxe dans lequel évolue l'Innu : être « dedans » sans être associé au « dehors », mais constamment porté vers cet extérieur.

Le second de ces axes relève des comportements et concerne ceux qui, dans le premier axe, sont définis comme sans emploi, donc avec de faibles revenus. Ce second axe présente trois niveaux distincts, chacun d'eux étant associé à des substances alcooliques ou hallucinogènes. Il y a ceux qui boivent, ceux qui prennent de la drogue et ceux qui prennent et de la drogue et de la boisson. Bien sûr, il y a ceux qui ne sont dans aucun de ces camps.

Le troisième axe, quant à lui, est associé à une ou à des qualités liées aux valeurs communautaires. Notre informateur mentionne comme élément d'inclusion à cet axe le fait qu'il y a ceux qui ont vraiment « le sens communautaire », qui veulent « faire de quoi pour la communauté ». Il y a également ceux qui « font du bon travail ». À l'extérieur, hors de cet axe, se situent ceux qui travaillent contre le sens communautaire et qui désirent « faire du tort aux autres ».

Ces premiers axes d'inclusion ou d'exclusion sont probablement centraux dans le système de catégorisation sociale qui prévaut dans un milieu comme Pessamit.

FAMILLE OU « CLAN »

L'appartenance à une *famille* dans son sens élargi ou à ce que d'autres nomment un *clan* paraît un élément permettant l'association d'une personne à un groupe ou à un autre. Selon certains informateurs, le nombre d'individus appartenant à une famille présente une relative importance. Cette information prend tout son sens si nous considérons les élections au Conseil de bande qui ont lieu tous les deux ans. Dans le prochain extrait, l'informateur établit une association relativement forte entre le nombre d'individus appartenant à une famille, qu'il nomme parfois « clan », et la force du pouvoir détenu par ce groupe.

> *Quand t'allais dans les terres, les territoires de chasse, c'était par famille. Ici, on veut s'adapter, tout en travaillant unis mais en même en temps, être séparés. Comment je t'expliquerais ça ? Autour, t'as à peu près dix « clans », dix familles, des grosses familles qui ont le pouvoir. Ici, à Pessamit, il y a à peu près deux, trois...*

> *Moi je dirais que c'est les Bacon, les Picard et les Bacon, les Volant et les Picard et les Rock ensemble. En tout cas, ils se tiennent. Oui, moi je dirais, je les distingue par leurs familles, par leur nom de famille. Quand quelqu'un est au pouvoir, on a pas beaucoup de poids. Il y a les Paul qui ont beaucoup de parenté en arrière, les Volant aussi. C'est des grosses familles. Des Paul, mais en même temps, très ouvert chez les Picard. Léonard avait beaucoup de charisme, beaucoup de charisme, pour communiquer avec des gens. C'était un bon chef, dans le sens qu'il communiquait avec les autres. Mais, à chaque fois, il a eu beaucoup de pression quand il était chef. C'était de la part de familles qui n'étaient pas contentes. Le système... Ça peut être chien la politique.*

> *En tout cas, c'est pas mal intéressant, je veux dire dans le sens que moi je me dis que j'en connais des « clans » par leurs familles. Des Volant sont nombreux, donc ils ont plus de pouvoir. Tu sais, ils ont beaucoup de pouvoir. Moi je dis en politique,*

> *quand tu sais entrer dans un « clan », puis tu sais les amadouer, tu vas recevoir des votes.* (Homme, 33 ans)

Si l'on considère que, dans une communauté comme Pessamit, le Conseil de bande est le principal employeur, que le nombre d'emplois est relativement restreint et, finalement, qu'il n'existe aucune forme de syndicat ou de regroupement, nous nous trouvons devant un ensemble de conditions qui peut favoriser la prise de décisions arbitraires.

Au cours de nos nombreux séjours à Pessamit ainsi que dans le milieu innu en général, nous avons pu constater à quel point les périodes d'élections représentaient des moments de grande inquiétude. Plusieurs sentent alors leur emploi menacé, tandis que d'autres mettent en veilleuse des projets importants jusqu'à ce que soit élu le nouveau conseil.

L'appartenance à une famille semble être un facteur d'inclusion ou d'exclusion à un groupe ou à un autre. Aux yeux de nos informateurs, les familles ne détiennent pas de pouvoirs égaux. En effet, le pouvoir détenu par une famille est relatif au nombre d'individus qui y sont associés. Ainsi, plus une famille est grande, plus elle a la possibilité d'obtenir des votes qui permettront de faire élire au Conseil de bande des individus associés à son groupe. Ces élections sont des moments clefs qui marquent le rythme du milieu, puisqu'elles peuvent contribuer à faire basculer les détenteurs d'emplois dans le camp des sans emploi.

> *C'est en 1986. Je vais te dire, c'est là que j'ai eu conscience que le mal existait, que quelqu'un pouvait faire du mal à quelqu'un. Parce que j'ai toujours été élevée dans le respect des autres. Ça fait que moi, il y avait juste le bien. C'était un chef. Un chef d'une bande, un chef d'une communauté. Il avait « renvoyé » des personnes. Treize personnes en tout. Je travaillais déjà au conseil. Puis là, il m'appelle. C'est comme si pour lui c'était rien, ce qu'il venait de faire. Mais il dit que : « La vie continue… T'as juste à continuer à travailler. Il y a d'autres choses à faire que de penser à ça. T'as juste à continuer à travailler ». J'ai essayé de savoir pourquoi il y avait eu tellement de mises à pied… De la manière qu'il disait, juste par le regard, là je savais que… En tout cas, j'ai découvert qu'il y avait, que le mal existait. Avant je ne le savais pas.* (Femme, 49 ans)

L'appartenance à un clan ou à un autre peut s'avérer déterminante dans l'obtention ou la perte d'un emploi, et même dans la perte d'une réputation. Cette réalité marque le rythme de la vie communautaire et les tensions peuvent être facilement ressenties par l'observateur extérieur.

La notion de clan est fortement associée à des dimensions économiques, elles-mêmes largement tributaires du pouvoir politique. Ainsi, le clan qui détient le pouvoir politique peut, de ce fait, contrôler les cordons de la bourse qui est constituée de plusieurs centaines de milliers, sinon de millions de dollars. L'histoire de Pessamit, son développement économique, la composition de sa population, sa plus grande accessibilité aux centres urbains, sont autant d'éléments qui complexifient le portrait du milieu. Cette complexité contribue probablement à minimiser l'emprise de l'axe clan/famille dans la constitution des groupes d'intérêts.

LES « INTELLOS »

Le fait qu'un individu soit plus scolarisé que la moyenne des gens dans un lieu comme Pessamit peut entraîner son inclusion, dans le discours populaire, à un groupe d'intérêts particulier. L'inclusion dans ce groupe représente une forme de marginalisation de la société innue locale. Ainsi, une personne scolarisée risque d'être fréquemment associée à « la Haute » ou encore d'être qualifiée de « snob », sinon de « Blanche », par les membres de son entourage.

L'obtention d'un diplôme d'études collégiales ou universitaire exige qu'un Innu séjourne de longues périodes à l'extérieur de la réserve. De plus, il est essentiel qu'il ait une bonne connaissance du français puisque c'est dans cette langue que se font les études. À eux seuls, ces deux facteurs risquent de précipiter une personne, malgré elle, dans un groupe associé à des intérêts éloignés de certaines normes sociales.

> *Certains, on le sent ça. Il y a certaines personnes qui n'aiment pas ça rencontrer du monde comme moi parce que je suis genre « intello ». Tu sais, il y a toujours des préjugés, des gens qui mettent des barrières. Une personne ouverte va te poser des questions : « Où t'as étudié ? Qu'est-ce que tu as fait ? Comment t'as fait pour aller là ? » C'est plaisant de rencontrer des personnes ouvertes. Tandis que des personnes fermées, eux autres se pensent comme... Ils sont plus forts, plus intelligents puis, en même temps ils veulent te déranger, te briser. Partout c'est de même. On le voit. C'est toujours de la même manière. Par le langage. C'est des personnes qui vont te dire telle chose. Un tel a dit que t'es comme ceci... puis tout ça. C'est des blablabla comme on dit. C'est des racontars !* (Homme, 33 ans)

La scolarisation est perçue comme une menace à un certain équilibre social et identitaire à l'intérieur de la communauté. Le diplômé représente un danger pour ceux qui détiennent des postes exigeant des compétences qu'ils ne possèdent pas. Ce type de réalité est toutefois davantage observable dans des communautés plus isolées où le niveau de scolarité moyen est moins élevé qu'à Pessamit.

Par exemple, dans une communauté considérée comme un des bastions de la tradition autochtone, un poste d'intervenant communautaire était occupé depuis plusieurs années par une personne qui ne possédait pas les habiletés nécessaires à la lecture et à l'écriture du français. Il avait obtenu ce poste du temps de l'administration fédérale. De plus en plus d'insatisfaction était exprimée de façon informelle par la population envers cet intervenant. L'aspect informel des propos et critiques est important et fort significatif : en effet, la crainte des représailles semblait si grande que personne n'adressait officiellement de critiques à cet intervenant qui pourtant ne parvenait pas à remplir plusieurs tâches exigées par son poste. Dans la communauté, des jeunes possédaient des compétences supérieures qui leur auraient permis de mieux remplir le poste. Bien que dans ce village innu peu de jeunes aient terminé leurs études secondaires, certains y étaient malgré tout parvenus. De plus, quelques individus avaient entamé des études de niveau collégial. Pourtant, ces derniers ne trouvaient aucun emploi dans leur milieu, ce qui amena certains des jeunes à nous faire part des propos suivants : « Pourquoi étudier ? De toute façon les jobs sont donnés par " pushing ". Il suffit d'être dans la bonne gang. »

À la suite d'une décision prise par un directeur non originaire de la communauté, cette personne sera finalement mutée à d'autres fonctions plusieurs années plus tard. Ce déplacement ne sera cependant pas sans conséquences. Bien que la décision correspondît à un courant de pensée nettement identifiable dans la communauté, l'intervenant déplacé contribuera, par des jeux d'alliances, à précipiter le directeur non autochtone vers la sortie.

Dans cette communauté, depuis près de quinze années, les emplois sont occupés par un groupe d'individus aujourd'hui majoritairement âgés de plus de quarante ans et qui, dans bien des cas, ne possèdent pas de diplôme d'études secondaires. Il est également important de souligner ici que le nombre d'emplois disponibles dans le contexte d'une réserve varie bien peu d'un lieu à l'autre. Le fait est que les principaux secteurs d'emploi sont, à toutes fins utiles, les mêmes, qu'il s'agisse d'une communauté innue de la Basse-Côte-Nord, d'une communauté atikamekw du Haut-Saint-Maurice ou encore d'une communauté micmac. Ces secteurs d'emploi sont l'éducation, la santé, les services sociaux, les travaux publics et la construction de nouvelles maisons.

À Pessamit, le nombre d'emplois est relativement restreint par rapport au nombre d'individus de cette communauté. Par ailleurs, il importe de mettre en perspective le nombre d'emplois disponibles avec la croissance rapide de la population de Pessamit depuis quelques décennies et son profil démographique actuel très jeune.

GROUPES D'ÂGES ET JEUNESSE

À la lumière de nos observations, il importe aussi de considérer la société innue de Pessamit selon une perspective générationnelle. De nombreux éléments nous portent à croire que la jeunesse innue est quelque peu mise à l'écart de ce qui est implicitement considéré comme la ou les normes. De nombreux extraits d'entrevues se rapportent à un « ancien temps » plus ou moins récent pour montrer que la jeunesse de cette époque était vraisemblablement porteuse de valeurs et de comportements beaucoup plus valorisés que ceux observés d'aujourd'hui.

Les discours qui vont dans ce sens proviennent de gens âgés de 30 ans, rarement dans la quarantaine et plus. Dès le début de la vingtaine, le regard porté sur les plus jeunes soulève parfois des distinctions importantes. Il est assez remarquable de constater à quel point un *nous* se définit aussi en fonction des groupes d'âges, et que l'*Autre* se distingue alors par ses attitudes, ses valeurs, ses attentes, ses rêves et ses comportements. Dans les extraits d'entrevues qui suivent, des distinctions sont réalisées entre différentes générations à partir d'une référence au jeu.

> *Ça ne joue pas dehors. Je les vois. Moi, je me rappelle quand nous étions jeunes, pour aller jouer au hockey, il fallait pelleter. Là, ils ont besoin de l'aréna pour jouer. Sinon, ils ne jouent pas. Dehors, ils patinent quand c'est pelleté, quand on enlève la neige par ceux qui travaillent pour ça. Ils sont plus paresseux. C'est la télé qui joue un rôle important dans leur vie. On dirait qu'ils sont moins actifs. Peut-être qu'ils sont plus actifs mais en tout cas, je dirais qu'ils sont... Ils ont moins d'idées. Je ne sais pas. Je pense qu'ils ont moins d'idées aussi. Au niveau des jeux, il y a moins d'organisation. Nous autres on s'organisait. On se faisait des équipes et on jouait dehors. Même dans les tempêtes on jouait dehors. On jouait avec une équipe de ceux qui sont de l'autre bord. Il s'organisait une équipe là-bas. Puis une autre équipe, on les appelait de « la Croix ». Il y a la croix de Jésus qui est là au bout du village. Le calvaire. Et puis on les appelait de même eux autres. On divisait le village par rues. Puis on s'en allait jouer dans leur rue. C'est comme à domicile et à l'extérieur. On recevait, on pouvait recevoir une équipe d'une autre rue. C'était des rivalités, on se faisait des rivalités. Même l'été. Le football, le football avec contacts. Sans équipement. On jouait au baseball, à la balle rapide. On se faisait mal, mais... en tout cas. C'était le fun parce qu'on avait une rivalité. On avait hâte de jouer contre eux autres.* (Homme, 33 ans)

Moins de vingt ans séparent cet informateur de sa jeunesse. Toutefois, il fait ressortir de grandes distinctions entre les caractéristiques de celle-ci et celle des jeunes d'aujourd'hui. Manifestement, il considère que la jeunesse a bien changé. Les qualités qui animaient la jeunesse de son époque se sont transformées en des attributs peu méritoires à ses yeux.

C'est ainsi qu'il considère la jeunesse d'aujourd'hui plus paresseuse, moins active, dépossédée d'idées, de créativité et manquant de sens de l'organisation.

> *Tout ce qu'on faisait après l'école, c'était de jouer dehors. Ce n'était pas dans les maisons, il n'y avait pas de Nintendo. On jouait dehors avec les copains et les copines. C'était juste ça. On jouait à des jeux qui ne prenaient pas de matériel ou d'équipement. Des jeux genre la « tail glaçée », des jeux fantômes. On avait peu de jeux, des poupées, mais je me souviens que l'on passait nos soirées dehors à jouer. J'entrais chez nous après l'école faire mes devoirs et je sortais tout de suite après souper pour aller jouer. Aujourd'hui, c'est différent. Aujourd'hui, les plus jeunes restent dans les maisons à cause de la télévision, du Nintendo, de la vidéo. Ça joue pas dehors. Nous autres, ce qu'on faisait au printemps, exemple, dès qu'on voyait un peu d'asphalte, on jouait à la balle sur les rues tout le temps et jusqu'à la noirceur. Pas plus tard qu'hier je disais à quelqu'un : « C'est drôle ça joue pas comme avant. » Avant, on était toujours sur la rue et on jouait à la balle. Aujourd'hui, tu ne vois plus les jeunes faire ça. Aujourd'hui ils restent dans les maisons. Il ont leur Nintendo qui les attend et ils ont leur vidéo et la TV. On avait la TV nous aussi, mais c'était autrement. Les parents ne laissaient pas les enfants jouer dans les maisons, il fallait qu'ils jouent dehors. Je vois une grosse différence dans mon temps et aujourd'hui.* (Femme, 33 ans)

Les observations de cette informatrice, à propos de la jeunesse d'aujourd'hui, vont dans le même sens que l'informateur précédent qui, tout comme elle, est âgé de 33 ans. En fait, elle établit des points de comparaison entre sa jeunesse et celle d'aujourd'hui afin d'illustrer que les choses ont bien changé et qu'il y a, aujourd'hui, de grosses différences par rapport à son époque. Le point qui retient le plus l'attention, dans le témoignage de cette informatrice, concerne le fait qu'avant, les jeunes jouaient dehors et qu'aujourd'hui, ils sont en dedans. Par ailleurs, elle insiste sur les qualités créatrices de la jeunesse à laquelle elle a appartenu. Malgré le manque de matériel et d'équipement, les jeunes de son temps parvenaient à jouer dehors tous les jours. Ils inventaient des jeux. Par opposition, elle considère que les jeunes d'aujourd'hui sont davantage passifs, moins inventifs. Ils passent le plus clair de leur temps dans les maisons à regarder la télévision, à jouer au Nitendo et à des jeux vidéo. Elle introduit une nouvelle dimension en soulignant que cet état de fait n'est pas indépendant de l'attitude parentale. En effet, elle souligne que les parents de son temps ne laissaient pas jouer les enfants dans les maisons.

Cette notion d'intérieur et d'extérieur est fort intéressante. Pourrait-il s'agir d'une transposition de la notion de territoire ? Le jeune adulte innu paraît avoir pour principal environnement de référence cette communauté, ce village, cette réserve. Il y fait référence comme s'il s'agissait de son territoire. Il connaît les rues, les cours des maisons, les lieux secrets et l'environnement immédiat. Dans ce village, il y avait le lieu des uns et le lieu des autres. Ce jeune adulte s'identifie d'avantage à cet environnement où il a grandit, où sa jeunesse s'est déroulée pour l'amener à l'orée de l'âge adulte. Connaître ce lieu, l'apprivoiser, le posséder sont des critères par lesquels le jeune adulte évalue le jeune d'aujourd'hui. Mais manifestement, ce dernier ne semble pas passer le test.

Et que disent les plus jeunes? Le prochain extrait est tiré d'une entrevue réalisée avec une jeune femme de 19 ans. Celle-ci nous parle en tant que jeune, mais dans son discours elle prend à l'occasion une certaine distance face à cette jeunesse, se situant elle-même à l'orée de l'âge adulte. Cet extrait se termine par une phrase qui souligne l'ouverture de cette jeune femme vers le monde extérieur alors qu'elle partage un de ses plus grands rêves: «Moi j'aurais ma petite camionnette pour partir...». Comme d'autres jeunes de Pessamit, cette informatrice nous introduit dans l'univers d'une jeunesse au regard tourné vers l'extérieur. Elle rêve de voyages, de connaître le monde. Peut-être cette jeunesse apparaît-elle aux yeux des personnes un peu plus âgées passive et les yeux rivés sur le petit écran de la télévision? Mais il est possible que cet écran agisse plutôt comme une fenêtre largement ouverte sur le monde, vers les Autres.

Ce n'est pas calme. Il y a de la drogue. Il n'y a pas assez de projets pour les jeunes. Ça prendrait un café-jeunesse. C'est sûr qu'avec ma gang on allait à la Maison des jeunes. On avait 16-17 ans, aujourd'hui on a 19-20 ans. J'avais des «partys» avec les copains et copines. On a parlé de ça. On avait des réunions. Il y avait moi et d'autres jeunes comme moi, et on a fait une demande d'aide auprès du Conseil de bande. Avant ça, il y avait un petit local pour une maison des jeunes dans un bâtiment. Aujourd'hui, ils sont en train d'en construire une. Je trouve qu'il n'y a pas grand-chose à faire à Pessamit. Mais même en ville, il y a plein de jeunes qui font ça, boire!

Je voudrais avoir un «char» pour sortir. À un moment donné j'habitais dans un appartement, toute seule. J'habitais à Saint-Roch et à Limoilou. Quand je reviens ici, c'est pour mes amis. Je suis heureuse de les retrouver. Ce qui me manque, c'est le cinéma, les discothèques. Il y en a à Baie-Comeau, mais je n'ai pas de «char». Ici je ferais une discothèque, un café-jeunesse. Ça prendrait ça, la fin de semaine, pour les plus jeunes. Moi j'aurais ma petite camionnette pour partir. Mon plus grand rêve serait de louer une camionnette et de faire le tour des États-Unis et du Canada avec mes amis. C'est mon plus grand rêve. Faire un voyage et être vraiment libre. Pas besoin d'argent. Faire des hold-up. Les États-Unis m'intéressent. J'ai déjà été en Europe. (Femme, 19 ans)

Cette informatrice relativise, minimise le problème de consommation d'alcool des jeunes : « Même en ville il y a plein de jeunes qui font ça, boire. » Elle élargit les horizons dans lesquels prennent ancrage les comportements reliés à la consommation d'alcool et de drogue des jeunes. Pour qui a vécu à l'extérieur de la réserve, les possibilités de l'intérieur sont restreintes. Les limites sont rapidement atteintes, et on se sent captif, emprisonné.

La réalité demeure la même pour les jeunes Innus qui fréquentent l'extérieur de la réserve. Ils rêvent de voyages, de vastes horizons, de connaître la planète. À peine sont-ils sortis de la réserve qu'ils se voient, au prisme du regard de l'Autre, confrontés à l'exclusion.

Une autre informatrice du même âge nous raconte avec éloquence ses expériences en tant qu'Innue face aux regards des non-autochtones. Elle nous donne accès au récit d'une jeune personne qui ne se contente pas de subir. Elle réagit, agit, provoque des situations qui forcent la réflexion.

> Je me rappelle, une fois, à Québec, j'arrivais de l'école. Je prenais un bus pour aller à l'école. Moi, je restais aux Saules, c'est avant le village huron. Le monde du Village huron se trouvait dans le même autobus. Moi j'arrêtais aux Saules. C'était la fin de semaine, et on avait un long congé. Alors les gars en arrière me niaisaient. Ils sautaient un par-dessus l'autre, des affaires comme ça. Moi, j'étais tout le temps assise en avant. Alors, le chauffeur commence à chialer après les gars. Il m'a dit : « Oh ça, ça doit être encore des Indiens du Village huron. » Je suis restée bête parce que moi en me regardant à première vue, tu dirais pas que je suis indienne. Puis, il a dit : « Oh, ça doit être encore des Indiens du Village huron. » Je parlais pas. Je ne bougeais pas, mais ça montait en moi... Je bouillais. J'attendais juste mon arrêt. Je ne pouvais pas parler. Je ne voulais pas qu'il me débarque non plus [rire]... Mais, lorsque je suis arrivée... J'ai attendu que tout le monde sorte. Je suis sortie la dernière. Mais il n'arrêtait pas de les « blaster » tout le long du voyage. Moi j'étais assise à côté de lui. Là un moment donné, je laisse le monde sortir. J'arrive et je m'en vais le voir. Je lui ai dit : « Est-ce que j'ai fait de quoi de mal ? Moi, j'étais assise tout le temps bien tranquille. » Il a répondu : « Mais non ma fille, toi t'es ben sage. » Je lui ai montré ma carte d'Indienne. Je lui ai dis : « Les gars en arrière, c'est tous du monde... C'était tous des non-autochtones justement. » À un moment donné, je n'ai pas pu, je n'ai pas pu en rajouter. Je lui ai dit : « La prochaine fois là, faites donc un petit plus attention à ce que vous dites ». (Femme, 19 ans)

Nous sommes en présence d'une jeunesse qui porte son regard vers un horizon qui dépasse celui de la réserve et des milieux environnants. Ses rêves sont d'ailleurs fortement colorés par la diversité de leurs regards. Toutefois, de vastes segments du monde extérieur portent toujours sur eux un regard ostracisant qui les ramène à la marge. Par ailleurs, à l'intérieur de la réserve, certaines catégories d'âges dirigent également un regard plutôt sévère sur l'actuelle jeunesse innue. Elles évaluent durement ses façons de voir, de dire et de faire. Il est toutefois étonnant de constater que plus nous avançons dans les catégories d'âges, plus le regard porté sur les jeunes s'ouvre sur une vision plus proche des perceptions des jeunes eux-mêmes. Serait-ce que la distance offerte par le temps permet un rapprochement de générations en apparence éloignées ? Serait-ce que la distance entre les différentes catégories d'âges relève davantage de valeurs ou d'intérêts divergents que des années qui les séparent ?

> *Mais aujourd'hui, je trouve ça tellement différent. Je regarde les enfants. J'ai un garçon de 29 ans qui étudie à Montréal et une fille qui a 7 ans. J'ai l'impression qu'ils n'ont rien à faire. Cela me désole quand je les vois partir le soir. Il n'y a pas d'activités pour les jeunes. Mon jeune fait beaucoup d'activités là-bas quand il est en ville. Il va à l'école, il joue au hockey, etc. Quand il revient ici, il trouve ça plate. Il n'a rien à faire et il n'y a pas de place où il peut aller. Il n'y a pas de projets pour les jeunes. Le projet d'aréna, ça fait 15 ans qu'ils en parlent, et ce n'est pas encore réalisé[1]. Je ne crois pas que ce soit réalisable. Ça peut être réalisable, mais le Conseil ne prend pas ça au sérieux.* (Femme, 52 ans)

Une jeune femme nous entretient de certains éléments qu'elle estime au cœur de l'incompréhension entre jeunes et adultes. Pour illustrer ces propos, elle utilise l'exemple des grossesses non désirées et des avortements. À travers son récit, nous pouvons percevoir l'existence de valeurs relativement éloignées ainsi que les craintes de la jeunesse envers la génération de leurs parents.

> *Moi, j'ai l'impression qu'ils veulent garder en vie leurs enfants pour au moins garder le père en même temps* [rire]... *L'avortement, c'est peut-être pas accepté par tout le monde. Ça je ne le sais pas, c'est une opinion. Moi, l'avortement je suis d'accord dans les points. Quand t'es vraiment pas capable de... Mais ma mère elle est contre l'avortement. J'ai une amie, elle a le même âge que moi. Elle est obligée de garder son enfant parce que sa mère est vraiment... Elle ne veut pas, elle ne veut rien savoir. C'est des situations de même qui arrivent aussi mais je ne suis pas tout le temps au courant de ce qui se passe. En tout cas, moi je ne me mêle pas de tout ça. Je connais une personne qui a caché son avortement à sa mère. Il n'y avait personne qui était au courant à part moi. Mais, je l'ai su après. De peur de le dire à ses parents qu'elle était enceinte. Mais comme aujourd'hui, elle est enceinte* [rire]. *J'en ai une autre justement qui s'est fait avorter. C'était la première fois que j'avais une amie qui avait un avortement et que j'étais vraiment proche*

---

1. Depuis cette entrevue, l'aréna a été réalisé, en 2001.

d'elle. Ben, proche ! Je lui parlais. Je lui parlais puis elle allait se faire avorter. Au début je suis restée bête. Mais justement, parce qu'elle avait peur de ses parents. Il y en a qui cachent leur grossesse. Non, qui cachent leur grossesse jusqu'à la dernière minute, jusqu'à l'accouchement. Juste pour dire des fois, peut-être juste le manque de communication, les jeunes ont peur de leurs parents. (Femme, 19 ans)

Ces témoignages nous le révèlent : nous sommes en présence de groupes d'intérêts se constituant autour de dimensions générationnelles. La constitution de ces groupes paraît au premier coup d'œil associée à la variable de l'âge. Toutefois, celle-ci repose surtout sur des intérêts qui rejoignent probablement l'axe premier, c'est-à-dire celui qui concerne « l'emploi, le revenu et les valeurs communautaires » et spécialement la dernière variable de cet axe, celle des valeurs. En effet, dans cette dimension générationnelle, nous sommes en présence du mouvement, de l'action du temps mais de la force créatrice des acteurs sociaux sur leur environnement et sur eux-mêmes. Les générations paraissent comme des strates : l'une et l'autre en continuum mais, en même temps, tendant à se consolider autour de valeurs, d'attitudes, de symboles, de qualités associées à la « vraie nature de l'Innu ».

DES FEMMES ET DES HOMMES

Le dernier axe que nous prenons en considération et à partir duquel se constituent des groupes d'intérêts est celui du sexe, par lequel les individus se définissent aussi. Toute recherche sur la santé qui « aborde les questions en intégrant la dimension des rapports femmes-hommes et qui place la femme au centre de la démarche » (De Koninck, 1994 : 135) est considérée comme adoptant une approche féministe. Tel n'est toutefois pas notre façon de concevoir notre point de vue : nous adoptons une approche anthropologique critique. De ce fait, les approches et les cadres de référence susceptibles de servir notre recherche et notre sujet sont tous mis à profit dans l'intérêt premier de notre sujet et des personnes concernées, et l'axe des sexes est simplement incontournable.

L'adoption de cette perspective prend encore plus de sens si nous considérons que le diabète touche plus de femmes que d'hommes. Cette maladie concerne les femmes plus que les hommes dans des proportions pouvant atteindre jusqu'à trois pour un. Cette plus grande prévalence du diabète chez les femmes autochtones révèle un profil épidémiologique tout à fait différent de celui de la société québécoise en général. À Pessamit, comme dans les autres communautés innues, ce sont toujours les femmes qui sont au cœur des soins dispensés aux enfants, aux personnes âgées, à la famille. Nombreuses sont nos observations réalisées à Pessamit et dans plusieurs autres communautés autochtones qui nous obligent à mettre en relief cette variable qui doit nécessairement être associée à l'existence d'intérêts particuliers. Vu l'importance de cette dynamique, nous la traiterons dans un chapitre particulier.

CHAPITRE 9

Les femmes au cœur des soins

Nous avons visité la communauté de Pessamit à plusieurs reprises et effectué bon nombre d'entrevues d'où ont émergé plusieurs dynamiques que nous voulons souligner. Voici quelques comptes rendus et les réflexions qu'ils ont amenées.

Un de ces entretiens a tourné autour de la thématique de l'histoire du diabète d'une femme rencontrée chez elle, entourée de sa famille. Bien que les propos que nous avons recueillis émanent principalement de cette dame, une des ses filles à l'occasion exprimait une opinion, un commentaire ou encore relatait un souvenir. Le mari, pour sa part, est resté silencieux. À l'occasion, il a répondu à quelques-unes de nos questions ou à celles de sa femme ou de ses filles. L'atmosphère de cette rencontre, qui a duré plusieurs heures, est demeurée en tout temps détendue malgré le fait qu'elle se déroulait en matinée et que la préparation du dîner s'en est trouvée quelque peu perturbée.

Cette femme avait reçu son diagnostic de diabète quelque quinze années auparavant, c'est-à-dire au début des années 1980. Au cours des années qui ont suivi, elle prêta peu, sinon pas du tout, attention aux recommandations des médecins et infirmières. À cette époque, elle consommait régulièrement de l'alcool avec son mari et se retrouvait souvent en état d'ébriété. Elle n'a nullement modifié sa diète malgré les conseils et avis répétés des professionnels de la santé. D'ailleurs, elle ne consultait qu'à l'occasion et plutôt par obligation, à la suite des appels téléphoniques répétés du centre de santé. De toute façon, nous dit-elle, « c'est moi qui préparait les repas et je ne pouvais pas obliger mes enfants et mon mari à changer leur façon de manger à cause de moi, à cause que j'étais diabétique ». Quelques années plus tard, la vie de cette femme change du tout au tout. Elle nous raconte avoir soudainement pris conscience des conséquences de sa maladie. Fait intéressant, cette prise de conscience correspond au début du diabète de son mari, le jour même où ce dernier a reçu son diagnostic. Dès lors, elle raconte s'être impliquée dans certaines activités de prévention et de promotion organisées par le centre de santé. Mais surtout, à partir cette époque, la composition des menus de la maisonnée change considérablement, ceci, afin de s'assurer, nous dit-elle, que son mari mange des aliments qui conviennent à son état de santé. Par ailleurs, c'est également à cette époque qu'elle dit avoir cessé, comme son mari, toute consommation de boisson alcoolisée. Une de ses filles, présente à cette entrevue, mentionne :

> *Quand mon père a commencé à faire du diabète, elle a commencé à faire plus de prévention. Tu sais quand on mange. C'est peut-être le fait que mon père n'a jamais été malade. Jamais, jamais. Ma mère elle a souvent été malade comme le foie, avec ses accouchements. Elle a souvent été à l'hôpital pour des affaires... Mais mon père, lui, n'a jamais été malade. Jamais ! Pis là, depuis qu'il a le diabète, il a fait des cataractes. Pis mon père jamais, jamais tu vas l'entendre dire qu'il est étourdi.* (Femme, 40 ans)

Le jour de notre visite, cette femme, âgée de 58 ans, préparait le repas du dîner qui consistait en un ragoût accompagné de pommes de terre et de pain le tout couronné par un dessert acheté à l'épicerie. Comme elle nous le mentionne, tous ses enfants sont déjà très grands et ont eux-mêmes des enfants. En fait, elle était plusieurs fois grand-mère. Toutefois, bien qu'une seule de ses filles vivait toujours sous le même toit qu'elle avec son mari, elle préparait tous les jours des repas pour nourrir une grande famille. Elle se sentait responsable de ses enfants et petits-enfants, et désirait qu'il y ait toujours suffisamment de nourriture dans la maison pour nourrir tout le monde. Les enfants, les petits-enfants et même des visiteurs pouvaient arriver à tout moment. Elle ne pouvait imaginer ne rien avoir à leur offrir. Sa fille nous explique l'attitude de sa mère en ce qui à trait à la préparation des repas :

> *Nous autres les Montagnais on est habitué. C'est toutes les communautés. Nous autres, les repas c'est le rassemblement. Il y a des fois où tu n'as pas envie de manger. Des fois, je n'ai pas envie de manger. Au souper, je suis assise là et je commence à manger. Veux, veux pas, tu vas t'asseoir et tu commences à manger.*

Pourtant tu n'as pas faim du tout. Elle est habituée à faire à manger. Même si on est plus beaucoup ici, elle va faire à manger en grande quantité parce que mon frère, ma sœur et ses enfants, viennent ici assez souvent. Elle continue à faire un repas pour huit personnes. Pourtant, le dimanche on est juste quatre. Elle va faire deux poulets, du lard salé, de la soupe. Un poulet suffirait. On est juste quatre-cinq. Des fois, il y a les petits-enfants. (Femme, 40 ans)

Ce que nous apprend cette femme de 58 ans est une réalité qui existe dans bien d'autres maisonnées de Pessamit. Les mères de familles, les femmes de ces maisons semblent avoir comme constante préoccupation les soins à apporter aux membres de leur famille, proche et élargie. La femme, la mère de famille est au centre de l'événement « repas », l'un des plus importants du quotidien. Le repas, lieu d'expression des conduites alimentaires porteuses d'une mémoire de l'apprentissage, théâtre de lutte pour le pouvoir de la mère et du père sur le corps de l'enfant, lieu d'enculturation, lieu béni d'une douce intimité, de bavardages décousus. Cet événement apparaît ici dans toute sa centralité, son importance, sa profondeur, sa signification.

Les lignes précédentes mettent en perspective le fait que la femme innue se trouvait et se trouve toujours au centre de la vie de la maisonnée. Elle paraît se positionner comme responsable des soins à apporter à l'ensemble des membres de cette maisonnée.

Le récit de cette dame nous oblige à nous questionner sur les événements qui l'ont portée à prendre en considération son diabète, environ quinze années après le diagnostic. Pourquoi cette prise de conscience tardive ? À la lumière des propos entendus, il semble que l'annonce du diabète du mari soit un élément clé. Serait-ce que nous sommes en présence d'une personne qui fait montre d'une abnégation totale ? Est-ce que, dans le contexte décrit par cette dame, nous nous trouvons dans une unité familiale où les intérêts de l'ensemble priment sur ceux des individus et plus spécialement s'il s'agit de femmes ? Est-il pertinent de faire une distinction entre femme et homme, comme si l'un était davantage subordonné au groupe que l'autre ?

Nous estimons que l'élaboration de réponses à ces quelques questions dépasse largement le champ étroit d'une analyse qui cherche à expliquer ces phénomènes par des antagonismes relevant d'une appartenance à un sexe ou à un autre. Nous sommes plutôt en présence d'acteurs sociaux qui détiennent et exercent leur pouvoir dans des champs d'activités et d'intérêts qui ne sont surtout pas fixés à jamais dans une trame culturelle et historique. Toutefois, il est manifeste que ces éléments, mis en lumière dans ces premiers extraits d'entrevues, nous mettent en présence de rôles, d'intérêts concomitants et parfois divergents, ainsi que de parcours pouvant avoir une incidence importante sur l'émergence d'une maladie comme le diabète.

DES FEMMES SOUS SURVEILLANCE

Cette réalité est-elle la même pour toutes les femmes innues de Pessamit? Le récit de vie suivant, celui d'une femme de 83 ans, est à cet égard révélateur des forces créatrices des acteurs. Ainsi, même si nous devons considérer l'existence d'intérêts différents et parfois divergents entre femmes et hommes, il nous faut garder en tête que le rôle d'aucun acteur ne peut être défini une fois pour toutes, à tout jamais figé. Cette femme nous raconte des événements qui se déroulent bien avant la Seconde Guerre mondiale, c'est-à-dire au début des années 1930. À l'époque, elle bénéficiait d'une instruction peu commune dans le milieu. Elle a fréquenté pendant de longues périodes une école à l'extérieur de la réserve.

> *Mais, ça fait que j'ai toujours eu la notion quand même de ce qui se passait ici sur la réserve. C'est tellement de changements. Comme moi, quand je suis partie d'ici, il n'y avait pas d'eau courante, pas d'électricité, on s'éclairait à la lampe à l'huile. Et l'eau, il y avait des pompes à bras. C'est là qu'on prenait l'eau, et les toilettes, bien il n'y en avait pas.*
>
> *Alors, quand je suis partie d'ici, pour arriver là-bas... Là-bas, il y avait l'eau courante, l'électricité, l'ascenseur et c'est drôle à dire mais il n'y avait pas de changements pour moi. J'arrivais là-bas, c'était tout à fait naturel que ce soit comme ça. J'arrivais chez nous et j'étais bien contente. Mais ici, à Pessamit, on n'avait absolument pas d'eau courante, pas d'électricité, rien là. Mais j'aimais ça. Parce que c'était chez moi. Moi, je n'ai jamais pensé que j'avais eu de la misère, comme on dit, avec mes parents. Parce qu'on avait tout ce qu'il fallait. On mangeait trois fois par jour, on était bien habillés, on avait une maison. Mon père avait fait bâtir une maison. On avait notre maison, vous savez. Et c'était lui qui l'avait fait bâtir, avec la chasse qu'il faisait durant l'hiver, il pouvait se ramasser de l'argent pour bâtir cette maison-là. Ça fait que c'était tout à fait confortable.* (Femme, 83 ans)

Nous sommes en présence d'une femme innue qui se démarque des modèles culturels dominants et qui cherche à vivre selon ses convictions et ses valeurs. Malgré les résistances qu'elle rencontre dans son milieu de vie, elle poursuit tout de même sa trajectoire et contribue, de ce fait, à initier de nouveaux mouvements au sein de la société qui est la sienne.

Oui, plusieurs années et puis… J'ai demandé une maison, et ils m'ont bâti une petite maison. Oh j'ai dit : « Non, je ne pense pas une maison petite. Je veux avoir une maison à mon nom. » Ça fait qu'ils m'ont dit : « Non, t'auras pas de maison. » J'ai dit c'est correct, je vais essayer. L'année suivante, je me suis présentée comme conseillère et j'ai gagné. Puis j'ai bâti ma maison [rire]. *Je veux avoir une maison et je vais l'avoir. Puis j'ai bâti ma maison de cette façon-là. C'est de cette grandeur que je l'ai fait bâtir* [elle montre sa maison]. *Il y a quelqu'un qui m'a déjà dit : « Si tu veux avoir ta maison, rentre au Conseil. » Ben, « Penses-tu que je vais réussir à rentrer dans le Conseil ? », lui ai-je dit. « Ben oui, t'es connue », m'a-t-il répondu. Et j'ai dit : « Je crois que je vais y aller. » J'ai été la première femme à être conseillère ici.*

Puis j'ai été la première femme aussi à travailler, la première femme mariée à travailler, en dehors de la maison. Comme au magasin, pour gagner ma vie. Parce qu'avant ça, les femmes mariées ne travaillaient pas. Elles restaient à la maison, elles pouvaient pas travailler. C'était pas la coutume. Je ne sais pas. Il n'y avait pas autre chose à faire que de rester à la maison. Ça fait que moi j'ai passé par-dessus. J'ai travaillé. J'ai dit : « Il faut que j'aide mon mari, je suis pas pour rester là à ne rien faire, je vais travailler. » J'ai travaillé ! Puis, les hommes disaient : « Les femmes mariées… », tu sais, quand ils arrivaient au magasin, ils disaient : « Tu penses pas à tes enfants des fois quand tu travailles ? » Et je leur répondais : « C'est en pensant à mes enfants que je travaille, c'est pour ça. Je peux leur acheter tout ce qu'ils veulent avoir, puis les nourrir. C'est pour ça qu'ils sont si gros » [rire]. (Femme, 83 ans)

Cet extrait nous fait pénétrer dans ce que nous nous permettons de nommer un champ de force qui animait dès le milieu du XXe siècle la société innue de Pessamit. Nous sommes en présence d'une actrice sociale qui exprime des valeurs et des intérêts qui divergent des valeurs dominantes et qui, quotidiennement, cherchait à agir conformément à ses convictions. De ce fait, elle a contribué à imprimer à la société innue de Pessamit un mouvement qui transforme au jour le jour les rapports entre les individus et les rapports entre les femmes et les hommes. Nous sommes devant la mise au jour d'une dimension de la société innue qui relève de l'hétérogénéité plutôt que de l'homogénéité et qui met en évidence des jeux de pouvoirs et d'intérêts. Nous sommes également en présence de cette exception à la règle que les savants calculs ne peuvent jamais prévoir. Elle est la bifurcation dans ce qui paraissait une trajectoire linéaire. Elle est la manifestation de la force créatrice, de la tactique, de l'innovation qui transforme les parcours qui, au premier coup d'œil, paraissaient rectilignes et immuables.

En ce début de XXIe siècle, des intérêts parfois divergents entre femmes et hommes se manifestent dans différents secteurs de la vie

quotidienne, de façon plus intensive et plus ample qu'au cours des dernières décennies. Les discours recueillis auprès de gens plus jeunes, particulièrement auprès de femmes, ont révélé ces mouvements, ces
transformations émergeant entre femmes et hommes.

> *Lorsqu'on a déménagé, moi je ne m'étais pas rendu compte de ça, de mon chemi-
> nement, du fait que je travaille sur moi. À un moment donné, je suis allée cher-
> cher de l'aide parce que je ne m'étais pas retrouvée. Je me disais que c'était de la
> faute à mon mari. Et à un moment donné comme le fait qu'avec ma grand-mère
> qui mettait l'homme sur un piédestal. Ça aussi, ma vie de couple en a pris un
> coup par rapport à ça. Sans m'en rendre compte, lorsque j'ai commencé à vivre
> avec mon mari, je faisais la même chose. Alors, j'étais tannée de ce climat. Alors
> je suis partie de chez nous un mois pour comprendre ce qui se passait, et je me
> disais que c'était de sa faute à lui. Mais en étant là-bas, j'ai réalisé que j'avais
> besoin avant tout de faire une rencontre avec ma mère pour aller régler des choses.
> C'est ce que j'ai fait. Je suis allée lui demander pourquoi elle agissait ainsi, etc. Je
> lui en voulais du fait qu'elle ne se défendait pas devant ma grand-mère. C'est là
> qu'elle m'a expliqué. Mais pourtant, ma grand-mère, elle prenait sa place devant
> mon grand-père. Mais quand c'était mes parents, ma mère n'était pas capable de
> prendre sa place. Il faut dire que ma grand-mère disait toujours à ma mère :
> « Ton mari, c'est lui le boss et il faut que tu l'écoutes. » Elle disait aussi : « Ton
> mari est plus vieux que toi, il sait plus de choses, alors laisse-le contrôler. »*
>
> *Avec mon mari, j'ai compris que c'était à cause de moi que j'avais reproduit le
> même phénomène parce que je l'avais gâté. J'étais toujours à lui dire : « C'est
> correct ? C'est assez salé ? », etc. Alors là, évidemment, à un moment donné, il
> disait non ce n'est pas bon, ce n'est pas assez salé, etc. Alors il était rendu qu'il
> critiquait tout. Mais dans le fond, c'est moi qui lui avais donné l'occasion. Alors,
> quand je suis revenue, cela a changé. S'il me disait, j'aime pas ça, je lui disais,
> fais toi-même autre chose. Ça c'est passé il y a à peu près quatre ans. Maintenant,
> je suis mieux. Je pense aussi que le fait d'être mieux dans ma peau m'aide pour
> ma maladie. Je me dis, le fait d'être bien intérieurement, cela est bon pour mon
> diabète.* (Femme, 44 ans)

Les rapports entre femmes et hommes se sont considérablement
transformés dans le parcours des trois dernières générations. La place
occupée par les femmes au sein de la famille ne s'est pas transformée par
simple osmose culturelle, par l'inclusion de valeurs émanant de l'extérieur de la réserve. Des femmes innues ont acquis et fait leur des façons
autres de concevoir leur place au sein de la famille, de la société innue.
Elles se sont distinguées au sein de la famille ou du groupe, et affirmées
par leurs actions quotidiennes, leurs attitudes et leurs droits élaborés et
définis dans les chaudrons de la vie quotidienne. Surtout, elles ont affirmé
leur volonté de ne plus être ce que le milieu, une certaine convenance,

désirait qu'elles soient. Elles se sont insurgées contre la prescription culturelle de normes sociales. Elles ont transformé et créé une nouvelle façon d'être femme au sein de leur milieu, contribuant à la complexification de la société innue.

Le normal est peu à peu devenu inadéquat aux yeux de certaines et de certains. L'apparente immobilité des rôles dans la société innue de Pessamit s'est vue imprimer des mouvements émanant de différents secteurs de la société. Une réflexion sur les rôles, sur la place de chacun et chacune, sur les parcours de vie ainsi que sur l'origine des problèmes est irrémédiablement enclenchée. Elle se réalise dans l'intimité des pensées, au cours de rencontres d'amis, dans les rencontres de familles et de plus en plus au sein de regroupements formels.

> *Oh, les hommes c'est vraiment les rois comme on dit. Chez nous, juste à voir chez nous. Chez nous ils ont toujours été. Ils ont toujours passé avant nous autres finalement. Tu sais, ma mère, il fallait qu'on fasse attention à un tel... S'il consomme, c'est parce qu'il y a telle raison. Puis, ils n'ont jamais pensé que nous autres on pouvait avoir des problèmes aussi. Pour dire, il faut qu'on fasse attention parce que, lui, il va avoir des tendances suicidaires. Ils pensent toujours qu'un garçon peut facilement plus se tuer que la fille. Puis ils ont jamais pensé que nous autres en tant que femmes on pouvait avoir des problèmes aussi. Ben, je parle de ma famille. Ça peut être comme ça pour les autres familles aussi. C'est comme si les hommes étaient... Tu sais on les met sur un piédestal. S'ils agissent mal eux autres, c'est pas toujours de leur faute. C'est toujours la faute de quelqu'un d'autre. Puis quand c'est notre cas, bon, ça doit être de ta faute, ça doit être toi qui a commencé. Ou bien c'est toujours notre faute quand il s'agit des femmes. Puis quand il s'agit des gars, c'est quand même pas de leur faute. Tu sais c'est de la faute des autres. Pas juste dans ma famille, il y a quelques familles comme ça. Nous autres, dans notre famille, c'est les filles qui travaillent. C'est sûr qu'ils ne vont jamais nous dire : « Ah, c'est bien ça ma fille. » Des fois, j'aimerais ça, qu'on me dise que je suis appréciée. Tu sais, l'autre fois mon père, je suis allée le voir. Il m'a dit : « Tu t'en vas déjà ma fille ? » Tu sais, c'est quelque chose que je n'avais jamais entendu de la bouche de mon père. Tu sais, parce qu'il est malade, il ressent le besoin de faire sentir au monde qu'il les aime aussi. Ça commence à changer. Tu sais, les hommes commencent à faire à manger, à travailler, à faire le lavage, j'ai déjà vu du monde qui étendait le linge de leur femme. La femme restait en dedans puis ne travaillait pas. Ça fait que c'est le gars des fois qui élève ses enfants. La femme, elle se saoule et se drogue et elle court la galipote comme on dit. Les rôles sont en train de changer. Des fois, il y a des femmes qui sont assez possessives. Elles maintiennent leur homme en dedans de la maison. « Tu gardes. J'ai assez gardé. J'ai eu à porter l'enfant pendant neuf mois. C'est à ton tour de le garder. »* (Femme, 45 ans)

Les trajectoires de pouvoir paraissent émaner d'individus qui ne sont, d'aucune manière, regroupés au sein d'organisations ou de groupes formels. Des réseaux d'entraide qui permettent d'échanger et de soutenir des gens qui partagent des intérêts communs, existent mais sur une base informelle. Il s'agit surtout de réseaux d'amies qui se structurent autour d'individus partageant quelques intérêts communs ou qui souhaitent passer du bon temps. Ces regroupements peuvent prendre la forme d'événements ludiques au cours desquels de l'alcool et des drogues peuvent être consommés.

Par ailleurs, les services de santé innus de Pessamit ont entrepris depuis quelques années d'intervenir directement dans la communauté par l'entremise d'intervenantes communautaires issues du milieu. Ces dernières agissent à titre de ressources, d'agentes de développement intervenant là où les besoins sont exprimés et où une volonté de regroupement se manifeste. La plupart du temps, ces désirs et manifestations émanent de femmes du milieu. Elles désirent se regrouper afin de discuter de problèmes qui les touchent ou les préoccupent. En ce sens, les regroupements qui surgissent de ces interventions peuvent être considérés comme des embryons d'organisations à caractère plus formel. Toutefois, ces interventions ne sont pas sans provoquer des réactions dans le milieu ; des oppositions peuvent également émaner de femmes de la communauté. Par ailleurs, alors qu'au milieu du XXᵉ siècle, l'expression de volontés d'agir différemment relevait plutôt d'individus relativement isolés, aujourd'hui, elle émane de regroupements informels d'individus. Nous assistons également à la naissance de regroupements qui tendent à se formaliser, à se maintenir dans le temps et à poursuivre des objectifs visant des transformations sociales.

CHAPITRE 10

Une communauté
et des groupes d'intérêts

Nous avons établi des paramètres pour appréhender la société innue de Pessamit en tenant compte de différents champs de force qui la traversent. Ces champs de force correspondent à des axes autour desquels se constituent ce que nous nommons, à l'instar de Trigger et de Frenette, des groupes d'intérêts. Une des caractéristiques de ces groupes consiste en leur mobilité, du moins en la mobilité des acteurs qui les composent.

L'inclusion d'individus dans des groupes d'intérêts ne constitue pas une programmation de vie incontournable. Si l'inclusion dans un groupe paraît réduire le champ des possibles, les possibles demeurent tout de même présents. L'inclusion dans un groupe d'intérêts ne doit pas être comprise comme l'imbrication d'individus dans le champ pur et simple de la détermination. Tout individu se définit négativement par l'ensemble des possibles qui lui sont impossibles et le possible le plus individuel n'est en somme que l'intériorisation et l'enrichissement d'un possible social (Sartre, 1960 : 87-88). Par contre, il faut reconnaître que l'appartenance à un ou plusieurs groupes d'intérêts peut exercer d'importantes pressions sur un individu.

En tout premier lieu, nous pensons que les Innus de Pessamit sont d'abord associés au groupe d'intérêts primaire que constitue la communauté qui les rassemblent tous. Ce premier groupe trouve son origine, ses conditions d'émergence, dans les rapports qui se sont développés, au cours des dernières décennies, entre la périphérie et le centre, entre la réserve et la société dominante. Cet aspect historique a une importance certaine, car on se réfère ici à un passé fortement marqué par l'exclusion, la mise à la marge, la répression et la manipulation. Tous les acteurs de la société que constitue la réserve de Pessamit sont inclus sans exception dans ce groupe d'intérêts original, et il est évident que le regard du non-autochtone en constitue un élément « précipitant ».

Cette communauté trouve cependant un point d'ancrage à un niveau plus large, moins local, dans le concept de « nation innue », et au-delà de « territoire ». Même s'il est périlleux de s'aventurer dans l'utilisation d'un concept aussi important et complexe que celui-ci, il faut toutefois reconnaître que le concept de nation innue existe et est en plein développement, même si d'importantes distinctions sont toujours faites entre les différentes communautés.

Il est fort improbable qu'un Innu, peu importe son appartenance à un clan ou à un quelconque groupe d'intérêts, se désolidarise d'un autre Innu aux prises avec des agressions en provenance du milieu non autochtone. Face aux non-autochtones, un Innu saura pratiquement toujours se solidariser à tout autre Innu, puisqu'il considère que les intérêts de son groupe, de sa nation, priment sur ceux de sa famille ou de tout autre intérêt particulier. Mais cela ne veut pas dire pour autant qu'il n'existe pas de groupes d'intérêts et que ces derniers ne jouent pas un rôle fondamental à l'intérieur même de la communauté, notamment au niveau des logiques d'inclusion et d'exclusion.

GROUPES D'INTÉRÊTS ET SURVEILLANCE POPULAIRE

Qu'entendons-nous par le concept de « surveillance populaire » ? Une femme âgée raconte des événements survenus à la fin de la première moitié du XXe siècle. À cette époque, cette informatrice est jeune et bénéficie d'un niveau de scolarité relativement élevé dans son milieu. Ses compétences, reconnues par des marchands, lui permettent de travailler pour l'un d'eux. Les fonctionnaires du gouvernement fédéral reconnaissent également ses compétences et lui offrent un travail. Mais cette reconnaissance n'a pas que des effets heureux. Bientôt, elle est confrontée à des décisions difficiles : approchée pour un emploi au ministère des Affaires indiennes, elle est appelée à faire un choix qui oppose ses ambitions et ses désirs aux intérêts et volontés du milieu.

Elle nous introduit dans un univers où sont imposées toute une série de règles non écrites mais bien vivantes. Celles-ci ont une forte emprise à l'intérieur de la réserve et auront un impact déterminant sur son parcours de vie.

> *Il y avait le bureau du Ministère ici à Pessamit. Il y avait des gens qui travaillaient là. À un moment donné, il y a eu un emploi de disponible pour une personne qui pouvait faire de l'ouvrage là. Ils ont dit que je pourrais faire le travail. Moi je travaillais déjà dans un magasin dans le temps. Les gens du Ministère m'ont dit : « Applique et tu vas l'avoir la job. » J'en ai parlé avec mon mari. Il a dit : « Tu vas faire une folle de toi, si tu vas là. Tu sais comment c'est de travailler pour le Ministère ou le bureau du Ministère ici. Tu sais comment la personne est traitée par le monde d'ici ? Tu vas manger des bêtises. Ils vont te dire n'importe quoi, puis... Moi je te conseille pas d'y aller. C'est bien mieux si tu restes au magasin à continuer à faire ce que tu fais là. » Mais après ça, j'aurais voulu y aller.*
>
> *Les gens qui travaillaient pour le Ministère étaient toujours mal vus. C'était rare qu'un Indien travaille pour le Ministère. Il y avait un type qui travaillait là. On pensait toujours qu'il trichait, qu'il mettait de l'argent dans ses poches et qu'il n'aidait pas les autres. On était toujours là à le critiquer. Mais est-ce que vraiment il faisait ça ? Ça on le sait pas ! C'était toujours considéré comme ça. Mais je ne sais pas si c'était vraiment ce qui se passait... Moi, j'ai pas eu beaucoup d'affaires à demander des choses au Ministère. Mon mari, lui, il voyait ça comme ça. Il disait : « Tu vas te faire traiter de n'importe quelle personne. À part de ça, tu vas être là et les gens vont être contre toi. Tu vas te faire haïr. Reste à ta place. Tu vas être mieux comme ça. » Parce que là je travaillais à la Baie d'Hudson.* (Femme, 83 ans)

Le tableau qui s'offre à nous est composé de trois importants éléments. Nous nous trouvons dans l'enceinte de la réserve de Pessamit, en ce lieu où les Innus vivent à la marge de la société dominante, et il y a les représentants de l'État œuvrant pour le « Ministère ». Cette présence de l'État dans la réserve constitue le premier élément de notre tableau. L'institution coloniale détonne : elle émane de l'extérieur du cadre général. Il s'agit d'un cadre rude et maladroit qui tend à contenir tout ce qui cherche à se distinguer du tableau.

Cette tache coloniale s'impose sur cette toile et fait injure aux teintes dominantes qui s'étalent sur chaque pouce carré du tableau. D'ailleurs, tous les autres éléments qui composent ce tableau semblent vouloir s'éloigner du lieu occupé par les couleurs de l'État. Tous cherchent à s'en éloigner à des degrés différents. Bien qu'une forte tendance vers l'éloignement se remarque au premier coup d'œil, des parcelles de ce tableau effleurent pourtant cet intrus. Les désirs et ambitions de la jeune femme qui s'exprime illustre une tendance naissante, une originalité qui s'impose. Un regard non averti voit, dans ces parcours de couleurs particulières, une pénétration de la couleur coloniale. L'œil attentif y décrypte plutôt un langage complexe duquel émanent des couleurs innovatrices, nouvelles, provocantes. La texture qu'elle impose au tableau ne détonne pas. Notre regard posé sur le lieu qu'elle occupe s'étonne de la discrétion, mais aussi de la force qui s'en dégage. Dans ses contours parfois flous, parfois précis, se créent des fusions desquelles émane de l'inédit. Cette individualité constitue le deuxième élément de notre tableau.

Cette individualité illustre en quelque sorte un parcours original qui évolue dans un environnement ou manifestement existent des règles, des façons de faire, des couleurs et des teintes dominantes. Ce sont ces dernières qui constituent la trame de fond, le troisième élément du tableau. Celui-ci est manifestement vivant bien que constitué à l'intérieur d'un cadre qui tend à l'isoler maladroitement, à étouffer son déploiement vers l'extérieur. Ces teintes dominantes nous mettent en présence de manifestations émanant de ce qui peut être identifié comme une conscience collective. Cette conscience se distingue et s'affirme dans son cadre et tend à isoler l'État (et toutes ses manifestations ou symboles) qui s'introduit en son sein malgré elle, contre elle. Si on se fie à la mémoire de cette dame, les « gens du Ministère » sont perçus dans la communauté comme des « tricheurs », des personnes qui « mettent de l'argent dans leurs poches » et qui « n'aident pas les autres ». Les « gens du Ministère » ne sont pas très bien vus. Ce sont les représentants de l'État colonial, et ils sont là pour appliquer la *Loi sur les Indiens*. Une association formelle ou informelle d'un Innu avec des représentants de l'État risque de coûter très cher au premier : « Tu sais comment la personne est traitée par le monde d'ici ? Tu vas manger des bêtises. Ils vont te dire n'importe quoi. »

En fait, ce sont là des manifestations de tolérance, manifestations qu'exprime la société innue face aux représentants de l'État. Il ne s'agit pas de soumission : les gens du Ministère sont présents, tolérés par la force des choses, par la force de la loi d'État sur la réserve ; mais ils ne sont pas pour autant acceptés. Cette tolérance est le corollaire du caractère colonial des rapports dans lequel se trouve impliqué tout Innu. L'État, depuis l'intérieur de la réserve, applique la loi par le biais de ses fonctionnaires. Il vise à induire, par ses institutions, un état conscient et permanent de visibilité qui assure le fonctionnement automatique du pouvoir. Il impose donc sa visibilité au sein de la réserve : il impose un pouvoir disciplinaire qui s'exerce en soumettant l'Innu à une visibilité obligatoire. Mais en contrepartie, si dans la réserve une personne tend à se rapprocher, à s'associer aux représentants de l'État, elle risque de subir des pressions importantes, voire l'exclusion. Si cette exclusion n'est pas physique elle sera morale, psychologique : être perçue comme un ennemi au sein de sa propre société, par les siens, s'avère en effet le plus souvent insoutenable.

La dame qui nous livre ce récit connaît cette dimension de la vie dans la réserve. Cette connaissance de certaines limites difficilement franchissables, elle l'a intériorisée depuis longtemps, elle lui est intrinsèque. La réserve s'est inscrite dans l'histoire de cette femme comme la marque d'une appartenance première. Cette inscription est au cœur de la configuration première de cette personne (Mayol, 1994 : 23). Mais déjà à cette époque, cette femme commence à se distinguer des siens. Certains de ses comportements et de ses choix de vie étaient sévèrement critiqués et jugés par les autres membres de la communauté de Pessamit mais, tout de même, tolérés. Elle est la première femme mariée de cette communauté à travailler en dehors du foyer. Ce choix, elle l'a fait, elle l'assume. Elle affronte les critiques et commentaires, parfois peu élogieux, de membres de sa communauté. Mais tout de même, elle va au bout de ce désir, de ce rêve, de cette réalisation. Elle est également la première femme innue à se présenter comme conseillère et à être élue au sein du Conseil de bande. Et cela, alors même que les sociétés canadienne et québécoise sont toujours fortement empreintes d'inégalités dans les rapports femmes-hommes. Là encore, au sein même de la société de Pessamit, cette femme peut exprimer et vivre sa différence, réaliser ses ambitions malgré un climat qui parfois frôle la confrontation.

Cette fois, elle n'ira cependant pas au bout de son désir. Au dire des fonctionnaires eux-mêmes, elle est assurée d'obtenir ce poste. Pourtant elle refuse d'aller plus loin dans cette démarche. Non sans regrets : « Mais après ça, j'aurais voulu y aller ! » Mais pourquoi n'y va-t-elle pas ? Comme une évidence, le refus s'impose à elle. Elle sait que pour demeurer usagère de la réserve et bénéficier du stock relationnel qu'elle contient, il ne convient pas de se faire trop remarquer, du moins par certains cadres. Au sein de la réserve règne une intégrité symbolique qui repose sur des représentations de l'intérieur et de l'extérieur de la réserve. Ces représentations sont manifestes, précises et claires en ce qui concerne l'identification de ce qui appartient à l'État fédéral. Si elle franchit ce pas, si elle accepte ce poste au sein du « Ministère », elle sait qu'elle devra « manger des bêtises », être traitée de « n'importe quoi » par les membres de sa propre communauté.

Son mari ne lui « conseille pas d'y aller ». Il exprime peut-être ainsi sa solidarité envers son épouse. Il ne désire pas qu'elle soit exclue de la réserve. Contre la force d'exclusion et punitive de la communauté, il sait qu'il ne pourra rien faire, qu'il ne pourra être d'aucun soutien pour elle : « C'est bien mieux si tu restes au magasin à continuer à faire ce que tu fais là. » Il peut la soutenir dans sa différence, dans ses désirs et agissements qui font outrage au milieu, mais au-delà d'une certaine limite il sait qu'il ne peut, ne pourra plus rien.

AU-DELÀ DE CETTE LIMITE VOTRE TICKET N'EST PLUS VALABLE (ROMAIN GARY)

Ce bref extrait d'entrevue nous introduit dans une dimension dans laquelle nous percevons qu'au sein de la communauté de Pessamit existait, à cette époque, une relation entre non-autochtones et Innus clairement balisée par des paramètres relevant tant du formel que de l'informel. Du côté de l'État et de ses représentants, des critères sont établis par la *Loi sur les Indiens* mais également par l'histoire écrite et racontée par les conquérants et dans laquelle l'Autochtone est déshumanisé. Le centre, la société victorieuse, a défini la marge. Cette marge lui est indispensable pour se définir lui-même. Elle constitue la limite à ne pas franchir. Celui qui est dans la marge doit être affranchi pour avoir accès au centre, pour sortir de la périphérie et accéder à l'humanité.

Mais dans cette marge, dans le cadre fermé de la réserve, et à titre de « ré-action » à l'agression originaire, est également défini, identifié, l'Autre. L'Innu a lui aussi identifié sa marge, les lieux de l'infranchissable. Au sein de la réserve, les institutions de l'État sont mises sous haute surveillance. Ces institutions sont vampirisées par les procédures quotidiennes des Innus. Devenus objets d'élucidation, les dispositifs de l'État sont déjoués, contournés. Cette surveillance populaire est au premier abord inorganique. Elle ne repose sur aucune structure officielle et prend place dans les réseaux humains complexes qui animent cette société.

SURVEILLANCE POPULAIRE

Tandis que, pour parvenir à ses fins de surveillance et de punition, l'État bénéficie de budgets importants, de structures et d'institutions bien organisées et fonctionnelles, tel n'est pas le cas pour l'Innu. La surveillance innue (qui prend forme dans le cadre de la réserve) n'a pour lieu d'exercice que celui qui est préalablement défini par l'Autre. Naît ainsi un type de surveillance «populaire» qui va s'exercer sur le terrain même que la loi et la force de l'État colonial ont défini: «Elle n'a pas le moyen de *se tenir* en elle-même, à distance, dans une position de retrait, de prévision et de rassemblement de soi: elle est mouvement à l'intérieur du champ de vision de l'ennemi» (de Certeau, 1990: 60-61).

La stratégie est une science utilisée par l'État pour parvenir à ses fins. Elle établit ses stratégies en dehors du champ de vision de l'ennemi. La tactique est une science du quotidien. Elle s'actualise sur le terrain au contact de l'ennemi. Et c'est de quoi est faite ce que nous appelons la surveillance populaire: un ensemble de tactiques qui se déploient sur le terrain de l'ennemi.

Au sein de la réserve, s'opère ainsi une autre forme de surveillance, réactive, défensive, déterminée par le cadre de la réserve et les politiques de l'État colonial qui s'y imposent. Si l'État exerce une surveillance de tous les jours et tend à contrôler les moindres gestes de l'Innu, la collectivité innue elle aussi exerce une surveillance. Celle-ci est dirigée vers chacun des membres de la communauté, et tous les membres ou presque y participent. Cette surveillance est silencieuse, relevant d'une apparente inorganisation. Elle relève de procédures qui ne disposent pas du lieu propre sur lequel s'appuie le fonctionnement de la machinerie panoptique. Mais, tout de même, cette surveillance se révèle d'une efficacité inouïe. Ici, pas besoin de police ou de juge. Le territoire de la réserve a ses propres règles, ses propres lois, ses propres codes. En son sein existe un mode de surveillance, de jugement, de sanction et de reconnaissance qui repose sur les structures profondes et propres à ce milieu.

On a observé, dans beaucoup de sociétés du monde que, dans des groupes restreints, l'ironie, le sarcasme, les quolibets, constituent le mécanisme majeur de contrôle social quand un individu est considéré déviant par la communauté. Il semble que tel était le cas dans la société innue où l'usage de la coercition physique (l'équivalent d'un état d'arrestation) était absolument exceptionnel. Mais il ne faut pas s'y tromper: si une telle méthode de contrôle social paraît «douce», il n'en est rien dans le cadre de la réserve et des tensions imposées par la logique coloniale; être tout à coup ridiculisé par tout le monde est très pénible, et la violence psychologique d'un tel ostracisme peut être considérable.

Le récit de cette femme qui n'ira pas travailler pour le Ministère met en évidence l'existence d'un mécanisme de contrôle social dans la société innue de Pessamit de la fin de la première moitié du XXe. Ce mécanisme est remarquable non seulement parce qu'il est indépendant des structures que tend quotidiennement à imposer l'État colonial au sein de la réserve, mais surtout parce qu'il représente une forme d'opposition, spontanée, réactive à ces structures et à l'ordre qui les sous-tend. Être un membre du groupe appartenant à cette réserve, à cette marginalité et surtout parvenir à le rester, oblige ainsi au respect de règles internes, non écrites mais sans équivoque.

Et ce qui est particulièrement intéressant dans le système de surveillance que nous qualifions de « populaire », c'est qu'il semble ne reposer sur aucune structure ni institution, du moins dans des formes officielles qui relèveraient d'une pensée et d'une organisation cartésienne. Cette surveillance « populaire », qu'on pourrait appeler aussi identitaire collective, prend forme dans la première moitié de XXᵉ siècle et s'inscrit dans cette période historique où les Innus commencent à être exclus des processus de transformation de l'économie marchande ainsi qu'à être de plus en plus en butte au discours raciste des non-autochtones qui les considèrent comme des êtres inférieurs. L'Innu est désormais associé aux vaincus.

Aussi, l'axe premier à partir duquel s'élabore, se construit et s'exerce initialement cette surveillance (des Innus envers les Innus) correspond à une tentative de consolider la position de la périphérie vis-à-vis du centre, de la communauté marginalisée vis-à-vis de la société dominante. Cette surveillance populaire paraît donc comme l'envers du pouvoir blanc, comme l'expression d'un contre-pouvoir qui cherche à faire pièce au pouvoir de l'Autre, au pouvoir de l'État colonial. D'une manière générale, cette surveillance s'institue pour tenter de répondre aux intérêts premiers dans lesquels toutes les personnes qui constituent la communauté innue de Pessamit semblent se retrouver. Intérêts qui se définissent pour l'Innu essentiellement par la négative : pas ou peu d'accès aux biens de consommation, au travail et même au territoire. Alors que le système de surveillance de l'État classe les individus en catégories, les désigne par une individualité propre, les attache à une identité individuelle, impose une loi de vérité, la surveillance « populaire » semble initialement reposer sur une dichotomie fondamentale : il y a ceux de l'intérieur (les Innus), et ceux de l'extérieur (les non-Innus, les Blancs). Dans cet effort de se protéger des pressions extérieures, elle n'individualise pas, elle regroupe. Elle cherche à identifier ceux et celles qui se dissocient du groupe et qui tendent, depuis le regard de l'intérieur, à se solidariser ou du moins à se rapprocher de l'Autre, du non-autochtone, de l'intrus, de l'ennemi. Elle dépiste ceux qui s'individualisent et se distinguent en cherchant à les ramener au sein du groupe.

> Ces remarques nous conduisent à la question de l'identité. Car les mécanismes d'assujettissement dans le cas de lutte mettent toujours en question le statut de l'individu. Autrement dit, le pouvoir et toutes les luttes tournent autour d'une même question : « Qui sommes-nous ? » Cette question intervient toutefois pour Foucault dans le rapport entre nos réflexions et nos pratiques dans la société occidentale. L'objet de son travail a consisté à montrer « Comment nous nous sommes indirectement constitués par l'exclusion de certains autres... » (Hong, 1999 : 174-175).

Ce « qui sommes-nous ? » habite tous les lieux, tous les instants de la réserve. Il est au cœur d'une réflexion identitaire qui s'impose devant la « négation de soi » qu'entraîne le regard de l'Autre, devant la confrontation avec cet Autre qui s'est introduit, par la force de sa loi, au sein du « chez-nous ». À l'intérieur de la réserve s'accentue ainsi, tout comme à l'échelle nationale et internationale, le discours identitaire d'affirmation de la différence et de la distinction. C'est en quelque sorte un discours « nationaliste » qui se structure, émerge et s'impose peu à peu dans le cadre de la réserve. Il affirme la distinction, la différence, le « ce qui de l'Autre n'est pas de nous », « l'exclusion de certains Autres ». Ce discours naît, se produit et se reproduit dans le quotidien. Il émane d'un postulat, d'une invention et vit de l'adhésion de la collectivité à celle-ci.

Le succès de ce discours repose sur l'adhésion de la grande majorité des membres de la communauté à sa logique et sur l'acceptation des individus à propager à leur tour ce savoir collectif (Thiesse, 1999 : 14). Dans un contexte de colonialisme interne et de visées assimilationnistes, se développe au sein de la communauté innue une forme de sentiment d'urgence, de péril qui entretient une sorte d'obsession identitaire incitant à chercher sans cesse des traits distinctifs.

> *Je me rappelle que j'avais été avec mon fils, il avait alors huit ans, et il regarde marcher une personne et il me dit : « Regarde, il marche comme un Innu. » Dans sa tête, lui, il avait déjà l'image de l'Innu. Donc, il avait ses critères à lui pour dire si c'est un Innu, il regardait le physique, la démarche, la courbure du dos, les cheveux. Il y a des critères que l'on dirait que c'est à l'intérieur que tu retrouves l'Innu. Moi aussi j'avais des critères et je savais qui ressemblait à un Indien. Je crois que tout le monde a des critères à lui et il ne se trompe jamais. Étant donné que l'on est grégaire, les animaux se reconnaissent par les odeurs. Le fait que notre sens olfactif n'est pas très développé, c'est donc la vision qui rentre en ligne de compte. Tu vas avoir trois-quatre personnes qui ressemblent à un Innu et tu*

vas dire que celui-là, c'est vraiment un Innu. Qu'est-ce qui fait que tu le recon-
nais ? C'est à l'intérieur de toi-même. L'intérieur de nous-mêmes, c'est très fort et
c'est ce qui fait que les Indiens on été capables de survivre jusqu'à maintenant à
cause de la force intérieure qu'ils ont. Nous, on se reconnaît entre Autochtones.
C'est dans les traits. Toute la couleur et les traits de l'Innu sont à l'intérieur. La
reconnaissance de l'Autre, c'est interne. (Homme, 49 ans)

On ira jusqu'à élaborer des représentations fictives. En effet, dans ce contexte de survie, l'homogénéité du groupe est un atout essentiel. Il importe de la montrer et de s'en pénétrer. Cet impératif conduit à occulter les expressions de diversité, de clivage, de division. La fragilité du groupe engendre une crainte de l'étranger, du non-autochtone. Tout ce qui présente des différences devient une menace à l'intégrité du groupe (Boucher, 2000 : 109-110). À tel point qu'il arrive fréquemment que l'Autochtone en vienne à être marginalisé dans son propre milieu. Cela survient quand l'individu, aux yeux de ses pairs ou du moins de membres de la communauté appartenant à des groupes d'intérêts puissants, acquiert des comportements, des attitudes et des valeurs associés au monde des Blancs.

Qui a séjourné un certain temps en milieu innu sait à quel point la peur des commérages, des rumeurs et des ragots y est grande. La distinction, le fait d'agir différemment, est toujours remarquée et risque d'engendrer des commentaires pouvant avoir des effets ostracisants.

C'est très difficile parce que tout le monde te connaît et tout le monde te juge. Ici,
on a une facilité à se juger parce que tout le monde se connaît. C'est difficile mais,
je pense que moi, c'est dur pour ceux qui commencent à s'affirmer. (Femme, 44
ans)

Oui. Tu te dis : « Mon Dieu, je n'aurais pas vu ça si j'avais été ici à Pessamit. »
Mais j'étais à l'extérieur, j'ai vu qu'est-ce qui se passait à l'extérieur. Ça fait que
quand tu arrives sur la réserve, tu remarques plein de choses. Puis les gens ici
vont juger sans connaître. Ils connaissent pas. Tu vois, moi ils m'ont toujours dit
que j'étais une femme fière. J'étais tout le temps maquillée avant que je connaisse
mon mari. Tout le temps. Les talons hauts, des robes différentes, tout le temps
chic. Puis les gens me disaient : « Oh ! tu n'es plus parlable. T'es fière ! Tu ne
parles plus à personne. » S'il n'y avait personne qui m'adressait la parole, je ne
commençais pas à courir après tout le monde pour lui parler. J'étais comme ça et
je suis encore comme ça. (Femme, 51 ans)

La peur d'afficher une différence intolérable et intolérée des siens ralentit ou arrête les élans de plusieurs. Ces différences associées au monde des Blancs et qui apparaissent de plus en plus au sein de la réserve sont aujourd'hui nombreuses et diversifiées. Elles sont l'expression des différents groupes d'intérêts qui complexifient la composition de la société innue. Ces différences peuvent être associées à la scolarisation, au fait de bien parler la langue de l'Autre.

> *Les gens vont réagir beaucoup en fonction de la langue, de son usage. Quand je vais parler à la radio, j'essaye de parler en montagnais, de ne pas dire de mots en français. Il y a des rumeurs qui circulent des fois dans la communauté. Ces rumeurs-là, ça peut détruire quelqu'un. Ça peut arriver à l'occasion. Ça placote plus dans des petits villages qu'en ville. On se fait une carapace à un moment donné.* (Femme, 52 ans)

La force du jugement est très forte lorsqu'il est dirigé vers un membre des Premières Nations. Un visiteur non autochtone sera mieux accepté au sein de la réserve qu'un membre des Premières Nations qui ne parle pas sa langue ou l'innu, surtout s'il ne s'exprime que dans la langue des dominants.

> *On a accueilli des Français à Pessamit, et ils ont bien été accueillis. Où j'ai perçu qu'il y avait du racisme, c'est quand on avait des Hurons. Il y a un Huron ici. Il ne parle pas montagnais. Là, j'ai vu du racisme. Quand je sortais avec mon chum qui était d'une autre nation. On sortait dans les soirées, il se faisait traiter de Blanc parce qu'il ne parlait pas montagnais. Il ne parlait que français malgré le fait qu'il avait le teint basané. Le temps que l'on est resté à Pessamit, il ne s'est jamais senti bien et accepté. Je dis ça pour te dire que le racisme, je l'ai plus vu entre les Montagnais envers les autres Autochtones d'autres nations qu'envers les Blancs québécois ou les autres nationalités. Mon chum ne se sentait pas accepté comme Autochtone. Au début c'est lui qui voulait venir ici. Alors, on est venu ici. Mais il n'a jamais pu s'intégrer comme il le voulait. Il disait : « Vous parlez entre vous autres et vous parlez en montagnais. Moi, je ne comprends rien. » Il n'a jamais été capable de comprendre. Il se sentait toujours mis de côté.* (Femme, 32 ans)

La structure identitaire de l'Innu s'est considérablement transformée au cours des dernières décennies. Si l'axe premier de l'identité traversait pratiquement l'ensemble de la communauté au début de la seconde moitié du XXe siècle, la situation s'est profondément modifiée depuis, et la définition de l'identité innue s'est complexifiée. La société innue est aujourd'hui parcourue de nombreux champs de force engendrés par divers groupes d'intérêts.

La société innue est dorénavant constituée de ce que nous nommons de « nouveaux groupes d'intérêts ». Ceux-ci regroupent des individus qui se réclament tous de la nation innue. Au sein de chacun de ces groupes se développent des discours identitaires spécifiques établissant des critères particuliers d'inclusion ou d'exclusion. Ces critères couvrent de nombreux champs concernant tous les individus de la société : l'alimentation, l'habillement, l'emploi, la gestuelle, le langage, la physionomie, le rapport au corps, le type de véhicule automobile, les rapports à des substances comme le tabac, l'alcool ou la drogue, au jeu, à l'argent, enfin tous les secteurs de la vie quotidienne. Rien n'y échappe. À chaque groupe sont associées des règles de convenance qui toutes rejoignent la question première : « Qui sommes-nous ? » Cette question en entraîne plusieurs autres, mais l'une d'elles est particulièrement lourde de conséquence : « Qui a le droit d'être nommé Innu et de vivre au sein de notre communauté ? »

> Bref, le corps, dans la rue, est toujours accompagné d'une science de la représentation du corps dont le code est plus ou moins, mais suffisamment, connu de tous les usagers et que je désignerai du mot qui lui est le plus adéquat : la *convenance*. La convenance est la gestion symbolique de la face publique de chacun de nous dès que nous sommes dans la rue. La convenance est simultanément le mode sous lequel on est perçu et le moyen contraignant d'y rester soumis ; en son fond, elle exige que toute dissonance soit évitée dans le jeu des comportements, et toute rupture qualitative dans la perception de l'environnement social (Mayol, 1994 : 27-28).

Afficher une différence en milieu autochtone peut ainsi relever du défi, de l'épreuve à haut risque, surtout si cette différence est clairement associée par un groupe important de la communauté à une menace émanant de la société blanche. Cela implique de se voir marginalisé, en étant pourtant déjà au cœur de la marge. Outrepasser les règles du groupe peut se solder par une condamnation qui vous assimile au statut de traître.

Être différent, se désolidariser des comportements du groupe, comporte un prix à payer. L'Autochtone fait ainsi l'expérience de deux systèmes de surveillance. Celui du « centre » et celui de la « périphérie ». Il peut donc devenir l'objet d'une double marginalisation.

CONCLUSION

La réserve est un pays dans le pays et la surveillance a pour effet de maintenir la cohésion sociale autour de caractéristiques identitaires. Les conditions d'émergence du diabète impliquent l'acte alimentaire et le rapport au corps. Acte alimentaire et rapport au corps vont s'affirmer davantage comme des éléments de définition de ce que l'on reconnaît comme étant du « dedans » et ce qui est du « dehors » du « pays dans le pays ». Ce qui est et ce qui n'est pas innu.

Comme le mentionne Rigoberta Menchú, on ne fait confiance qu'à ceux qui mangent la même chose que nous. Acte alimentaire et image du corps sont au cœur d'une surveillance de tous les jours : qui se dissocie de ces normes risque d'être isolé et marqué du sceau de l'Autre, de cet Autre associé à l'« ennemi ».

CHAPITRE 11

Critique des stratégies actuelles de l'approche clinique et de la santé publique

L'ÉTAT CANADIEN ET LA *DÉCLARATION DES AMÉRIQUES SUR LE DIABÈTE*

Si on se place dans une perspective plus contemporaine, on n'aura pas de peine à constater que le diabète est aujourd'hui considéré par de nombreux États comme « un problème de santé publique » qui risque de prendre dans les années à venir des proportions considérables. En 1999, les milieux de la santé publique estimaient à plus d'un million le nombre de Canadiens atteints de diabète. Chez les membres des Premières Nations, les taux de prévalence étaient environ trois fois plus élevés que dans l'ensemble de la population canadienne. Le modèle explicatif médical considère que le vieillissement de la population et l'accroissement des taux de prévalence de l'obésité sont fortement associés à l'augmentation rapide des cas de diabète. En 1996, le diabète venait au septième rang des principales causes de décès au Canada. Toutefois, certains estiment que ces chiffres sont modérés. Ils évaluent que le nombre de décès attribuables au diabète est au moins de cinq fois supérieur aux chiffres officiels. D'un point de vue monétaire, si nous prenons en considération les coûts directs et indirects associés aux soins de santé, des recherches estiment à 9 milliards de dollars américains les coûts attribuables au diabète (Gouvernement du Canada, 1999).

Devant de tels constats, les instances canadiennes de santé publique estiment qu'il est urgent de prendre des mesures efficaces de prévention et de lutte contre le diabète. La santé publique considère donc que, dans un premier temps, il faut rapidement développer des campagnes de prévention et de promotion orientées vers la lutte contre les principaux facteurs de risque associés au diabète, c'est-à-dire l'obésité et l'inactivité physique. En second lieu, elle recommande d'améliorer le traitement et la prise en charge du diabète de manière à pouvoir plus facilement, dans un troisième temps, retarder et prévenir les complications débilitantes. Pour atteindre ces objectifs, le gouvernement canadien de concert avec les gouvernements provinciaux a adopté une stratégie nationale largement inspirée de la *Déclaration des Amériques sur le diabète* approuvée par l'Organisation panaméricaine de la santé (OPS) en 1996. Dans cette déclaration, quatre objectifs minimums sont proposés afin de favoriser l'amélioration de la lutte contre le diabète :

- Créer un centre de coordination national pour l'élaboration de programmes relatifs au diabète ;
- Mettre en place un système de surveillance ;
- Créer un plan stratégique national de prévention et de lutte ;
- Établir des objectifs immédiats à l'échelle nationale et locale.

En établissant ses objectifs, le gouvernement du Canada s'est engagé depuis quelques années à réaliser chacun des grands objectifs de la déclaration de l'OPS. Ainsi, le premier volet est atteint avec la création du Conseil du diabète du Canada (CDC). Cette coalition regroupe des organisations non gouvernementales s'intéressant à la question du diabète, de même que quelques organismes du gouvernement fédéral. Son mandat est de coordonner les efforts de mise au point d'un programme de lutte contre le diabète.

La réalisation du second objectif établi dans la *Déclaration des Amériques sur le diabète* constitue un mandat particulier du CDC. Il y est établi qu'un système national de surveillance du diabète doit être rapidement mis en place. Ce système devra permettre de fournir des informations sur :

- l'incidence et la prévalence du diabète des types I et II ;
- l'incidence et la prévalence des complications du diabète ;
- les méthodes de prise en charge du diabète par les professionnels de la santé et des patients ;
- l'utilisation des soins ambulatoires ;

- l'éducation des diabétiques;
- la qualité des soins dispensés aux diabétiques;
- le coût financier du diabète;
- l'efficacité des programmes de prévention et de lutte contre le diabète (Gouvernement du Canada, 1999 : 57).

Dans le but de parvenir à l'atteinte de chacun de ces objectifs, le gouvernement canadien injecte depuis quelques années d'importantes sommes d'argent. D'autres montants sont donnés pour que soit mis sur pied un programme de surveillance épidémiologique spécialement destiné aux membres des Premières Nations : il s'agit du Système d'information sanitaire sur la santé des Premières Nations (SISPN). Le SISPN comprend un programme informatisé et intégré de dossiers de santé des clients et de production de rapports qui appuie la gestion, le dépistage et le suivi des cas de santé publique. Le SISPN est un système informatisé de production de rapports sur la santé des clients. Il vise à renforcer les services de santé des Premières Nations dans les domaines suivants : soutien à la gestion des cas ; planification, élaboration et évaluation des programmes ; surveillance des maladies. Les problèmes relatifs à la surveillance des maladies transmissibles (MT) au sein des Premières Nations peuvent être spécifiés de la manière suivante :

- l'insuffisance des données sur les MT;
- l'absence de données sur l'immunisation;
- le manque de coordination des rapports et de la gestion concernant les MT.

Le Canada s'est par ailleurs engagé dans le développement d'une stratégie nationale de prévention et de lutte contre le diabète, de manière à pouvoir répondre aux exigences de l'objectif trois de la déclaration de L'OPS. C'est dans la foulée de ces différentes mesures qu'a été annoncée, en 1999, la « stratégie canadienne sur le diabète », stratégie qui comprend un volet particulier destiné aux Autochtones. Finalement, les instances canadiennes de santé publique, le gouvernement canadien et le CDC entendent établir à l'échelle nationale et locale des objectifs immédiats de lutte contre le diabète fondés sur des données épidémiologiques et une estimation rigoureuse des ressources.

L'INITIATIVE SUR LE DIABÈTE CHEZ LES AUTOCHTONES

En 1999, le gouvernement fédéral annonçait sa stratégie canadienne sur le diabète et, avec elle, la mise en place de l'Initiative sur le diabète chez les Autochtones (IDA), l'objectif étant de faire face à la situation particulièrement alarmante du diabète chez les membres des Premières Nations. L'IDA s'est vu allouer un budget de 58 millions de dollars pour une période de cinq ans.

Le programme de l'IDA vise à ce que soient offerts aux membres des Premières Nations ainsi qu'aux Inuits :
- des soins et des traitements aux diabétiques ;
- des services de promotion et de prévention du diabète ;
- des services de soutien pour un meilleur mode de vie ;
- des services fondés sur la collectivité :
  - adaptés à la culture ;
  - de nature holiste ;
  - accessibles ;
  - semblables aux servies offerts aux autres Canadiens ;
  - qui tiennent compte des pratiques et des méthodes traditionnelles, lorsque c'est possible.

Cinq grands objectifs sont visés :
- Sensibiliser les gens à l'égard du diabète, de ses facteurs de risque et de la valeur d'habitudes de vie saines ;
- Soutenir l'élaboration d'une approche adaptée à la culture à l'égard des soins et des traitements, des programmes de promotion de la santé et de la prévention du diabète, et des programmes de soutien pour un bon mode de vie ;
- Accroître la capacité, les liens et l'infrastructure pour toutes les composantes de l'IDA au sein des collectivités des Premières Nations et des Inuits ;
- Promouvoir la prise en charge de soi et l'appartenance ;
- Coordonner le programme avec d'autres programmes communautaires, particulièrement le programme de soins à domicile et en milieu communautaire des Premières Nations et des Inuits.

L'IDA assure enfin le soutien financier d'initiatives qui s'inscriront dans les trois axes suivants :

- *Soins et traitements*: les soins et traitements devront fournir des services directs pour aider les membres des Premières Nations et les Inuits atteints de diabète à surveiller leur état, à dépister et prévenir les complications futures et à éduquer les clients au sujet du diabète pour les encourager à se prendre en charge.

- *Prévention et promotion*: les activités de prévention et de promotion devront s'adresser à toute la population pour sensibiliser davantage les gens à l'égard du diabète et de ses complications. Ces activités devront également viser à promouvoir les avantages d'une bonne nutrition, d'une vie active et intégrer des méthodes et pratiques traditionnelles aux approches occidentales. Une attention devra être accordée aux jeunes afin de favoriser une réduction des risques d'apparition du diabète chez les générations futures.

- *Soutien pour un bon mode de vie*: les services de soutien pour un bon mode de vie verront à aider les diabétiques, leur famille et les fournisseurs de soins à faire face aux conséquences d'une maladie chronique qui peut être débilitante et mortelle.

LES POSTULATS THÉORIQUES DE LA SANTÉ PUBLIQUE EN CE QUI CONCERNE LE DIABÈTE

Nous avons présenté les grandes lignes de la stratégie nationale du gouvernement canadien à l'égard du diabète, particulièrement celui rencontré chez les membres des Premières Nations. Ses postulats de bases, on le voit au premier coup d'œil, reposent sur trois mots clefs hautement révélateurs : surveillance, contrôle et enseignement. Ils s'appuient aussi sur un diagnostic médical finalement très simple. Le modèle explicatif médical établit en effet une corrélation fortement positive entre l'avènement du diabète et certains facteurs de risques, dont l'obésité et l'histoire familiale. Ce que le modèle biomédical établit est que le diabète est une réalité, une « chose en soi » qui relève uniquement de l'entendement de la biomédecine et des paramètres étroits (le plus souvent possible quantifiés) qu'elle a pu mettre en lumière (Ferreira, 2000 : 9). Les milieux scientifiques et de la santé publique considèrent ainsi que le diabète non insulinodépendant des peuples des Premières Nations est attribuable à des changements de style de vie ainsi qu'à certaines altérations métaboliques.

Une fois ces corrélations établies par la biomédecine (entre l'avènement du diabète et certains facteurs de risque), les milieux de la santé publique vont estimer qu'il existe au sein des populations autochtones un manque important de connaissance et de sensibilité vis-à-vis du diabète et des dangers qu'il peut représenter, mais là encore sur un mode tout à fait particulier, en insistant sur une seule de ses dimensions. Car nous sommes en présence de cette logique biomédicale réductrice qui finit par orienter son raisonnement autour de l'individu et de la seule responsabilité qui lui incomberait dans l'avènement ou le non-avènement d'une maladie comme le diabète. Cet a priori est central dans l'élaboration de la politique du gouvernement canadien, ainsi que dans la planification des campagnes de prévention et de promotion de la santé vis-à-vis du diabète.

Il a pour effet d'incriminer les individus qui deviennent diabétiques ainsi que leur famille, puisque ceux-ci n'ont pas su « voir à leur sort ». En d'autres mots, dans cette perspective, c'est d'abord aux individus qu'il revient de veiller à l'atteinte d'un bon état de santé. En ce sens l'approche biomédicale ne fait aucunement, ou peu, référence aux conditions sociales, économiques, historiques et politiques dans lesquelles les individus ont grandi et évoluent et cela, parce qu'elle ne voit pas le fait que la maladie est également, et peut-être même surtout, un phénomène social.

Les intervenants en santé publique en viennent dès lors à considérer que l'absence de connaissance est au cœur de la dynamique menant à des choix de comportements et à la consolidation d'habitudes de vie menant directement à des maladies comme le diabète[1]. Guthrie et Guthrie (1983) mentionnent que le diabète est un problème de santé unique en son genre et qu'il requiert une grande discipline personnelle ainsi que d'énormes efforts de *self-care.* De ce fait, d'importants investissements sont consentis afin de développer des programmes et des interventions visant l'accroissement des connaissances des populations à risque et des diabétiques eux-mêmes. La santé publique recommande ainsi d'identifier chez les personnes diabétiques les obstacles qu'ils doivent surmonter, seule

---

1. Pour expliquer l'accroissement de la mortalité lors des périodes de canicule dans une grande ville comme Chicago, Eric Klinenberg démontre que cette forte prévalence est indissociable des conditions sociales et économiques dans lesquelles se trouvent les segments de la population les plus affectés. Pourtant les politiciens et les tenants de la santé publique de Chicago persistaient à considérer et à diffuser le fait que la cause première des mortalités associées à la chaleur provoquée par les canicules de 1995 devait être attribuée au manque de connaissance des victimes et surtout au fait qu'elles ont fait des mauvais choix individuels. Ainsi, un conseiller municipal de la ville de Chicago déclarait en 1995 que la grande vague de mortalité était attribuable au fait que « ces gens qui meurent ne savent pas prendre soin d'eux-mêmes [...] Nous avons pourtant diffusé de nombreux messages de prévention mais ces gens-là ne lisent pas le journal et ne regardent pas la télé » (Klinenberg, 2000 : 27).

manière d'établir des alternatives acceptables. Elle juge aussi nécessaire d'élaborer des moyens permettant d'évaluer les connaissances, les habiletés et les attitudes des diabétiques. Finalement, elle cherche à mettre en place des programmes visant le renforcement de la motivation au *self-care* en développant des stratégies permettant l'acquisition rapide de compétences sur tous les aspects du traitement.

C'est parce qu'elle accorde une importance décisive à ces « connaissances à acquérir » que la santé publique va considérer qu'un certain nombre de facteurs ancrés dans la culture autochtone constituent des freins à sa transmission. De fait, la tradition autochtone contribuerait aux difficultés d'élaboration de programmes d'intervention conçus par les milieux de la santé publique et adaptés au mode de vie amérindien. De plus, certaines dimensions de la culture autochtone seraient tout particulièrement incriminées, comme le fait que, dans les communautés des Peuples premiers, les informations sont transmises oralement et que les Autochtones sont des « visuels » lisant peu. Certaines croyances sanitaires relevant directement de la culture autochtone constitueraient d'autres freins. Ainsi, il est parfois considéré que les Autochtones sont convaincus que la maladie est un événement temporaire et que les médicaments finissent par guérir tous les maux. Les diabétiques autochtones imagineraient par exemple que la prise de médicaments suffirait à contrôler la maladie et que, dès que la glycémie atteint sa valeur normale, la maladie aurait en quelque sorte disparu. Asymptomatique, le diabétique autochtone considérerait donc qu'il est guéri (Clément, 1991 : 7-9).

DES POSTULATS QU'IL FAUT CONFRONTER À L'AUNE DES FAITS

Les intentions des milieux de la santé publique et de l'État canadien sont certes honorables et louables, en ce sens qu'elles visent une diminution rapide des taux de prévalence du diabète et une amélioration de l'état de santé des personnes déjà atteintes de diabète. Toutefois, il est nécessaire de s'arrêter à la nature de ces intentions ainsi qu'à leur pertinence. Mais surtout, il est primordial de se demander dans quelle mesure les initiatives qui en résulteront tiendront compte des pratiques antérieures des milieux de la santé et de leurs effets réels sur les problèmes identifiés. En fait, les instances de santé publique sont bien au fait de l'importance d'évaluer les résultats des programmes et des interventions en rapport avec les objectifs visés et les moyens utilisés. Au cours des premières années du XXIᵉ siècle, le gouvernement canadien à l'instar de nombreux

pays adhérant à la *Déclaration des Amériques sur le diabète* investira d'importantes sommes d'argent et mobilisera de multiples énergies humaines
provenant de divers milieux. Les orientations de l'Initiative sur le diabète
sont déjà bien établies et fort précises.

ÉVALUATION DES RÉSULTATS OBTENUS PAR L'APPROCHE CLINIQUE DU DIABÈTE CHEZ LES INNUS

C'est en nous appuyant sur des données de première main provenant d'évaluations d'activités destinées aux personnes diabétiques de
plusieurs centres de santé innus que nous avons pu produire cette analyse. Cette procédure se justifie puisque, à plusieurs égards, la situation
observée à Pessamit est similaire à celles trouvées dans ces communautés
innues.

Pessamit est la plus ancienne «réserve» de toutes celles prises en
considération. Elle est située à proximité d'un centre urbain d'importance
puisqu'il ne faut que 45 minutes pour rejoindre la ville de Baie-Comeau
en voiture. En contrepartie, la création des autres réserves est relativement récente puisqu'elles datent globalement toutes des années 1950.
Les villages d'Unamen Shipu et de Pakua Shipi, situés sur la Basse-Côte-
Nord, sont accessibles uniquement par la voie des airs et par bateau.
Nutakuan et Ekuanitshit, situés à l'ouest d'Unamen Shipu, sont reliés,
avec le reste du réseau routier du Québec, par la route 138. À partir de
Nutakuan, il faut mettre environ deux heures de voiture pour rejoindre
Havre-Saint-Pierre, alors qu'à partir d'Ekuanitshit, il ne faut que vingt
minutes. Pour sa part, Matimekush n'est accessible que par la voie des airs
ou par chemin de fer. Et si le parcours en avion depuis Sept-Îles se fait en
moins d'une heure et demie, le voyage en train prend environ douze
heures.

Malgré ces quelques différences, toutes ces communautés appartiennent à ce qu'il est convenu de nommer la nation innue. En plus de
partager une trame culturelle commune, ces populations possèdent des
histoires offrant de grandes similitudes, même si d'importantes distinctions politiques sont à noter lorsque l'on prend en compte chacune d'elles.

Toutes présentent des profils épidémiologiques fortement appa-
rentés, spécialement en ce qui concerne la présence de maladies chroniques. Bien que la prévalence du diabète à Pessamit soit plus faible que
celle d'autres communautés, elle s'avère tout de même plus élevée que
celle du reste du Québec.

En ce qui concerne l'instauration des services de santé, chacune de ces communautés présente également une histoire commune. En effet, pendant de nombreuses années, l'administration des services de santé destinés aux populations innues releva du gouvernement fédéral. Les programmes de santé publique, de surveillance et de contrôle appliqués dans chacune de ces communautés répondaient donc aux mêmes impératifs de fond, aux mêmes gestionnaires et administrateurs, et donc aux mêmes critères d'évaluation.

En 1989, sous la responsabilité du Conseil atikamekw montagnais (CAM), les services de santé de chacune de ces communautés s'engagèrent dans un processus visant à leur prise en charge par les Autochtones eux-mêmes. C'était une première au Canada ! Depuis, chacun des villages a pris la responsabilité de ses services de santé, se libérant complètement, chacun à leur tour, de la structure du CAM. En ce sens, le processus de prise en charge des services de santé par les communautés innues est bien plus qu'un simple exercice administratif. Elle offre la possibilité aux décideurs d'enclencher des changements significatifs au cœur des organisations de santé et d'assurer le développement de services et de programmes correspondant aux véritables besoins (et à la culture !) des gens qu'ils desservent.

ÉVALUATION DE L'ATTEINTE DES OBJECTIFS DU PROGRAMME « DIABÈTE »

Dans toutes les communautés considérées, nous avons constaté que les services de santé accordent une importance non négligeable à la problématique du diabète. Les professionnels de la santé œuvrant pour chacun des centres de santé ne sont toutefois jamais parvenus à identifier, du moins sous une forme écrite, les objectifs visés à moyen et long terme par leur pratique auprès des diabétiques et de la population en général. Par exemple, bien qu'un grand nombre d'intervenants identifient le diabète comme « la priorité de l'heure », aucun n'est parvenu à nous indiquer les taux exacts de prévalence du diabète dans la population qu'il desservait. Pas étonnant dès lors qu'on ne trouve aucun objectif tangible qui permettrait de définir puis de mesurer la diminution des taux de prévalence souhaitée au cours des années futures. Nous avons constaté, d'autre part, que le personnel infirmier, malgré l'absence de directives et d'objectifs formels, agissait sur la base de règles et d'attitudes émanant de ce que nous nommons la « culture de la santé publique en milieu autochtone », laquelle culture trouve ses origines dans l'histoire des services de santé mis en place par l'État au cours des précédentes décennies. Les efforts des intervenants en santé sont ainsi dirigés vers le « dépistage » et le « contrôle » des personnes diabétiques.

Il nous semble important ici de montrer toute l'ampleur du système de dépistage mis en place, lequel prend la forme d'un véritable contrôle des milieux autochtones par les services de santé. Rappelons que l'instauration des services de santé dans la majorité des communautés autochtones s'est réalisée dans le cadre de la lutte contre la tuberculose au cours des années 1950. Dans ce contexte, les professionnels de la santé avaient particulièrement comme mandat de dépister tous les cas de tuberculose actifs. Pour ce faire, ils disposaient de moyens comme les rayons X et, un peu plus tard, des tests de dépistage (PPD). Chaque cas de tuberculose détecté se voyait, de gré ou de force, inscrit dans une procédure de soins qui devait assurer la distribution et la prise de la médication ou, encore, la « déportation » de la personne affectée dans un sanatorium. Les professionnels de la santé devaient s'assurer de constituer une liste exhaustive des contacts du tuberculeux et de faire le suivi et le traitement de chacun d'eux. C'est par l'entremise d'un système de fiches que ce suivi était assuré. Chaque « tuberculeux » voyait son nom inscrit sur une fiche où étaient indiqués la date de diagnostic, les médicaments et traitements prescrits, chacun des possibles contacts ainsi que les dates auxquelles le bénéficiaire devait rendre visite aux professionnels de la santé. Cette pratique est depuis ce temps profondément inscrite dans les centres de santé autochtones et le protocole de suivi des diabétiques s'en est fortement inspiré.

Dans l'ensemble des services de santé étudiés, le cahier de programmation élaboré par la direction des soins infirmiers à l'époque du CAM était encore, de façon formelle ou informelle, appliqué. Ce sont les objectifs établis dans cette programmation qui nous ont servi de base d'évaluation pour l'analyse.

DES POPULATIONS ALERTES

Les milieux de la santé publique, on le sait maintenant, ont tendance à considérer que les populations autochtones sont peu conscientes de la problématique du diabète. De ce fait, un des objectifs visés par le programme concernant le diabète dans les centres de santé innus consiste à élever le niveau de conscience des populations sur le sujet. Rappelons également qu'un des objectifs de l'IDA est de « sensibiliser les gens à l'égard du diabète, de ses facteurs de risque et de la valeur d'habitudes de vie saines ».

En juin 1998 nous avons réalisé pour le compte de la Direction des services de santé innus de Nutakuan l'évaluation quinquennale des programmes offerts à la population relevant des soins infirmiers et du secteur communautaire. L'une des questions[2] invitait les répondants à identifier les trois problèmes de santé menaçant le plus le « cercle de la santé » de leur communauté. Comme l'illustre la figure 11.1, 74,2 % de l'ensemble des répondants a identifié le diabète, positionnant ce problème de santé nettement en tête de liste. Nous avons repris cette question afin que les répondants identifient les trois principaux problèmes de santé affectant le « cercle de la santé » des *femmes*, des *hommes* et des *aînés*. Pour les deux premières catégories, nous avons trouvé au premier rang le diabète dans des proportions de 71,2 % et de 49,5 %, alors que, chez les aînés, le diabète s'est classé deuxième avec 75,8 %, après les « maladies du cœur » qui ont recueilli 83,3 %. Ces premières constatations nous forcent à reconnaître que le niveau de conscience des Innus de Nutakuan à l'égard du diabète est fort élevé.

Nous avons répété cet exercice dans les communautés d'Unamen Shipu, de Pakua Shipi, de Matimekush-Lac-John et d'Ekuanitshit. Les résultats obtenus sont sensiblement les mêmes que ceux décrits précédemment. Sans l'ombre d'un doute, les femmes et les hommes âgés de quinze ans et plus de toutes ces communautés innues identifient, dans une liste de dix propositions, le diabète comme un problème de santé menaçant ce que nous avons convenu de nommer « le cercle de la santé » de leur milieu respectif. Ces observations vont nettement à l'encontre de ce que plusieurs professionnels de la santé affirment, à savoir que les Innus ne sont pas conscients de l'ampleur de l'épidémie qui sévit. Nous avons obtenu des résultats tout à fait similaires, en 1995-1996, auprès de la communauté atikamekw d'Opitciwan. De façon incontestable, le diabète ressortait comme le problème de santé le plus préoccupant aux yeux des Atikamekw rencontrés.

---

2. L'élaboration du questionnaire d'évaluation destiné à la population s'est faite à partir des données recueillies lors d'entrevues et de *focus groups* réalisés auprès d'acteurs de la communauté et d'intervenants des services de santé. De nombreuses questions ont pour origine des postulats et hypothèses de même que des observations émanant directement de notre travail à Pessamit. En étant à l'écoute du savoir populaire, nous sommes parvenus à identifier quelques-uns des problèmes de santé qui préoccupaient cette population, les mots qui les exprimaient ainsi que les grandes lignes de ce que nous appelons le « système d'étiologie populaire ».

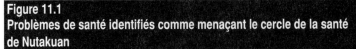

Figure 11.1
Problèmes de santé identifiés comme menaçant le cercle de la santé
de Nutakuan

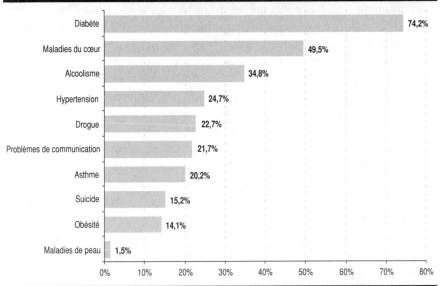

Nous estimons donc que l'objectif établi dans le programme élaboré en 1991 par la Direction des soins infirmiers du défunt CAM a largement été atteint. Nous sommes alors justifiés de mettre en doute la
pertinence de l'objectif de l'IDA mentionné précédemment, d'autant plus
que, selon toute probabilité, les résultats obtenus dans les communautés
innues concernées ici vont se retrouver dans la plupart des autres communautés autochtones du Québec.

Mais il faut aller plus loin et se demander si ce sont les seules interventions des milieux de la santé qui ont contribué au développement de
cet état de conscience populaire au regard du diabète. Bien qu'il soit difficile d'apporter une réponse tranchée à cette question, un fait semble
néanmoins incontestable : les populations innues présentent en général
un haut niveau de « conscience » à l'égard du diabète.

Parce que mes deux frères ont le diabète depuis un an.

Moi, chez nous dans ma famille, j'ai deux autres frères qui sont diabétiques. Il commence à être tard aussi, ils ont quarante ans certain.

J'ai un frère qui est diabétique.

Moi j'ai mon frère, puis une sœur.

Moi, en vivant avec mon frère qui est diabétique, je fais à manger, puis j'essaie de faire moins gras. (Groupe focus, femmes 42 à 52 ans)

J'ai plusieurs frères qui sont diabétiques. (Femme, 51 ans)

Puis, c'est surtout depuis que mon frère est diabète que, en tout cas, elle se pose des questions: « Comment ça qu'on est diabète ? » Puis elle qui est pas diabète. (Femme, 42 ans)

Toute ma famille est diabétique. Ma mère est diabétique, mes sœurs, mes frères sont tous diabétiques. (Femme, 42 ans)

Puis tout le monde, tous mes frères ont... Il sont tous diabétiques. (Femme, 47 ans)

Cette seule présence de la maladie dans chacune des maisonnées contribue à la création d'une dynamique qui engendre des discussions et des commentaires de toutes sortes. Les membres de toute la maisonnée sont inévitablement conscients des fréquents appels du centre de santé, des départs pour le centre de santé, des doléances reçues lors des visites auprès d'un professionnel de la santé, des médicaments qui s'accumulent sur une tablette de la cuisine, des procédures entourant les prises de glycémie quotidiennes, des interventions à la radio communautaire, etc. Le diabète est présent dans les conversations. À elle seule, la prise de glycémie anime des conversations où sont comparés les taux de glycémie de l'un ou de l'autre diabétique. Ces conversations pourront parfois même prendre l'allure de concours où le « gagnant » sera celui qui a obtenu la plus haute glycémie sans s'être plaint de symptômes particuliers.

[...] en tout cas on était une gang là-bas. Puis j'ai dit: « Aye, je suis toute fière moi [rire], *j'ai vingt-six de glycémie* [rire]. » *Tout le monde était fâché. Ils ont dit: « Si tu fais pas attention... » et patati patata. Je me suis sentie mal.* (Femme, 33 ans)

La présence du diabète dans le quotidien des Innus se manifeste dans l'humour. En langue innue, le mot diabète n'ayant aucun correspondant, un nouveau mot est apparu au cours des dernières décennies à partir d'éléments du discours populaire ayant marqué l'imaginaire innu. Ainsi, le mot employé par les Innus de Pessamit pour désigner le diabète est *kashiuashiu*, ce qui signifie une « personne sucrée ». Bien que ce mot présente quelques variantes dans chacune des communautés concernées, son étymologie est toujours rattachée aux mots français « sucre » et « personne ». L'humour innu a su jongler avec ce mot qui relève manifestement d'une conception et d'une compréhension de la maladie. Les gens peuvent aussi s'amuser d'une personne diabétique qui se balade dans les rues du village un jour de pluie : « Va te mettre à l'abri. T'es en sucre. Tu vas fondre comme un bonbon ! »

La présence du diabète dans les maisonnées interpelle également la médecine innue. Lors de chacun de nos séjours à Pessamit et dans toutes les autres communautés, nous avons été à même de constater que les diabétiques faisaient fréquemment appel aux savoirs médicinaux innus.

> *Je l'ai appris quand je suis allé voir le docteur et il m'a dit d'aller prendre une prise de sang. Je suis allé et il m'a dit après les résultats. Il m'a dit que le diabète commençait et aussi le cholestérol. J'avais alors 52 ans. Ça m'a rien fait d'apprendre ça. C'est juste qu'il m'a donné des pilules. La mère à ma femme m'a fait de la tisane. J'ai pris ça une quinzaine de jours et au bout de 15 jours je suis retourné voir mon sang. Face au résultat, ils ont essayé de regarder mon dossier. Il ont dit : « Qu'est-ce que tu avais fait ? On ne voit pas le diabète ni le cholestérol. » Et ils ont dit : « Qu'est-ce que tu a pris ? » Ils ont dit : « As-tu fait des choses ? » Je ne voulais pas le dire que j'avais pris des tisanes. Je ne sais pas pourquoi je ne voulais pas le dire. Quand on va dans le bois et que tu es bien malade, tu guéris par la médecine dans le bois. Tu n'aimes pas le dire à tout le monde ça ou à n'importe qui. On garde ça à l'intérieur. Ma tisane que je fais, ça marche tout le temps. Ma tisane je ne sais pas avec quoi. C'est pas avec des bleuets. C'est une plante. Je prends l'écorce. Tu prends ça comme des pilules, le matin, au dîner, etc. Si j'avais dit ce que j'avais pris, il aurait fait de l'argent avec ça. Mon diabète il part et il revient.* (Homme, 57 ans)

Ces quelques constatations nous obligent à questionner sérieusement les intentions des milieux de la santé publique d'accroître les investissements afin de favoriser le développement de campagnes de sensibilisation à l'égard du diabète auprès des populations autochtones. À vrai dire, les éléments mis en lumière dans les pages précédentes vont nettement à l'encontre des énoncés de la santé publique voulant que les populations des Premières Nations ne soient pas conscientes de la présence du diabète dans leur milieu ni de la menace qu'il représente. Au contraire, le diabète fait partie de la vie de pratiquement toutes les maisonnées des communautés comme Pessamit. Il est en fait exceptionnel de trouver une famille où il n'y a pas de diabétiques. Dans de nombreuses résidences nous trouvons un glucomètre, des bâtonnets servant à tester la présence du sucre dans les urines, des piluliers contenant du Glucophage ou encore du Diabeta, des fioles d'insuline, des seringues ou encore quelques dépliants d'information concernant le diabète. Cette maladie fait peur, et elle alimente les conversations. Nombreuses sont les personnes qui nous ont mentionné avoir peur de l'amputation, de perdre la vue, de mourir.

> *J'ai peut-être peur au fond, de dire : « Ben, écoute là, si tu ne fais pas attention, tu va être amputé. » C'est ça qui me fait peur.* (Homme, 51 ans)

> *C'est sûr que j'en avais déjà entendu parler. Cela me faisait peur et j'avais peur d'utiliser les pilules et l'insuline parce que ma mère est déjà tombée dans le coma. Et cela avait été dû au fait que le médecin lui avait prescrit une trop grosse dose d'insuline. Dans ce temps-là, il y avait deux produits que tu devais mettre dans ta seringue. Aujourd'hui, les deux produits sont mélangés, tu as juste à mettre la quantité.* (Femme, 44 ans)

> *Cela me faisait peur. La peur de me piquer ou bien la peur de me faire amputer. Parce que je voyais des gens qui avaient eu le diabète et qui avaient eu des amputations.* (Femme, 52 ans)

> *J'ai peur de me promener. Avant ça, je n'avais pas peur [...] C'est pour ça que j'ai pas mal peur d'avoir des plaies.* (Homme, 46 ans)

> *Mais à un moment donné, j'ai dit : « Mangez vos affaires, mais ne me forcez pas à manger vos choses parce que je n'ai pas le droit d'en manger. » Moi, j'ai voulu changer tout de suite mon alimentation parce que j'ai lu des documents et ça m'a tellement fait peur le diabète, se faire amputer les jambes si tu ne fais pas attention, on avait tellement exagéré la façon dont on m'avait expliqué, que j'avais peur. Cela m'a peut-être servi.* (Femme, 41 ans)

De plus en plus nombreux sont les diabétiques des communautés innues qui souffrent des effets pervers du diabète. L'insuffisance rénale, la dialyse, les troubles de la vision, les maladies cardiaques et circulatoires, de même que la gangrène et les amputations sont le lot d'un nombre grandissant d'individus. Ces nouvelles réalités ont évidemment des effets sur la charge de travail des professionnels de la santé. Mais les effets se font surtout ressentir dans les maisonnées. Rares sont les gens qui ignorent que telle ou telle personne du village s'est fait amputer une jambe ou qu'elle souffre d'une plaie à un pied. En ce sens, chercher à conscientiser les membres des communautés innues à partir d'images chocs, comme l'a déjà envisagé de le faire une équipe de Radio-Québec qui travaillait à un documentaire sur le diabète à Nutakuan relève de l'ineptie.

DES TAUX DE FRÉQUENTATION ÉLEVÉS

Un des objectifs visés par les professionnels de la santé est d'amener les diabétiques à rendre visite régulièrement aux intervenants en santé afin de parvenir à un « contrôle » optimal de leur maladie. En effet, on estime que les diabétiques ne prennent pas suffisamment en charge leur maladie pour des raisons relevant soit de la culture soit d'un profond manque de connaissances. Les professionnels de la santé estiment donc qu'il est de leur responsabilité d'assurer un suivi ou, plutôt, un contrôle étroit des personnes diabétiques afin qu'elles en viennent à fréquenter régulièrement le centre de santé. La liste des diabétiques dont nous avons fait état prend ici toute son importance. C'est en effet à partir de cette liste que s'effectue le suivi des diabétiques de chaque village. Dans chaque centre de santé, une infirmière est responsable du programme aux diabétiques. Selon un rythme bien établi, cette dernière consulte la liste des diabétiques afin d'identifier lesquels doivent se présenter à la « clinique des diabétiques » ou encore à une « clinique de laboratoire ». Cette liste peut également servir à vérifier si le diabétique doit rencontrer le médecin visiteur ou se présenter au centre de santé lors de la visite prochaine de l'ophtalmologiste et de son équipe. Ce fonctionnement s'apparente étroitement à celui des départements des centres hospitaliers où chaque bénéficiaire est inscrit dans un système de surveillance et de contrôle qui assure le suivi et l'administration des traitements et des soins aux jours et aux heures prescrits.

Malgré ce désir de contrôle et les énergies investies, les professionnels de la santé estiment généralement ne jamais atteindre de façon satisfaisante cet objectif. C'est ce qui explique que nous avons fréquemment noté qu'infirmières et médecins expriment des doléances envers les personnes diabétiques : parce qu'ils ne se présentaient pas du tout à leur rendez-vous ou du fait de leur irresponsabilité ou même parce qu'ils seraient insouciants ou auraient des difficultés à comprendre cette maladie et les traitements qu'elle exige. L'existence d'une culture particulière, propre aux Autochtones, est aussi fréquemment invoquée. Par exemple, certains professionnels de la santé mentionnent que les Innus possèdent une notion du temps différente de celle des Blancs. À lui seul, ce trait culturel suffirait à expliquer en grande partie le manque d'assiduité des diabétiques et le fait qu'ils oublient trop souvent de prendre leur médication.

En prenant simplement en compte le discours des infirmières et la lecture des notes inscrites aux dossiers médicaux des diabétiques (aux dates de chaque journée consacrée aux cliniques de diabète), nous se-rions portés à considérer que les diabétiques innus présentent un profil correspondant à cela. Nous devons toutefois nous rappeler que lorsque nous parlons ici de « rendez-vous », il ne s'agit pas de rendez-vous pris par les diabétiques eux-mêmes. Il s'agit de « rendez-vous » fixés par les profes-sionnels de la santé sur la base de la routine du plan de soins aux diabé-tiques. En ce sens, le diabétique n'a pratiquement rien à dire relativement à « son » rendez-vous. Il est convoqué au centre de santé par voie téléphoni-que. En l'absence de téléphone dans la maisonnée, il peut être convié par la radio communautaire ou de vive voix lors de la visite à domicile d'un intervenant communautaire.

Mais si nous élargissons le champ de nos observations à l'ensemble des notes des infirmières et des médicins contenues dans les dossiers des diabétiques. Notre point de vue initial change du tout au tout : loin d'igno-rer les soins offerts par le centre de santé, les Autochtones les utilisent abondamment. Nous constatons en effet que les personnes diabétiques effectuent fréquemment, pour des problèmes de santé divers, une ou quelques visites au centre de santé au cours des journées précédant ou suivant les moments consacrés à la clinique du diabète. Nous l'avons ob-servé souvent : le dossier de chaque diabétique présente souvent un nombre imposant de pages. Ce qui peut être relié aux nombreuses consultations qu'il a effectuées auprès de professionnels de la santé pour des raisons autres que celles liées au diabète ou au fait qu'à chaque fois qu'une per-sonne se présente au centre de santé pour faire état d'un problème donné, les infirmières ou les médecins doivent entendre et évaluer la nature du besoin invoqué et évidemment établir un plan d'intervention. Si on ajoute à cela le fait que tous les diabétiques inscrits dans un système de suivi sont également invités sur une base régulière à se présenter à la « clinique du laboratoire » afin de contrôler certains paramètres biologiques de leur maladie, on n'aura aucune peine à conclure que les Autochtones atteints du diabète font largement usage des services médicaux offerts.

Lors de notre passage dans chaque centre de santé, nous avons re-levé le nombre mensuel d'inscriptions auprès d'un professionnel de la santé et correspondant à une rencontre avec le bénéficiaire. Nous avons tenu compte de toutes les visites où un problème de santé était invoqué ainsi que de toutes les inscriptions impliquant une présence lors d'une clinique de laboratoire. Nous avons en effet considéré que, lors de ces cliniques, le diabétique est en relation directe avec un professionnel de la santé. Toutefois, nous avons omis de prendre en considération toutes les fois qu'un diabétique se présente au centre de santé pour recevoir un renouvellement de sa médication, sachant très bien que dans la majorité des villages innus le centre de santé fait office de pharmacie. Nous n'avons pas non plus inventorié les visites réalisées par les diabétiques auprès de professionnels de la santé autres que les infirmières et les médecins, laissant ainsi de côté les visites des diabétiques auprès des nutritionnistes, des ophtalmologues ou des psychologues.

En tenant compte de tous ces éléments, on peut dire que les résultats de nos observations nous permettent d'affirmer que, dans toutes les communautés concernées, les diabétiques se prévalent régulièrement des services des professionnels de la santé. Par exemple, le nombre de diabétiques de Nutakuan s'étant prévalus au cours de la période 1997-1998 des services spécialisés leur étant destinés est important. Nous trouvons pour cette période 442 consultations inscrites au programme assigné aux diabétiques. De ces consultations, 92,9 % furent effectués par les infirmières et 7,1 % par les médecins visiteurs[3]. Si nous nous en tenons à ces premières statistiques, nous constatons que ce sont en moyenne 37 diabétiques par mois qui ont consulté les professionnels de la santé au cours de cette période. Considérant que la population innue de Nutakuan comptait, en 1998, 63 personnes diabétiques (37 femmes et 26 hommes) pour un taux de prévalence de 8,3 %, nous pouvons estimer que plus de 50 % des diabétiques bénéficiaient, à chaque mois, des services offerts dans le cadre de ce programme. Nos recherches nous permettent, d'autre part, d'estimer que tous les diabétiques que compte cette communauté ont rencontré l'infirmière ou le médecin à au moins sept reprises, sur une période d'une année. Et rappelons-le, cette estimation des visites des personnes diabétiques ne prend en considération que les rencontres réalisées dans le cadre des cliniques spécialisées.

Toutefois, lorsque nous prenons en considération l'ensemble des visites effectuées par un diabétique innu au centre de santé, nous constatons alors que le taux de fréquentation s'accroît considérablement. Il paraît manifeste que les diabétiques innus rencontrent de façon très fréquente les infirmières et les médecins du centre de santé. Malgré cet important

---

3. Précisons que les statistiques sur lesquelles reposent les présentes observations sont constituées à partir des inscriptions réalisées au jour le jour par les infirmières travaillant pour ce centre de santé. Toutefois, en raison du roulement important du personnel ainsi que de la non-adhésion de certains aux consignes de la direction, ces statistiques ne sont pas toujours complétées. De ce fait, nous estimons que les chiffres sur lesquels repose la présente analyse sont en deçà de la réalité.

taux de fréquentation auprès des différents professionnels, nous avons tout de même remarqué dans un certain nombre de dossiers la présence de notes d'infirmières révélant une grande sévérité des intervenantes envers les diabétiques. Ainsi, nous pouvons retrouver au dossier d'un diabétique ne s'étant pas présenté au « rendez-vous » fixé pour un professionnel de la santé le jour consacré aux diabétiques, une note mentionnant que le diabétique « ne s'est pas présenté à son rendez-vous ». À l'occasion, une remarque soulignant « l'irresponsabilité » du bénéficiaire accompagnera l'observation du personnel soignant.

Cette pratique des milieux cliniques envers les personnes diabétiques d'origine autochtone est courante. Le *Rapport de la Commission royale sur les peuples autochtones* y fait référence :

> Le système actuel fonctionne en isolant les « problèmes » symptomatiques, grossesse chez les adolescentes, diabète, invalidité, suicide et en mettant sur pied des programmes distincts pour régler chacun de ces problèmes. Au cours de nos audiences publiques, les Autochtones ont dénoncé l'approche « fragmentaire » des soins de santé qui, d'ailleurs, ne fonctionne pas (Gouvernement du Canada, 1996c : 252).

Les personnes atteintes de diabète perdent leur statut de « personne » lorsqu'elles sont inscrites dans la procédure biomédicale et les processus de soins infirmiers. Ces personnes deviennent, aux yeux de la structure biomédicale, « des cas de diabètes », une série de paramètres biologiques, plus encore, une série de données statistiques. Elles sont rencontrées en tant que diabétiques aux périodes prévues à l'horaire de la clinique et selon la planification des infirmières. En dehors de ces périodes, le diabétique peut être vu par les mêmes professionnels de la santé pour un mal de gorge, une douleur musculaire ou encore un problème digestif, sans qu'aucun lien ne soit fait avec son « diabète » que l'on ne prendra en considération que le jour de la clinique.

Ces constatations mettent ainsi en évidence l'existence d'un écart important entre la perception des professionnels de la santé vis-à-vis de l'assiduité des diabétiques à être présents à « leurs » rendez-vous et le nombre réel de visites de ces derniers. Elles mettent aussi en évidence que les diabétiques « consomment » fréquemment des soins offerts par les infirmières et les médecins. À vrai dire, nous serions même porté à considérer qu'il y a surconsommation de soins de la part des diabétiques, comme d'ailleurs des populations innues en général. Pourtant, la perception des milieux de la santé demeure la même : les diabétiques ne sont pas assidus et présentent peu de fidélité à leurs traitements.

Sans l'ombre d'un doute l'objectif établi dans la programmation destinée aux diabétiques et mentionnant que ces derniers doivent visiter régulièrement les professionnels de la santé est largement atteint. Il est vrai que les chiffres que nous présentons ici ne nous permettent pas de savoir dans quelle mesure les diabétiques prennent, par exemple, la médication prescrite. Toutefois nous croyons que nous pouvons nous fier à ces premières données et les considérer comme des indicateurs valables de l'écart existant entre la perception des milieux de la santé et certains faits observés. Elles nous donnent les moyens d'affirmer raisonnablement que les diabétiques de Pessamit et des autres communautés autochtones adhèrent de façon beaucoup plus grande à leurs traitements que ce que croient les milieux de la santé.

Ces présentes données ne nous indiquent pas dans quelle mesure les diabétiques suivent leur médication ou encore transforment leur alimentation et leur mode de vie en fonction des prescriptions des professionnels de la santé. Cependant, notre pratique antérieure d'infirmier en milieu innu de même que nos observations nous permettent d'affirmer que la consommation des produits pharmaceutiques recommandée, comme du Diabeta et du Glucophage, est probablement proche des attentes. Même chose pour l'administration de l'insuline: là encore nous estimons que l'encadrement offert par les professionnels de la santé est généralement optimal et qu'il assure qu'un très grand nombre de diabétiques reçoivent les doses d'insuline prescrites.

UNE POPULATION SAVANTE

Dans le cadre du discours des professionnels de la santé, les personnes diabétiques (ainsi que la population autochtone en général) sont considérées comme imperméables aux enseignements dispensés. Le manque de connaissances qui en résulterait expliquerait qu'ils acquièrent peu de compétences considérées comme indispensables à leur état de santé.

Là encore nous avons essayé de vérifier ces assertions. Et pour ce faire, nous avons tenté de mesurer le niveau de connaissance de la population de Nutakuan et des diabétiques eux-mêmes en ce qui concerne les symptômes associés à cette maladie, les facteurs de risque ainsi que certains éléments de surveillance. En considérant les résultats obtenus auprès des Innus de Nutakuan (figure 11.2), nous constatons qu'une forte proportion de ces derniers parvient à identifier les différents facteurs de risque associés au développement du diabète. Tandis que 56,9 % des diabétiques mentionnent que l'obésité favorise le diabète, 38,9 % des répondants en général parviennent à identifier ce facteur de risque. Des résultats tout à fait similaires ont été obtenus dans les autres communautés où nous avons effectué cet exercice.

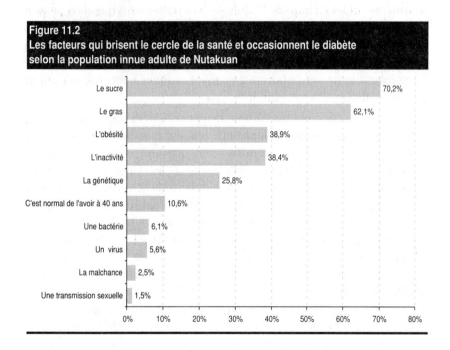

Figure 11.2
Les facteurs qui brisent le cercle de la santé et occasionnent le diabète selon la population innue adulte de Nutakuan

Il est intéressant à ce propos de noter que le sucre se classe au premier rang des facteurs identifiés comme favorisant l'émergence du diabète. Nous pouvons interpréter ces résultats en considérant qu'ils démontrent que de fausses idées sont véhiculées au sein des populations autochtones. C'est d'ailleurs la nature des propos que nous entendons lorsque nous partageons ces résultats avec des professionnels de la santé positionnés au cœur des réflexions concernant le développement de stratégies visant la diminution de la prévalence du diabète chez les Premières Nations. En réalité, selon le modèle explicatif biomédical, le sucre n'est pas un facteur de risque associé à l'émergence du diabète. Doit-on néanmoins interpréter ces résultats en cherchant uniquement à savoir si les populations visées détiennent des connaissances se rapprochant le plus des concepts et théories développées par les scientifiques de la biomédecine? Nous ne le pensons pas! L'anthropologie de la santé doit plutôt appréhender ces connaissances à partir d'un concept beaucoup plus large: celui de «savoir populaire», concept qui fait appel au corpus de connaissances que des populations possèdent. Ces connaissances pénétreront autant les champs de l'étiologie, des traitements que des comportements attendus de l'entourage ainsi que celui de la classification et de la taxonomie des maladies. On le sait déjà: le savoir populaire vis-à-vis de la maladie et de la santé se distingue à plusieurs égards du savoir médical. Toutefois, une de ses importantes caractéristiques concerne ses points d'ancrage multiples et sa pluralité.

Comment dès lors, sur la base de ces considérations, appréhender cette forte association qui est faite entre le sucre et le diabète au niveau du «savoir populaire»? Pour répondre à cette question, il faut tenter d'identifier certaines caractéristiques qui déterminent les relations établies entre les populations autochtones et les intervenants de la santé. En effet, nous savons aujourd'hui que le sucre n'est aucunement un facteur occasionnant le diabète. Pourtant, le discours de nombreux professionnels de la santé concernant le diabète est fréquemment et fortement associé à la consommation de sucre. Ce qui voudrait dire que cette inclusion du sucre en tant que facteur de risque dans le «savoir populaire» innu peut être le résultat des effets d'un discours empreint de valeurs morales. Ajoutons que ce discours pourrait aussi prendre racine dans la «préhistoire» du diabète, à l'époque où le sucre se trouvait au cœur des modèles étiologiques développés par la médecine officielle. En effet, le goût sucré ainsi que le fait que l'urine présente une caractéristique collante contribuèrent à ce qu'on appelle cette maladie le «diabète», mot signifiant le passage d'humeurs au travers de membranes et dans le cas qui nous intéresse, d'humeurs sucrées.

La présence de l'élément «sucre» dans le modèle explicatif populaire des Innus nous oriente donc vers le fait que, bien que cette maladie comporte sans aucun doute une dimension biophysiologique, le discours biomédical qui la nomme est, et spécialement en milieu autochtone, fortement lié à des valeurs morales. Puisque dans ce discours il est généralement considéré que l'hyperglycémie est associée à une forte consommation de sucre et que le diabète a longtemps été considéré comme une «maladie du sucre», il n'est pas étonnant que, chez les Innus, le diabète soit nommé *kashiuashiu*, «une personne sucrée».

Eux autres, mon père et ma mère, ils disent souvent que le diabète c'est le sucre. Mais ce ne sont pas des mangeurs de sucre. C'est pas des gros mangeurs de sucre. C'est rare que tu vas les voir manger du gâteau, de la liqueur, du chocolat. Eux autres c'est plus le gras. Ma mère elle a toujours cuisiné gras. Des fois elle dit souvent : « Je regrette comment je vous ai nourris. Si j'avais su je ne vous aurais pas nourri comme cela. » Ma mère, elle me racontait que la première fois qu'elle a entendu le mot diabétique, c'est une femme ici de Pessamit qui faisait du diabète. C'était la première fois. C'est en 1957-1958. Elle disait que c'était à cause du sucre. En montagnais, ça dit que c'est du sang sucré. C'était des gens qui étaient plus de mentalité blanche. Il avait été à l'hôpital de Baie-Comeau. (Femme, 57 ans)

Moi je ne pensais pas que ça allait me toucher. J'ai eu tout le temps de grosses difficultés depuis que j'étais jeune. Je mangeais ! Ça fait qu'à un moment donné à force de manger du sucre, on me disait : « Ben, tu vas faire du diabète. » (Homme, 41 ans)

Lorsque mon père est arrivé à la maison un moment donné, il ne filait pas. Dans ce temps-là, je pense qu'il avait soixante ans. Il dit : « Je vais aller passer des examens », puis il descend, puis tout ça. Parce qu'une prise de sang, on prenait pas ça ici. À l'hôpital. Il a eu ses résultats une semaine plus tard. Il dit : « J'ai du sucre dans le sang. » (Homme, 55 ans)

La forte inclusion de l'élément sucre dans le discours populaire nous rend plus à même de saisir quelles sont les priorités d'intervention des milieux de la santé et, au-delà, de mettre en évidence les intérêts associés à l'industrie pharmaceutique qui ne sont pas sans rapport avec ces fameuses priorités d'intervention. Nous savons que la consommation de sucre ne constitue pas, en soi, un facteur de risque associé à l'émergence du diabète. Par contre, nous savons que cette maladie se manifeste par la difficulté grandissante, voire l'incapacité partielle ou totale de l'organisme humain à assimiler les sucres qu'il ingère. Ainsi, lorsque le diabète est diagnostiqué, le discours utilisé par les professionnels de la santé (pour illustrer le mécanisme de cette maladie) intègre fréquemment dans ses énoncés le mot « sucre ». De son côté, le diabétique est invité à diminuer sinon à cesser totalement sa consommation de sucre et cela, de façon régulière et répétée. Toute la médication présentée et prescrite (hypoglycémiant, insuline) au diabétique vise pour sa part à aider l'organisme à assimiler les sucres ingérés. C'est ainsi qu'on lui recommande de vérifier quotidiennement sa glycémie capillaire par l'entremise d'un appareil nommé glucomètre et que, dans un souci de vulgarisation, l'infirmière ou le médecin, plutôt que d'utiliser le mot glycémie, utiliseront une expression qui pourra ressembler à la « mesure du taux de sucre dans le sang ».

Ce discours tient au fait que les principales interventions des milieux de la santé sont essentiellement orientées vers le moment où la maladie est apparue et est déjà bien installée. En d'autres mots, et en employant le vocabulaire des milieux de la santé, ces interventions sont orientées vers les niveaux de prévention secondaire et tertiaire.

LES CONNAISSANCES CONCERNANT LA GLYCÉMIE

S'il y a bien certains enseignements destinés aux diabétiques qui sont considérés de première importance par les professionnels de la santé, ce sont ceux correspondant à la connaissance des valeurs normales de la glycémie et des signes et symptômes de l'hyperglycémie et de l'hypoglycémie. Un des grands défis que se posent les milieux de la santé publique est celui de parvenir à conscientiser les diabétiques sur l'importance du contrôle adéquat et constant de la glycémie. En effet, tous les effets pervers associés au diabète, par exemple les troubles circulatoires et l'amputation, la cécité, l'insuffisance rénale ou cardiaque, sont étroitement reliés à l'absence de contrôle des taux de glycémie sur des périodes plus ou moins longues.

Au chapitre des connaissances détenues par les diabétiques concernant la glycémie et les signes et symptômes associés à des valeurs anormalement basses ou élevées de cette dernière, l'évaluation des professionnels de la santé est encore une fois passablement sévère. Ils considèrent en général que les diabétiques n'assimilent pas ces connaissances et que cette incapacité à y parvenir serait en grande partie à l'origine des écarts de comportement et du manque de contrôle des glycémies. Ignorant tout ou presque à ce propos, les diabétiques ne seraient donc pas en mesure de développer et d'appliquer des habiletés permettant un contrôle adéquat des valeurs glycémiques. Afin de pallier ce manque de connaissances, les professionnels de la santé se sentent obligés de faire sans cesse preuve d'inventivité pour développer des moyens pédagogiques et didactiques plus efficaces. Mais peut-on estimer le niveau réel de connaissance des diabétiques et des populations autochtones en général ?

Les résultats obtenus dans la communauté de Nutakuan sont à plusieurs égards fort étonnants, tout comme d'ailleurs ceux colligés dans les autres communautés innues évaluées. Ces résultats nous obligent, une fois encore, à questionner sérieusement certains des énoncés et présupposés de la santé publique. Il est capital pour les professionnels de la santé que les diabétiques apprennent et sachent quel est le taux normal de la glycémie, de manière à pouvoir gérer leur maladie avec discernement et efficacité. Si les diabétiques parviennent à identifier quel est le taux normal de la glycémie, ils pourront ajuster leur alimentation de même que leur médication en fonction des variations qu'ils enregistreront lors de leurs contrôles quotidiens. Malgré les nombreux efforts développés en ce domaine, le secteur de la santé considère toujours que cet objectif est peu atteint et qu'il faut donc investir de nouvelles énergies en ce domaine, c'est-à-dire développer des méthodes d'enseignement plus efficaces et capables d'améliorer les niveaux de connaissance en la matière.

Dans le questionnaire établi pour mesurer l'état de connaissance de la population innue, une des questions visait à évaluer le niveau de connaissance à l'égard du taux normal de glycémie. Nous avons ainsi pu constater (figure 11.3) que les trois quarts (75 %) de la population adulte de Nutakuan sont en mesure de reconnaître ce qu'est un taux glycémique normal. Nous ne possédons pas de données nous permettant d'établir une comparaison entre les résultats obtenus à Nutakuan et ce que nous pourrions retrouver dans la population québécoise en général. Par contre, les résultats obtenus dans les autres communautés innues concernées par nos évaluations nous permettent de constater que nous observons dans chacune d'elles des niveaux de connaissance très élevés au regard du taux normal de la glycémie.

Figure 11.3
Connaissance du taux de sucre dans le sang (glycémie) normal par la population innue adulte de Nutakuan

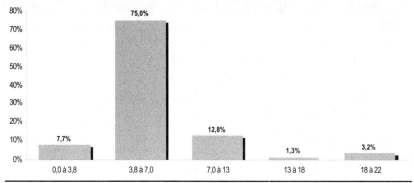

LES CONNAISSANCES CONCERNANT L'HYPERGLYCÉMIE ET L'HYPOGLYCÉMIE

En ce qui a trait à la connaissance des symptômes de l'hyperglycémie et de l'hypoglycémie, ces informations sont généralement enseignées aux diabétiques mêmes. Toutefois, les résultats obtenus au cours de notre évaluation à Nutakuan ainsi que dans les autres communautés montrent que ces connaissances sont diffusées relativement bien et s'étendent à la population en général. Une des questions de notre questionnaire visait à cerner les connaissances acquises par la population sur l'hyperglycémie. Plus de la moitié des répondants ont nommé les symptômes suivants parmi les quinze proposés pour l'hyperglycémie : fatigue (66,2 %), étourdissements (64,2 %), perte de poids (48,0 %), troubles de la vision (49,5 %), besoin de boire souvent (38,9 %) et envie d'uriner souvent (33,8 %).

En ce qui concerne l'hypoglycémie, nous constatons que les symptômes sont identifiés par les répondants mais dans des proportions moindres que ceux de l'hyperglycémie. Parmi les cinq réponses ayant été les plus choisies, les deux premières sont davantage associées aux symptômes décrits dans la littérature : les tremblements (64,1 %) et la faiblesse (53,0 %). Les maux de têtes sont pour leur part identifiés par 59,6 % des répondants. La « transpiration » arrive au cinquième rang avec 37,4 %, la « mauvaise humeur » avec 32,3 % et les nausées et maux de cœur avec 33,3 %. Manifestement les symptômes relatifs à l'hypoglycémie semblent un peu moins connus que ceux associés à l'hyperglycémie. Cet état de fait est facilement explicable compte tenu du fait que l'hypoglycémie se manifeste plus rarement. L'enseignement des professionnels de la santé concernant l'hypoglycémie est associé aux symptômes risquant de survenir à la suite de l'administration d'une dose d'insuline inadéquate et pouvant entraîner un coma diabétique. Et de fait, cette manifestation paraît plutôt exceptionnelle. Bien que le coma diabétique soit un phénomène relativement rare, il semble que la population innue entretienne des craintes importantes en ce qui concerne ce phénomène.

> J'ai jamais bu chaque jour. Mais je pouvais boire douze bières. Et ce, même si c'est dangereux de tomber dans le coma quand tu es diabétique. Je disais : « Regarde j'ai pris douze bières et je ne suis pas tombée dans le coma ! » La décision pourquoi j'ai décidé d'arrêter, c'est à cause de ma santé. (Femme, 46 ans)

> Il fallait que, après deux jours, je retourne au dispensaire, puis je dis à l'infirmière : « Tu vas-tu me donner l'information sur le diabète. C'est héréditaire, qu'est-ce qui va m'arriver ? S'il est trop haut, s'il est trop bas ? » Puis elle me parle d'affaires comme dans le coma... c'est là que je me suis rendu compte que la maladie, elle était en moi. (Femme, 41 ans)

Quoi qu'il en soit, les connaissances relatives à l'hyperglycémie et à l'hypoglycémie dont fait preuve la population innue nous font croire que celle-ci a les moyens pour reconnaître les symptômes du diabète et y être attentive. Nos entrevues, nos observations et notre pratique en milieu autochtone nous amènent à reconnaître qu'un grand nombre de nouveaux cas de diabète sont découverts chaque année dans les communautés précisément à la suite de ce type de connaissance.

MALGRÉ UN SUIVI ÉTROIT, DES VISITES FRÉQUENTES ET DES NIVEAUX DE CONNAISSANCES ÉLEVÉS, LES RÉSULTATS TARDENT

Aujourd'hui le village montagnais de Nutakuan[4], tout comme de nombreuses communautés amérindiennes du Canada, possède des services de soins de santé comparables à ceux d'un grand nombre de Canadiens. En fait, le système de santé primaire offert dans les régions nordiques du Canada est devenu au cours des dernières décennies l'un des meilleurs au monde pour les régions éloignées. Par exemple, les dépenses en santé par habitant dans les Territoires du Nord-Ouest sont près de trois fois supérieures à la moyenne nationale canadienne. Dans les communautés nordiques, les cliniques de santé primaire sont généralement modernes et bien équipées et le ratio « professionnel de la santé/bénéficiaires » est au-dessus des standards canadiens (O'Neil *et al.*, 1993 : 215). Alors qu'à Nutakuan, un médecin généraliste visite la communauté de trois à quatre jours par deux semaines, à Pessamit la présence du médecin généraliste est quotidienne. Soulignons également que tous les services de santé innus sont dotés d'un « service aux patients » qui assure la prise de rendez-vous et le transport des personnes nécessitant la rencontre avec un spécialiste. De plus, bien que nous ne possédions pas de données sur le sujet, notre expérience et nos observations nous portent à croire que les temps d'attente pour rencontrer quel que type de professionnel de la santé que ce soit sont considérablement moins grands pour les Innus que pour les non-autochtones.

Pourtant, malgré cette accessibilité aux services de soins et aux divers professionnels, la situation de la santé des peuples autochtones révèle toujours des écarts importants comparativement à celle de l'ensemble

---

4. Il en est de même pour Pessamit et tous les autres villages innus.

de la population du Canada. L'actuelle épidémie de diabète, qui progresse à un rythme effarant, en est un exemple frappant.

Dans les centres de santé autochtones, les professionnels investissent quotidiennement, mois après mois, de grandes quantités d'énergie afin d'assurer le suivi des personnes diabétiques. L'une des principales préoccupations des infirmières et des intervenants en santé communautaire est de dispenser de l'enseignement individuel aux diabétiques, aux étudiants à l'école et à la population en général (par la voie de la radio communautaire). Il est incontestable que cet enseignement parvient aux centaines de femmes et d'hommes de la communauté, diabétiques et non diabétiques, et qu'il s'inscrit dans la complexité de la trame des savoirs populaires. Pourtant, en bout de ligne, cette connaissance ne permet pas d'enclencher une baisse du taux de prévalence. Au contraire, celui-ci est en constante et rapide progression.

Les populations innues manifestent indubitablement un niveau élevé de connaissance relativement au diabète et à ses causes. Les objectifs de sensibilisation des professionnels de la santé ont été atteints. Mais alors, si les facteurs de risque du diabète sont bien connus et assimilés, comment expliquer que les membres de la communauté soient si peu motivés à changer leurs comportements? Joseph et Patterson (1993) affirment que le savoir ne mène pas directement à la modification des habitudes de vie. Ils notent qu'il n'y eut aucune différence dans le contrôle du taux de glycémie dans le sang entre les bénéficiaires qui étaient bien informés et ceux qui ne l'étaient pas. Pourtant, dans la pratique infirmière traditionnelle on imagine toujours que la correction des déficits de connaissance constitue une solution décisive au problème rencontré (*i.e.*, le contrôle du métabolisme).

Afin de parvenir à estimer l'effet des interventions soutenues des professionnels et des intervenants en santé communautaire vis-à-vis du diabète, nous avons évalué certains des résultats obtenus au regard des objectifs de contrôle de la glycémie et du poids des diabétiques. Rappelons à ce propos que ces deux objectifs représentent les cibles principales des professionnels de la santé: on sait en effet que le DNID est, d'une part, fortement associé à l'obésité et que, d'autre part, tous les effets pervers du diabète surgissent après de nombreuses années d'absence de contrôle de la glycémie. Pour y arriver et nous donner donc les moyens de vérifier les effets de ces stratégies, nous avons relevé dans les dossiers de tous les diabétiques, cette fois-ci de la communauté de Nutakuan[5], la variation des poids et des glycémies capillaires au cours des 24 mois précédant notre enquête.

Nous avons cherché à évaluer les résultats, en relevant dans les dossiers la variation des poids et des glycémies capillaires au cours des 24 dernières consultations de chaque diabétique. Bien que nous soyons conscient que l'intervalle entre chacune des consultations varie d'une personne à l'autre et d'une consultation à l'autre, nous avons tout de même procédé de cette façon pour des raisons de temps. Mais nous nous sommes aussi appuyé sur le fait que les protocoles de soins dans ces centres de santé préconisent généralement de rencontrer sur une base mensuelle les personnes atteintes de diabète. Nous sommes également conscients que la technique de prise de poids ne répond à aucun critère d'uniformité. Toutefois, nous avons pris en considération le fait que le poids inscrit à chacune des visites correspondait à une action posée par un professionnel de la santé, donc répondait tout de même à certains critères professionnels.

UN POIDS QUI SE MAINTIENT

La figure 11.4 a été constituée à partir de la saisie des poids des diabétiques colligés dans leurs dossiers respectifs. Lors des cliniques destinées aux diabétiques, la routine commande que soit pris et inscrit le poids du bénéficiaire. Le but de cet exercice consiste à vérifier si le diabétique parvient à perdre du poids ainsi qu'à estimer dans quelle mesure il se conforme à la diète prescrite. Les résultats permettent de constater que le poids des diabétiques de Nutakuan demeure relativement stable malgré l'encadrement serré offert, sinon imposé par les professionnels de la santé. Nous savons que certains diabétiques ont visité jusqu'à 24 fois ces professionnels au cours de la période concernée par l'analyse, c'est-à-dire en moyenne une fois par mois, et que certains autres peuvent effectuer plusieurs visites au cours du même mois. Soulignons que les services de santé de Nutakuan, en plus d'offrir les services d'infirmières et de médecins,

---

5. Nous avons également réalisé cet exercice à Unamen Shipu, Pakua Shipi, Matimekush et Ekuanitshit. Toutefois, dans ces communautés, plutôt que vérifier les résultats de glycémies capillaires, nous avons préféré les résultats d'*hémoglobine glycosylée*. Les résultats obtenus nous amènent à des conclusions tout à fait similaires à celles auxquelles nous sommes parvenues à Nutakuan.

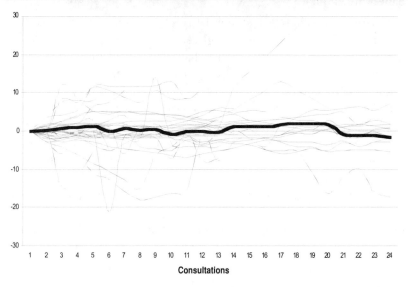

Figure 11.4
Variation de poids (kilo) des diabétiques de Nutakuan
au cours d'une période de 24 consultations au centre de santé

proposent ceux d'une nutritionniste. Bien entendu, nous pouvons considérer comme un succès relatif le fait qu'il n'y ait que peu ou pas de prise de poids. Mais un fait demeure : l'indice de masse corporelle (IMC) moyen observé chez les personnes de 15 ans et plus de Nutakuan se situe à 35,4, et les diabétiques n'échappent pas à cette tendance. Bien que toutes les personnes obèses ne soient pas diabétiques, on sait qu'il est reconnu par les milieux de la santé que 80 % des diabétiques souffrent également d'obésité. Bref, ces premiers résultats sont peu encourageants, surtout si on considère la somme des énergies et des efforts investis au cours des années passées par les différents secteurs des services de santé. Aussi, si nous prenons en considération le niveau de conscience et de connaissance de cette population au regard du diabète, nous sommes obligé de conclure, avec Joseph et Patterson, que nous ne pouvons aucunement établir ici une équation entre niveau de connaissance et changement de comportement.

LA STABILITÉ DANS L'INSTABILITÉ

La figure 11.5 permet de mettre en lumière les variations dans les glycémies capillaires prises lors des cliniques de diabétiques qui ont généralement lieu le matin. Cet autre graphique est, une fois encore, peu encourageant au regard des énergies investies auprès des diabétiques par les professionnels de la santé. Comme nous pouvons le constater, les valeurs glycémiques des diabétiques de Nutakuan affichent dans l'ensemble des valeurs nettement supérieures aux valeurs normales (3,8 à 7,0).

Il s'avère que les complications importantes du diabète, problèmes circulatoires, cécité, gangrène, amputation, problèmes cardiaques, insuffisance rénale, sont occasionnées par la persistance de glycémies non contrôlées. À ce titre il est prévisible que de nombreuses complications apparaîtront chez les diabétiques de ce village au cours de la prochaine décennie. D'ailleurs, dans les communautés de Nutakuan, d'Unamen Shipu et de Pessamit, nous observons un nombre grandissant d'amputations, de même qu'un accroissement des cas d'insuffisance rénale, de cardiopathie et de troubles de la vue, complications directement associées au diabète.

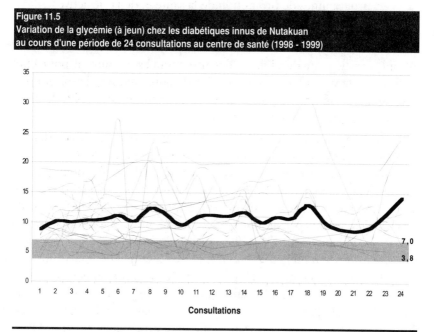

Figure 11.5
Variation de la glycémie (à jeun) chez les diabétiques innus de Nutakuan au cours d'une période de 24 consultations au centre de santé (1998 - 1999)

Note: La bande grise représente la zone des valeurs de glycémies normales, de 3,8 à 7,0.

Quand tu prends ta glycémie à tous les jours, à un moment donné, t'es décou-
ragé. Elle ne baisse jamais. Des fois, tu manges pas, puis il est aussi élevé que
celui qui vient de manger, puis tu prends ta glycémie. Dans ce temps-là, moi, je
prends plus, depuis quelques temps, je ne prends plus ma glycémie parce que moi
je fais des fois des hauts ou bien je vais faire des bas. Je vais faire de l'hypoglycé-
mie. Comme je vais faire de l'hyperglycémie, j'ai ben plus peur quand je fais de
l'hypoglycémie que de l'hyperglycémie, parce que dans ce temps-là, tu transpires,
t'as pas la force de marcher. Ça... j'ai peur, quand je fais de l'hypoglycémie.
(Femme, 42 ans)

EN CONCLUSION

Les quelques pages qui précèdent militent tout à fait à l'encontre
d'une quelconque corrélation pouvant exister entre « promotion de connaissances et changements de comportements ». Pourtant l'essentiel des
quelques dizaines de millions de dollars qui seront distribués sous l'égide
de l'IDA iront au financement d'activités supposant une telle corrélation :

- programmes d'éducation à l'école ;
- programmes de counselling en nutrition ;
- programmes de sensibilisation sur le diabète ;
- programmes de promotion de la santé et de la vie active ;
- programme de dépistage.

N'est-il pas surprenant de constater qu'autant d'énergie et d'argent
seront investis pour développer des programmes qui auront pour effet
d'accroître la surveillance et le contrôle de populations qui aspirent précisément, au contraire, à plus de pouvoir et d'autonomie, à plus de diver-
sités dans les choix qui s'offrent à elles ?

La Commission royale sur les peuples autochtones, en faisant siennes
les conclusions générales de l'ouvrage *Strategies for Public Health : Promoting*
Health and Preventing Disease, mettait en garde les décideurs politiques canadiens contre un accroissement des dépenses dans les secteurs relevant
de la biomédecine ou se situant à la périphérie de celle-ci. N'est-il pas
désormais reconnu par de nombreux milieux que les sommes d'argent
investies dans le secteur biomédical n'influencent environ que 10 % des
indices utilisés habituellement pour mesurer la santé ? Les États-Unis et le
Canada sont les pays où les dépenses dans le champ biomédical sont les
plus importantes. Pourtant l'espérance de vie de ces deux pays est infé-
rieure à celle du Japon, de la Suède et de la Finlande, et les taux de morbidité y sont bien supérieurs (Gouvernement du Canada, 1996c : 244).

Ne parvenant pas à délaisser l'association entre « connaissance et changement de comportements », les milieux de la santé publique, lorsqu'ils s'intéresseront au développement du diabète en milieu autochtone, en viendront à attribuer cet état de fait à des problèmes de communication trouvant leurs origines dans des écarts culturels importants.

> Les prestateurs de soins de santé et les chercheurs ont remarqué que les autochtones diabétiques ont tendance à ne pas respecter les prescriptions du médecin concernant les médicaments, le régime et l'exercice. Ils ont également observé que les programmes courants de prévention et de traitement n'ont aucun succès auprès des populations autochtones. Il est difficile pour tout le monde d'accepter de changer son mode de vie de façon à prévenir ou à lutter contre le diabète, mais les autochtones abordent les questions de régime et de contrôle de poids en fonction de leur culture, de leurs valeurs et de leur expérience. Ils ont besoin de programmes de prévention adaptés à leur culture (Gouvernement du Canada, 1996c : 165).

Dans le but d'éliminer ces freins à la communication, les responsables de l'IDA ont établi cet autre objectif à leur programme : appuyer l'élaboration d'une approche adaptée à la culture à l'égard des soins et des traitements, des programmes de promotion de la santé et de la prévention du diabète, ainsi que des programmes de soutien pour un bon mode de vie.

CHAPITRE 12

La relation clinique, une relation teintée d'inégalité

Malgré les prétentions des praticiens de la santé d'établir en milieu clinique une relation respectueuse et égalitaire avec le bénéficiaire, celle-ci est *de facto* profondément marquée de rapports inégaux. Les intentions des individus œuvrant dans le cadre des institutions médicales auront beau revêtir leurs habits les plus nobles et les plus sincères, il n'en demeure pas moins que les rôles sont profondément marqués de significations ne relevant aucunement des intentions. Bien que la relation praticien/bénéficiaire se construise au présent, elle est invariablement teintée par une histoire donnée et réinterprétée à partir des mémoires collective et individuelles. Le fait qu'un individu occupe une fonction associée au domaine de la santé fait de lui le porteur d'une « symbolique d'autorité » particulièrement chargée de sens depuis les dernières décennies. Plus qu'une personne intervenant sur la maladie, le médecin est, aussi pour un grand nombre d'Innus, un personnage assumant un rôle d'autorité politique au sein de la réserve. Il a contribué à dévaloriser la médecine traditionnelle et à l'entraîner dans la clandestinité. Il a également été ce personnage ayant commandé l'arrestation de nombreuses personnes pour qu'elles soient « déportées » vers les sanatoriums. Certaines d'entre elles n'en sont d'ailleurs jamais revenues ! En se référant à cette mémoire collective, médecins, infirmières et institutions de la santé prennent une signification qui va bien au-delà des désirs et ambitions des personnes occupant aujourd'hui ces fonctions et agissant dans le cadre des institutions. Mais ces fonctions implicites qu'on accorde, et bien souvent à leur insu, aux acteurs de la scène médicale, ne sont pas uniquement le reflet d'une réinterprétation de l'histoire. Elles sont également lourdes de significations actuelles, produites et reproduites par les inégalités sociales et économiques contemporaines.

> *Quand je me souviens. Il y avait un médecin ! Mais en même temps qu'il était médecin, il était représentant du gouvernement. C'est lui qui s'occupait de l'administration de la réserve. En même temps, son métier était médecin. Mais, en surplus, ils lui ont donné l'administration. Puis c'est lui qui s'occupait de tout, de toutes les choses qui se passaient ici. Comme quand c'était le temps de faire des élections, quand c'était le temps de donner les bons, des bons, voyons... des rations... [rire]. C'était lui qui arrangeait tout. Il était médecin. C'était peut-être pas le meilleur, mais en tout cas c'était un médecin [rire]. (Femme, 83 ans)*

Le médecin était bien plus que le médecin, c'est-à-dire cette personne destinée à traiter la maladie. Il était le représentant de la Couronne sur la réserve, celui qui détenait des pouvoirs que conférait la *Loi sur les Indiens*, et cela, en plus de pouvoir diagnostiquer la maladie et prescrire des médicaments ! Il pouvait également décider qui pouvait ou non recevoir des «bons de ration», qui pouvait ou non recevoir l'aide de l'État colonial pour obtenir de la nourriture.

L'accession au statut de malade pouvait entraîner une arrestation et l'enfermement de force dans un sanatorium pour un temps indéterminé, loin des siens. Mais être décrété malade pouvait également donner accès à des aliments particulièrement rares à cette époque où la pauvreté pouvait parfois être extrême.

> *J'étais pas riche dans ce temps-là. Je m'en rappelle de ça. C'était pauvre, c'était pauvre, parce que à un moment donné ma mère dit : « Il y a pas de farine. » Mon père était dans le bois pour dix mois. Ma mère lui donnait de la farine, de la graisse, de la poudre à pâte, des beans pour qu'ils subsistent avec ça. Puis Noël, je m'en rappelle. Nous autres, on était habillés. On était pas beaucoup de personnes qui travaillaient dans ce temps-là. Je veux dire comme aujourd'hui. Il n'y avait même pas d'assistés sociaux. Quand mon père arrivait de la chasse, ben il payait ce qu'on devait. Puis mes oncles mangeaient avec ça chez moi. Ils ne travaillaient pas. Puis ce Noël-là, je m'en rappelle, ma mère nous habillait, ma sœur, mon frère travaillaient. C'était pauvre ! Il y avait des jeunes qui n'avaient pas de linge. Ils étaient assez pauvres qu'ils n'avaient pas de linge. Nous autres, nous étions obligés de leur en donner. Les maisons étaient surpeuplées. Il y en a qui montait dans le bois avec des familles, même avec la parenté. La personne montait dans le bois avec ses enfants. (Femme, 51 ans)*

Si la contestation de l'autorité médicale fut d'abord silencieuse et si aujourd'hui encore elle s'exprime et se vit particulièrement dans l'intimité des maisonnées, elle n'en est pas pour autant dénuée de signification. Loin de là! D'autant plus que cette traditionnelle fonction d'autorité est réinterprétée à la lumière de la conjoncture actuelle et des propres champs d'intérêts du patient. Le professionnel de la santé est celui qui sait, celui qui peut diagnostiquer, «condamner» une personne à être ou ne pas être «malade». Et si aujourd'hui être malade peut comporter des droits, cet état-là renvoie aussi à des obligations. C'est le professionnel de la santé qui a l'autorité de dire si tel ou tel comportement est adéquat ou non. S'agit-il d'une saine habitude de vie ou d'un comportement à risque, d'un comportement irresponsable? Qui tranchera, si ce n'est enfin de compte le professionnel? Tout comme c'est lui qui prédira ce qui arrivera au patient. Il peut annoncer la mort, l'amputation, la cécité. Il peut complimenter, sanctionner. Il peut également contribuer à entretenir un climat de peur, en brandissant la menace d'un plus grand mal, d'une amputation, etc.

> *Il y a du monde qui ont peur de savoir qu'ils sont diabétiques. Ils ont trop peur de savoir. Peut-être qu'il y en a qui ont peur d'aller chez le médecin. Rien que le fait d'aller chez le médecin, ça leur fait peur. Ils ont peur d'aller passer des examens, ils ont peur.* (Groupe focus, femmes, 40 à 55 ans)

Les caractéristiques de ce rapport entre praticiens de la santé (médecins et infirmières) et acteurs communautaires, nous pouvons en dévoiler quelques dimensions, par le biais de résultats obtenus lors des évaluations de besoins et de services de santé. Le questionnaire distribué parmi ces populations contenait trois questions qui visaient à évaluer le niveau de confiance des femmes et des hommes envers les infirmières, les médecins et la médecine innue.

Les résultats obtenus dans chacune des communautés concernées sont une illustration des constatations faites au cours des entrevues réalisées à Pessamit. Afin de ne pas alourdir cette démonstration nous utiliserons les résultats provenant des communautés innues d'Ekuanitshit et de Matimekush, puisque ceux-ci sont comparables à ceux d'autres communautés. Ces résultats illustrent plus que la simple façon dont une population peut exprimer sa confiance envers des soins et des traitements reçus. Comme le montre la figure 12.1, que ce soit à Matimekush ou à Ekuanitshit, infirmières et médecins généralistes sont les professionnels de la santé qui reçoivent les plus bas niveaux de confiance. Si les infirmières reçoivent une évaluation relativement élevée, les médecins généralistes en reçoivent une plus basse. Ainsi, à Matimekush, les infirmières obtiennent 7,3 alors que les médecins généralistes reçoivent 6,3. À Ekuanitshit, nous avons une situation tout à fait inverse. Cette fois les infirmières ont obtenu une note de 5,9 alors que les médecins généralistes ont reçu un taux d'appréciation de 6,9. Mais, le plus remarquable concerne le taux de confiance que les répondants accordent à la médecine innue. Tant à Ekuanitshit qu'à Matimekush, nous avons obtenu des taux de confiance se situant tout près de la note parfaite.

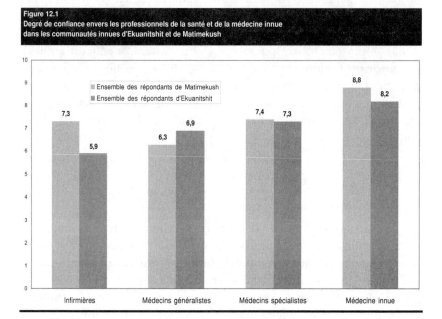

Figure 12.1
Degré de confiance envers les professionnels de la santé et de la médecine innue dans les communautés innues d'Ekuanitshit et de Matimekush

À la figure 12.2, la note de confiance octroyée à la médecine innue par les aînés est dans certains cas pratiquement parfaite. En effet, tant à Ekuanitshit qu'à Matimekush, nous avons des taux de confiance de 9,7 alors qu'ils sont par exemple de 7,5 à l'égard des infirmières des deux communautés.

Chez les plus jeunes (figure 12.3), l'écart entre les taux de confiance accordés aux professionnels de la santé et ceux octroyés à la médecine innue est aussi très grand. Certes au niveau de toutes les catégories de professionnels, les plus jeunes membres des communautés offrent des taux de confiance inférieurs à ceux octroyés par leurs aînés. Mais ils accordent tout de même plus de confiance à la médecine innue.

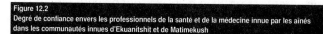

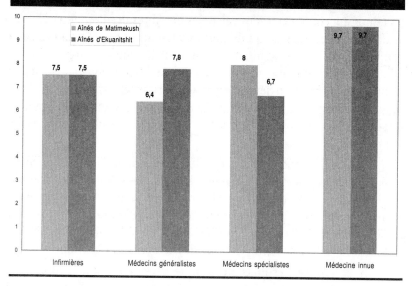

Figure 12.2
Degré de confiance envers les professionnels de la santé et de la médecine innue par les aînés dans les communautés innues d'Ekuanitshit et de Matimekush

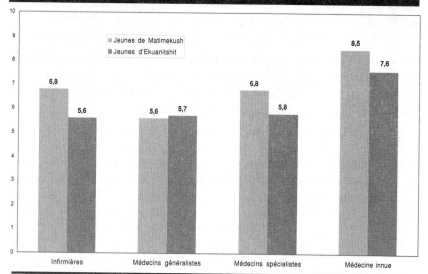

Figure 12.3
Degré de confiance envers les professionnels de la santé et de la médecine innue par les jeunes dans les communautés innues d'Ekuanitshit et de Matimekush

Que nous suggèrent ces résultats ? Notons tout d'abord l'intérêt suscité ainsi que l'absence d'inhibition avec laquelle les répondants de toutes les communautés ont répondu à cette question. C'est en soi un signe des temps. La confiance renouvelée des membres des Premières Nations envers leur culture et ce qu'ils sont eux-mêmes est un élément remarquable. Dans le monde autochtone, s'affirme de plus en plus un discours identitaire. La culture dite traditionnelle dont l'expression était, il y a peu, encore objet de dérision devient objet de valorisation, et la médecine traditionnelle en fait manifestement partie. Nous faisons le pari qu'une telle question, il y a vingt ou même dix ans, aurait buté sur un infranchissable mur de discrétion.

Les réponses obtenues à la question concernant la médecine innue rejoignent la trajectoire des discours identitaires et donc les ambitions politiques des Autochtones. De ce fait, nous estimons que les écarts entre les niveaux de confiance obtenus par la médecine innue et ceux obtenus par les catégories de professionnels relevant de la biomédecine révèlent un très net positionnement politique des acteurs de ces communautés.

En ce sens, ces résultats illustrent le fait que les significations associées aux professions de la biomédecine vont bien au-delà de leur prétention « scientifique » à l'objectivité, à être donc apolitique et à se consacrer uniquement à l'amélioration de la « santé pour tous ». Ils sont l'illustration tangible du fait que les rapports entretenus par la biomédecine avec la maladie et les populations de bénéficiaires sont inscrits dans des rapports de pouvoirs et servent des intérêts. Et ce ne sont pas seulement les propos d'acteurs autochtones qui nous permettent de l'affirmer.

Le prochain extrait, tiré d'une entrevue réalisée auprès d'une infirmière ayant œuvré pour Santé Canada au cours des années 1950-1960, offre quelques éléments permettant de considérer que les infirmières embauchées par ce ministère avaient, quoique de façon informelle, une mission sociale, voire un rôle clairement politique.

> *Mais nous autres quand on travaillait comme infirmière pour Santé Canada, on avait des avertissements. Il ne fallait pas trop fréquenter les Autochtones. Il ne fallait pas sortir avec des garçons autochtones. Il fallait surtout pas avoir de chum autochtone. C'était mal vu. Je pense qu'il y a des infirmières qui se sont fait renvoyer parce qu'elles avaient sorti avec des Autochtones. Mais, tu sais, c'est des affaires que tu sais entre les branches là. On était envoyées ici comme des bonnes sœurs. Tu t'en allais là pour travailler pour les Indiens. Une espèce de bonté colonialiste. Ce monde-là n'était pas méchant. Mais ils avaient une vision très coloniale. Très colonialiste envers des colonisés. Partout, c'était comme ça. Les Affaires indiennes quand ils parlaient que les conseils de bande allaient prendre*

la gestion. C'était sûr que c'était pour faire un «flop». Il n'y avait pas un Autoch-tone qui était capable de gérer un budget. Ils ne leurs avaient jamais donné de l'argent non plus. Au début, ils ne leurs donnaient pas d'argent. Ils leurs don-naient des tickets. Ils faisaient des échanges de tickets à la Baie d'Hudson. Ils n'avaient pas d'argent les Autochtones parce qu'ils n'auraient pas su quoi faire avec ça.

Là ils leur ont donné ça. Ils leur ont dit: «Si vous êtes capables, mais faites le donc!» Mais ils ne leur ont jamais montré. Puis après ça ils disaient: «Tu vois bien, nous sommes obligés de les mettre en tutelle.» J'ai entendu beaucoup d'affaires comme ça. C'est une manne les Autochtones. C'est des gros budgets. C'est pas juste les Autochtones qui profitent de ces budgets-là. J'en ai vu des voyages d'avion, de fonctionnaires la fin de semaine, le vendredi matin pour venir porter les chèques de ration avec des cannes à pêche. Des fois le jeudi soir parce qu'il y avait aussi des belles petites filles. C'était aussi en dessous de la couverte [rire]. C'est le cas de le dire. Ils venaient passer la nuit, et ils repartaient le lendemain matin. Mais, je ne sais pas. J'ai toujours été ambivalente avec Santé Canada. J'ai toujours pensé qu'ils traitaient les gens comme des débiles sous couvert de la bonté. La même chose que les sœurs faisaient avec nous autres à l'école des missionnaires. C'est beaucoup un monde de missionnaires. Il y en a des moins nocifs que d'autres. (Entrevue réalisée auprès d'une infirmière ayant œuvré pour Santé Canada, 52 ans)

Les précédents éléments nous montrent qu'en milieu autochtone les relations impliquant les professionnels de la santé et les acteurs sociaux, et plus spécifiquement les bénéficiaires, relèvent de relations de pouvoir. Ces dernières ne peuvent être appréhendées et considérées qu'en prenant en compte les dimensions «macro». Bien sûr, elles reflètent les rapports coloniaux des précédentes décennies. Mais pas seulement! Elles sont vécues dans la contemporanéité et impliquent aussi les acteurs sociaux actuels. D'autant plus si on tient compte du fait que, comme à Pessamit, la majeure partie des professionnels de la santé sont issus de la culture innue. Tout au long des mois où nous avons réalisé notre recherche à Pessamit, les infirmières du centre de santé étaient à 90 % natives de ce village. Elle étaient donc issues de la culture innue et se réclamaient toutes de cette nation. Un des médecins visiteurs aussi était innu, sans compter tous les autres intervenants (RSC, PNLADA), de même que la personne occupant le poste de direction des services de santé. Malgré cette proximité culturelle, nous avons tout de même recueilli une série de données nous permettant d'estimer l'existence de tensions et de jeux de pouvoir associés par un grand nombre d'acteurs communautaires à la société dominante. Ceci nous amène à considérer que, d'une part, les fonctions associées à la biomédecine sont profondément imprégnées d'un passé colonial (plus ou moins récent), mais également qu'elles sont perçues et interprétées par les acteurs contemporains à la lumière d'intérêts relevant de la modernité. Et il faut admettre que ces jeux d'intérêts et de pouvoirs sont suffisamment puissants et importants pour faire passer au second plan l'appartenance d'un individu à la nation innue, si celui-ci occupe par exemple un poste en soins infirmiers ou de médecin.

LA CLINIQUE, UN LIEU D'AFFRONTEMENT POLITIQUE

Pour les infirmières et autres professionnels de la santé, les actes posés en clinique et auprès des populations relèvent de la science, de la neutralité et de l'objectivité. Mais pour les populations autochtones ainsi que pour les individus en relation avec la clinique, les perceptions sont tout autres. Les récits des infirmières ayant travaillé en milieu autochtone au cours des années 1950 à 1970 relatent en général des expériences empreintes de collaboration et de rapports amicaux avec les populations et les bénéficiaires. Par contre, à partir des années 1980, les récits se teintent de plus en plus de tension entre les cliniciens, les bénéficiaires et la population. Il est fréquent maintenant que des bénéficiaires insatisfaits d'une décision tiennent à l'infirmière des propos pouvant ressembler à ceux-ci: « Tu es payée avec notre argent! Tu dois me soigner et faire ce que je te demande! » D'autres iront jusqu'à formuler des plaintes au Conseil de bande parce que, par exemple, l'infirmière n'a pas accepté de se rendre à domicile, n'a pas donné d'antibiotiques à un enfant ou encore n'a pas autorisé un transport.

La clinique en milieu autochtone relevait jusqu'à récemment de l'administration fédérale. Aujourd'hui, un grand nombre de services de santé en milieu autochtone relève directement des Conseils de bande et, de ce fait, la gestion du personnel incombe désormais aux dirigeants des communautés. Et cela évidemment change bien des choses, tant du côté des Autochtones que du côté du personnel des services de santé. Les infirmières qui étaient au service de Santé Canada bénéficiaient de droits enchâssés dans une convention collective et d'une certaine sécurité d'emploi. Aujourd'hui, dans beaucoup de services de santé relevant de l'administration du Conseil de bande, les infirmières sont employées sur la base de contrats annuels n'offrant pas toujours de certitude de renouvellement. Les conditions de travail ne sont pas toujours clairement définies et reposent rarement sur un document écrit. Dans ce contexte, il est probable qu'un grand nombre de professionnels de la santé, spécialement d'infirmières, se trouvent en situation précaire et risquent de perdre leur emploi si un conseiller politique le décide.

Notre propos n'est pas ici de mettre en relief le fait que les plaintes adressées ne sont pas d'ordre professionnel et qu'elles ne concernent pas la qualité des soins reçus. Elles sont également l'expression de rapports qui vont au-delà de considérations simplement professionnelles. Les relations que nous observons dans le milieu de la clinique sont le reflet de rapports de pouvoir et de relations qui impriment des dynamiques particulières à un niveau « macro ». Ainsi, de même que nous observons un accroissement des revendications politiques au niveau « macro » (au niveau de l'État par exemple), de même nous observons un accroissement de ce type de rapports à un niveau « méso » et « micro ».

La crise d'Oka a contribué à exacerber les rapports entre les sociétés autochtones et non autochtones. D'un point de vue « macro » bien sûr, mais également dans une perspective « micro ». Sur la Côte-Nord de nombreux parents ont, pendant cette crise, retiré leurs enfants des écoles de Sept-Îles parce qu'ils étaient victimes au quotidien d'expériences racistes troublantes. Les relations cliniques ne sont pas détachées de ces évènements politiques qui marquent la vie de toute une société. Le témoignage d'une infirmière en fait foi :

> *On m'a engagée pour un remplacement de quelques semaines. Évidemment, je devais faire de la garde. Un soir j'ai reçu un appel d'une mère. Mon enfant, me dit-elle, fait de la température et a mal aux oreilles. Puisque je perçois que mon rôle est de soigner bien sûr, mais d'offrir de l'enseignement, j'ai entrepris de lui poser quelques questions afin de l'amener à poser elle-même des gestes et de porter des soins. Elle n'avait pas pris la température de l'enfant. Je lui ai demandé de le faire, et je lui ai fait quelques recommandations afin qu'elle me rappelle un peu plus tard avec quelques autres informations et après avoir posé quelques gestes. Par exemple donner du Tylénol ou encore donner un bain tiède à l'enfant. C'est alors qu'elle s'est mise à m'engueuler en me disant que j'étais payée pour soigner le monde et que si son enfant était davantage malade, ce serait de ma faute. Elle me raccrocha la ligne au nez et quelques minutes plus tard le téléphone sonnait à nouveau. C'était un membre du conseil de bande, responsable du dossier de la santé. Il me dit : « Pourquoi tu ne veux pas soigner le monde ? On t'a engagée c'est pour donner des soins… » Sentant que mon emploi était en jeu, j'ai donc dit au conseiller de rappeler cette mère de famille et de lui demander de venir. Elle est arrivée quelque temps plus tard avec son enfant. L'examen physique que j'ai fait à cet enfant ne me permettait pas de conclure à une otite, mais la mère voulait des antibiotiques pour son enfant. Je lui en ai donné. J'ai acheté la paix avec des antibiotiques et sauvegardé mon emploi. J'ai agi contre mes convictions…*

Dans un village du Nord québécois, au cours des années 1990, un Conseil de bande met systématiquement à la porte toutes les infirmières qui remplacent une infirmière permanente pendant ses congés : elles font l'objet de plaintes multiples parce qu'elles n'offriraient pas les mêmes services que l'infirmière permanente. Après enquête, on réalise que celle-ci cumule à chaque semaine de nombreuses heures supplémentaires en répondant à pratiquement toutes les demandes des bénéficiaires. Ainsi, elle effectue régulièrement des visites à domicile au cours des nuits pour aller prendre la température d'enfants ou pour donner du Tylénol. Elle invite des personnes à son domicile, discute avec elles, leur offre des massages et inscrit sur ses feuilles de temps le fait qu'elle a rencontré des bénéficiaires dans le cadre de « relations d'aide ». Résultat : elle reçoit des salaires hebdomadaires nettement au-dessus du salaire moyen des autres infirmières. Les services qu'elle offre à la population sont néanmoins interprétés par des segments de la population comme provenant d'une infirmière qui « comprend vraiment les Indiens » et que cette « Blanche contrairement aux autres invite dans sa résidence des Autochtones, et en plus elle leur offre à boire ». En fait, les « soins » et « services » dispensés par cette infirmière sont interprétés et appréciés par certains segments de la population en fonction de valeurs tout à fait autres que celles auxquelles ils sont supposés répondre, c'est-à-dire des valeurs professionnelles correspondant à des modèles théoriques en soins infirmiers et à des critères d'ordre biomédical.

Ce que ces évènements nous permettent de prendre en considération, c'est que les relations entre les populations autochtones et les milieux cliniques ont pris aujourd'hui des dimensions qui vont bien au-delà de simples considérations thérapeutiques. La clinique est un lieu d'exercice du pouvoir, l'occasion pour certains acteurs des communautés autochtones d'acquérir du pouvoir sur d'autres acteurs qui sont perçus comme des représentants de la société dominante[1].

---

1. Nous avons évoqué ainsi la question du transfert des services de santé aux bandes amérindiennes (spécialement à partir de 1988) : « Le pouvoir autochtone n'est pas le corollaire d'une amélioration des conditions de vie et de santé des communautés ; tout est dans la manière d'exercer ce pouvoir. » Mais il faut aller plus loin, car à travers ce transfert de compétences, se complexifient (et se brouillent !) grandement les jeux de pouvoir. D'une certaine manière, c'est tout le sens du biopouvoir et de sa logique panoptique qui tend à se retourner, à s'inverser. Cette fois-ci, il n'est plus géré, contrôlé de l'extérieur par des Blancs, représentants du pouvoir fédéral et de ses politiques de colonialisme interne, mais par des Autochtones, ou plus exactement par certains groupes d'intérêts autochtones qui vont reprendre plus ou moins à leur insu sa logique

DU SYSTÈME DE SURVEILLANCE PANOPTIQUE
À L'APPROCHE CLINIQUE

On le sait, le système de surveillance panoptique du pouvoir biomédical a donné naissance au niveau de l'intervention clinique à une logique normalisante qui cherche à cerner puis à réduire des écarts par rapport à une norme. Dans le cadre de la relation clinique, les sciences de la santé ont établi un modèle devant permettre une prise en compte objective de la réalité. À l'aide de ce modèle, les professionnels de la santé doivent parvenir à identifier si oui ou non il y a écart à la norme et, si oui, dans quelle mesure afin de prendre les moyens de rétablir l'état normal des choses. En fonction de ce modèle, le « problème » de santé d'un individu est regardé et analysé à partir d'une approche dite « scientifique ». Celle-ci prendra tout d'abord en compte les éléments subjectifs (S) amenant l'individu à consulter. Par la suite, le praticien de la santé entamera une procédure devant lui permettre de recueillir une série d'observations objectives (O)[2]. Une fois ces informations subjectives et objectives obtenues, le praticien de la santé sera en mesure d'effectuer une analyse (A) et, finalement, de mettre en route un plan d'action (P).

C'est sur la base de ce protocole qu'a été mis en place un système de surveillance qui a pu prendre, par exemple, la forme de campagnes de dépistage (à l'image de celles menées dans le passé contre la tuberculose), mais qui se révèlera dans toute sa force lors de l'annonce d'un diagnostic de diabète. Car celui-ci est le prélude d'un changement fondamental : le marquage de l'Autochtone par une instance identifiée à la société autre. C'est toute la vie qui bascule. Le diabétique se trouve subitement sous le regard inquisiteur des professionnels de la santé. Ceux-ci ont, dès lors, le droit de scruter un à un chacun des aspects de l'organisation de sa vie. La vie sera désormais régie par une série de règles répondant aux impératifs de la biomédecine. Mais c'est principalement à la diététique que revient le mandat de gérer cette maladie. Puisque le modèle biomédical établit que c'est le métabolisme des glucides qui est à la source du diabète et que ce dernier est associé à un processus relevant

---

de fond, tout en la combinant au discours revendicateur du contre-pouvoir autochtone sur les « droits », brouillant d'autant tous les enjeux de pouvoir en cause.

2. Ce regard objectif si essentiel à la clinique, c'est véritablement lui que Foucault décortiquera dans l'archéologie de la naissance de la clinique (1993). Ce regard qui permet de révéler les altérations tissulaires internes, en somme tout ce qui est de l'ordre de l'invisible, et qui exige aussi la mise en place de procédures impliquant le toucher, la palpation, l'ouïe, le regard, l'odorat ainsi que des instruments de mesure.

de la diététique, on considérera que le diabète est une maladie de la nutrition. C'est donc à la science de la nutrition que revient le mandat d'établir les grands principes qui sont à la base de la gestion du diabète.

À ce niveau, les objectifs de la diététique chez un sujet diabétique sont de quatre ordres :

- assurer un apport nutritionnel équilibré et adapté ;
- éviter ou minimiser les fluctuations glycémiques extrêmes dans le sens de l'hyper ou de l'hypoglycémie ;
- participer au contrôle des facteurs de risques vasculaires, y compris l'hypertension artérielle ;
- aider à réduire l'évolution de certaines complications micro-vasculaires, rénales en particulier.

Le traitement du diabète a des répercussions sur presque tous les aspects de la vie quotidienne de l'individu. Sa constitution physique est ainsi prise en compte et traduite par l'établissement de l'« indice de masse corporel » (IMC). Cette première détermination permet d'établir si la personne souffre ou non d'obésité ou, en des mots plus acceptables, si elle présente un « poids santé ». Puis on effectuera le bilan des « ingestas » qui permet d'établir la quantité de calories ingérées par l'individu de même que la qualité des produits consommés. Le niveau d'activité physique est également pris en considération. Une fois le profil de l'individu établi, une prescription est définie et donnée à la personne diabétique.

Cette prescription oblige désormais l'individu à :

- mesurer quotidiennement ses glycémies capillaires ;
- établir un horaire alimentaire ;
- transformer ses habitudes alimentaires afin qu'elles soient conformes aux indications du guide alimentaire ;
- établir un programme hebdomadaire d'activité physique ;
- prendre quotidiennement sa médication orale ou se donner, à une ou plusieurs reprises, des injections sous-cutanées d'insuline ;
- porter une attention particulière aux soins des pieds ;
- visiter régulièrement les professionnels de santé désignés (nutritionniste, infirmière, médecin, ophtalmologiste, etc.).

On comprendra que tous ces changements entraînés par la diète et les logiques de la prescription auront de profonds effets sur la qualité du rapport qu'entretient l'individu avec la société où il évolue. La prescription et la diète vont toucher le cœur de sa vie. C'est sa façon de manger, la composition de ses repas, son apparence et son schéma corporel qui sont questionnés et mis au banc des accusés. Le diagnostic, la prescription et la diète concernent tout l'être innu, son corps individuel évidemment, mais également son corps social et politique.

Dans ce contexte, que devient cette personne rencontrée entre les quatre murs de la clinique, dans le creuset de la relation impliquant praticien et patient? Pour les milieux de la clinique, il se muera, au pire, en une série de paramètres biomédicaux, au mieux, en un être rationnel capable de faire des choix judicieux répondant aux impératifs de sa maladie. Mais les milieux de la clinique oublient l'essentiel. Cet individu, porteur d'un diagnostic de diabète, est un être appartenant à un univers social particulier, lui-même quadrillé de logiques de pouvoir complexes.

DU CONTRE-POUVOIR AUTOCHTONE
À LA SURVEILLANCE POPULAIRE

La stratégie de surveillance (et de mise à la norme) de l'approche clinique n'est pas exclusive. Au sein de la réserve, il en existe une autre que nous avons choisie de nommer «surveillance populaire». Celle-ci possède un pouvoir tout aussi redoutable et s'exprime par une multitude de gestes et d'attitudes endossés puis reproduits par les membres de la communauté. Les normes établissant le non-état de diabétique sont très bien connues par les Innus de toutes les catégories d'âges.

L'état d'alerte et le haut niveau de connaissance observés permettent de comprendre pourquoi des individus présentant des symptômes précurseurs du diabète (polyurie, polydipsie, etc.) sont rapidement identifiés par des proches et «contraints» d'aller consulter une infirmière ou un médecin.

Le «système de surveillance populaire» est d'une grande efficacité pour détecter tout écart à la norme ou pour repérer toute entrée nouvelle dans le domaine de la norme. En effet dans les communautés autochtones, il est de plus en plus «normal» qu'au tournant de la quarantaine, un membre des Premières Nations devienne diabétique.

> *Mon père était diabétique. Il se faisait des glycémies chez nous, mais moi je ne demeurais plus avec eux. Puis une fin de semaine, je suis allée chez ma mère et mon père. J'ai dit à ma mère: «J'ai toujours froid. Je dors tout le temps et j'ai toujours faim.» Ma mère m'a dit: «Peut-être que tu es diabétique ma fille. Demande à ton père!» Un matin, je me suis rendue à la maison de mes parents et j'ai dit à mon père: «Vérifie donc ma glycémie.» Il a vérifié et j'avais vingt-deux!*

> *Vingt-deux à jeun* [rire]. *Ça fait que mon père a dit : « Ah, c'est beaucoup ça vingt-deux. » Moi je savais pas. Me semble que c'était rien vingt-deux. Il m'a dit alors que la moyenne c'est : « Il faut que ta glycémie soit à cinq ou quatre le matin, à jeun », m'a t-il dit. Là j'ai su que j'étais diabétique.* (Femme, 33 ans)

> *J'avais tout le temps envie de boire. J'avais tout le temps les lèvres sèches, puis j'urinais beaucoup. Ça fait que je suis allée voir le médecin. Il m'a fait passer des tests, ben des tests, des tests sanguins. C'est de même que je l'ai appris. Je m'y attendais parce que du côté de mon père, il y avait beaucoup de diabète comme certaines de mes tantes. Ça fait que quand j'ai eu les symptômes, j'ai tout de suite pensé que peut-être moi aussi je l'avais. Mais de là à comment je l'ai pris. Ça ne m'a pas dérangé vraiment. Nous autres, quand dans la famille on se posait des questions, on disait : « C'est quoi les symptômes ? Comment tu l'as su que t'étais diabétique ? » Quand je l'ai su moi, quand j'avais une envie de boire beaucoup.* (Femme, 49 ans)

Dans un grand nombre de milieux autochtones nous observons cette « normalisation » du diabète. Nous remarquons également un phénomène paradoxal : si plusieurs individus, conséquemment aux savoirs qu'ils ont pu acquérir en la matière, vont vivre l'annonce du diagnostic de diabète comme un moment particulièrement dramatique, ils ne tarderont pas à entrer dans un processus de relative banalisation de la maladie.

> *Mais tu sais, le changement. Ils ont tellement de cas de diabète eux autres. As-tu déjà vu un Indien avoir peur du diabète ? Il n'y en a pas ! Vois-tu un Blanc quand il a le diabète, il a tellement peur.* (Homme, 46 ans)

Le niveau élevé de conscience et de connaissance vis-à-vis du diabète s'actualise et s'opérationnalise ainsi dans un « système de surveillance populaire » aux caractéristiques tout à fait particulières. Cette maladie est nommée par chacun, objet de vigilance, de discussion et de conversations dans un grand nombre de maisonnées. Elle alimente des conversations mais également la dérision et l'humour. Comme si le système de « surveillance populaire » avait intégré quelques-unes des préoccupations du système panoptique de la biomédecine en les recodant à partir d'une autre logique, d'une logique identitaire qui cherche avant tout à affirmer sa différence vis-à-vis de l'extérieur, créant, recréant ainsi sans cesse une cohésion interne.

Ce qui est important de voir, c'est que ce « système de surveillance populaire » met en lumière des compétences évidentes, des savoir-faire et des savoir-être détenus par les acteurs de la société innue et dont la biomédecine et l'approche clinique ont été incapables jusqu'à présent de saisir toute la portée. Plus encore, il s'exerce à propos d'habitudes de vie (et notamment d'habitudes alimentaires) qui jouent un rôle essentiel dans les processus de construction identitaireet de reconnaissance de la communauté. Il renforce aussi des rôles et des stéréotypes sociaux autour desquels s'articule une grande partie de la vie quotidienne innue. Et c'est probablement à ne pas prêter attention à cet ensemble de données que l'approche de la santé publique s'est enlisée dans tant de difficultés.

Chez les Innus, l'acte alimentaire constitue un lieu de rassemblement et de ressemblance. Or, c'est ce dernier qui est d'abord mis en cause par la prescription et la diète qui vont mettre en question l'horaire et la composition des repas.

Ne l'oublions pas : le repas marque les temps de la vie. L'acte alimentaire est au cœur de la vie, au cœur des rencontres entre amis, en famille, au cœur des festivités ou des périodes de deuil. Cet acte contribue à la construction de la cohésion sociale et familliale. Il est un lieu d'élaboration du bonheur quotidien de chaque acteur de la société. La composition du repas n'est pas le fruit des jeux du hasard. Pourquoi mange-t-on tel ou tel aliment plutôt que tel ou tel autre ? Les choix alimentaires sont déterminés par un processus complexe dans lequel sont impliquées les représentations sociales et des pratiques de distinction qui font que les uns se distinguent des autres, que l'on se reconnaît entre nous.

Les femmes sont au cœur de la construction de l'acte alimentaire. Elles composent, bricolent les repas du quotidien avec des éléments choisis parmi les possibles dans un contexte économique et social donné. Ces gestes du quotidien sont le résultat d'inventions précaires sans rien pour les consolider, sans langage pour les articuler, sans nulle autre reconnaissance que celle des acteurs familiaux... et encore !

> [...] *faire-la-cuisine* est le support d'une pratique élémentaire, humble, obstinée, répétée dans le temps et dans l'espace, enracinée dans le tissus des relations aux autres et à soi-même, marquée par le « roman familial » et l'histoire de chacune, solidaire des souvenirs d'enfance comme des rythmes et des saisons. Travail de femmes qui les fait proliférer en « arbres de gestes » (Rilke), en déesse Çiva aux cent bras, habiles, économes. Activités multiformes qu'on tient pour très simple ou un peu sotte, sauf dans le cas rare où elle est portée à l'excellence, à l'extrême raffinement – mais c'est alors l'affaire des *grands chefs*, qui sont des hommes, bien sûr (Giard, 1994 : 222).

Se pourrait-il ainsi que les insuccès des campagnes de prévention et de promotion de la santé auprès des femmes autochtones soient en partie attribuables aux rôles sociaux que ces dernières jouent dans la société et dans leurs familles ? Se pourrait-il que ces rôles ne soient pas pris en considération dans l'élaboration des stratégies de la santé publique et surtout dans l'élaboration des plans de soins et d'intervention auprès des diabétiques et, de façon plus spécifique, des femmes diabétiques ?

Sans doute les femmes sont toujours au cœur de l'organisation de la vie familiale ! Et cette vie familiale n'est-elle pas particulièrement marquée par les repas et leur préparation ? N'est-ce pas la femme qui a la responsabilité de préparer la nourriture et de s'assurer que tous les membres de la maisonnée mangent à leur faim, selon leurs goûts et leurs désirs ? La femme prend soin des petits, des aînés et de l'époux. Dans tous les centres de santé autochtones, les femmes constituent la vaste majorité de la clientèle. Cela ne tient pas seulement au fait qu'elles sont davantage malades que les hommes. Si elles consultent plus, si les salles d'attente des centres de santé sont surtout fréquentées par des femmes, c'est également parce que ce sont elles qui prennent soin et accompagnent les bébés, les enfants et les aînés. Ce sont elles qui assurent la gestion des réserves alimentaires de la maison, qui planifient les repas. Dans la cuisine, s'engage une lutte contre le temps, le temps de cette vie qui va irrémédiablement vers la mort. Dans l'art de nourrir, il y a l'art d'aimer et l'art d'accompagner la mort (Giard, 1994 : 239). Chez les Innus de Pessamit, lorsqu'un membre d'une communauté meurt, un grand repas est souvent organisé. Ce repas est le fruit d'un partage entre membres de la communauté. Autour de la mort on se réunit pour festoyer, partager la nourriture qui donne vie.

CONCEPT DE SANTÉ POPULAIRE AUTOCHTONE ET DIABÈTE

Si la surveillance populaire s'exerce autour d'habitudes de vie identitairement codées et se greffe à certains rôles sociaux, elle ne cesse de s'alimenter en même temps à des conceptions de la vie et de la santé qui prennent le contre-pied des modèles définis par la biomédecine et l'approche clinique. Ainsi, alors que les milieux de la santé vont considérer qu'une personne n'est plus en bonne santé si certains de ses paramètres biomédicaux s'écartent des variables considérées comme normales, il n'en sera pas de même en milieu autochtone.

Mais avant d'aller plus loin dans cette démonstration, nous tenons à faire une mise en garde, à savoir celle d'ethniciser ou de culturaliser à outrance la conception de la santé, car celle-ci obéit aussi et en même temps à des logiques d'intérêts (Paquet, 1990) qui vont au-delà de la notion de culture.

La notion de santé revêt donc un caractère multidimensionnel selon les contextes et culturels et selon d'autres caractéristiques des individus, notamment leur niveau socio-économique et leur proximité de l'appareil de soins. Le codage de la santé tend à refléter une définition professionnelle et médicale de la santé. Plus la culture et le niveau socio-économique des individus se rapprochent de ceux des professionnels, plus la définition de la santé et de la maladie référera à la morbidité (Pineault et Daveluy, 1995 : 21).

Ainsi, dans un même environnement culturel, nous pourrons trouver des variations significatives en ce qui concerne la conception et la perception de la santé selon le groupe d'intérêt dans lequel nous nous trouvons. Ces groupes peuvent refléter des intérêts économiques ou politiques ou encore générationnels et même de genre.

C'est en tenant compte de ces nuances que nous avons tenté de dresser le profil du « concept populaire de la santé » intériorisée et opérationnalisée par les acteurs de ces milieux. Les résultats présentés à la figure 12.4 sont constitués de la moyenne des données obtenues dans trois communautés atikamekw et quatre communautés innues. Ils sont présentés sous forme de moyenne parce que fortement comparables. Ils sont donc suffisamment significatifs pour dresser les grandes lignes de ce qui pourrait s'avérer être les « concepts populaires autochtones de la santé ».

Nous nous gardons bien de prétendre avoir élaboré un concept « mur à mur » qui rejoindrait toutes les couches de la société autochtone. À eux seuls, les résultats obtenus à cette question mériteraient d'être analysés avec minutie afin d'en faire ressortir toutes les nuances et dynamiques. Les résultats que nous prenons en considération sont le fruit de la moyenne des réponses provenant de femmes et d'hommes, jeunes, adultes et aînés.

Première remarque : ce n'est qu'un peu plus de deux répondants sur dix qui inscrivent dans la constitution de leur cercle de santé l'énoncé « ne pas avoir de maladie ». Plus encore, tous les énoncés ayant un rapport plus ou moins direct avec le monde de la biomédecine ont été considérés par moins de trois répondants sur dix. Il s'agit des énoncés « manger sainement » que nous pouvons associer aux recommandations des nutritionnistes ainsi que les deux autres faisant directement mention des médecins et infirmières (« écouter le médecin » et « écouter l'infirmière »). À la lumière de ces résultats, il semble que l'élément central permettant à la biomédecine d'établir si une personne est ou non en bonne santé (c'est-à-dire la reconnaissance de l'absence ou de la présence de maladie) se positionne très bas dans la perception populaire de la santé. En milieu

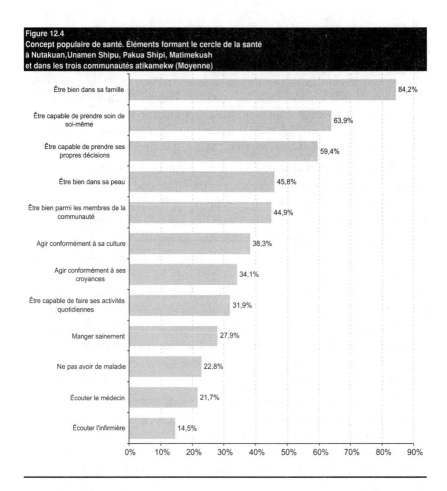

Figure 12.4
Concept populaire de santé. Éléments formant le cercle de la santé
à Nutakuan,Unamen Shipu, Pakua Shipi, Matimekush
et dans les trois communautés atikamekw (Moyenne)

Être bien dans sa famille	84,2%
Être capable de prendre soin de soi-même	63,9%
Être capable de prendre ses propres décisions	59,4%
Être bien dans sa peau	45,8%
Être bien parmi les membres de la communauté	44,9%
Agir conformément à sa culture	38,3%
Agir conformément à ses croyances	34,1%
Être capable de faire ses activités quotidiennes	31,9%
Manger sainement	27,9%
Ne pas avoir de maladie	22,8%
Écouter le médecin	21,7%
Écouter l'infirmière	14,5%

autochtone, il est donc possible qu'une personne souffre d'une maladie comme le diabète, le *sache*, et s'estime pourtant en parfaite santé. Toutefois, pour que ce sentiment « d'être en bonne santé » s'installe, d'autres conditions doivent être remplies.

LA FAMILLE : UN AXE CENTRAL

La famille constitue la variable fondamentale dans l'élaboration du sentiment d'« être en bonne santé ». Plus de huit répondants sur dix incluent dans leur « cercle de la santé » l'énoncé « être bien dans sa famille ». Ce fort positionnement de la famille dans l'identification des éléments constitutifs de la santé autochtone impose un axe de réflexion incontournable.

> *Quand on parle de Montagnais, on parle souvent de l'esprit familial qui est plus grand que chez les Québécois. C'est la seule chose que je peux voir, que les familles se tiennent beaucoup. Comme nous, s'il y a un malheur qui arrive, on va s'aider et c'est comme ça pour toutes les familles ici.* (Femme, 41 ans)

Le *Rapport de la Commission royale sur les peuples autochtones* mentionne que, pour les membres des Premières Nations, si la famille est constituée d'une unité biologique comprenant initialement les parents et les enfants vivant sous un même toit, elle est dans les faits beaucoup plus large. La famille élargie inclurait en l'occurrence les grands-parents, les tantes, les oncles et les cousins. Dans certaines communautés, les membres d'un même clan seraient également inclus dans le cercle de la famille.

> *C'est sûr que c'est la famille. C'est toujours par famille. C'est immanquable. Ce sont des familles. Quand nous allions sur le territoire de chasse, c'était par famille que c'était divisé. Ici, on veut s'adapter, tout en travaillant unis mais en même en temps, être séparés. Comment je t'expliquerais ça... Autour, t'as à peu près dix « clans », dix familles. Des grosses familles qui ont le pouvoir. Ici, à Pessamit, il y a à peu près deux, trois grandes familles. Il y a les Bacon, les Picard et... les Volant et les Rock. Moi je dirais que je les distingue par leurs familles, par leurs noms de famille. Quand une famille est au pouvoir. Les autres n'ont pas beaucoup de poids.* (Homme, 33 ans)

Toujours selon les auteurs de ce rapport, la famille en milieu autochtone s'interposerait entre l'individu et l'ensemble de la société. Elle constituerait un lieu où l'individu apprend à connaître les attentes de la société dans laquelle il évolue ainsi qu'à y répondre (Gouvernement du Canada, 1996a : 19).

L'Innu de Pessamit et d'ailleurs n'a pas, au sein de sa famille, à lutter contre ces représentations qui font de lui un demi-citoyen. Dans sa famille, il est un membre à part entière. Il est assuré de recevoir l'estime des siens. La famille est son premier lieu de reconnaissance. Cela est d'autant plus important que l'individu peut vivre des pressions provenant de différents secteurs de sa communauté.

> *Quand tu reviens ici, c'est sûr qu'on est content de revenir chez nous et de travailler, d'aider nos frères. Mais c'est sûr, on se fait juger aussi vite. Comment je pourrais dire ? À la moindre erreur, on va te juger. Le monde [rire], le monde, ça dépend ! Ils vont dire n'importe quoi. Rien que pour te briser des fois, pour te faire du mal.* (Homme, 33 ans)

En mettant l'accent sur « la famille en milieu autochtone », nous ne désirons cependant pas laisser croire que cette institution constitue un lieu sans problèmes. Nous voulons seulement mettre en relief le fait qu'elle représente, dans le discours populaire ainsi que dans l'organisation sociale innue, un lieu central, même si c'est une institution en profonde transformation. Il suffit à ce propos de constater à quel point le nombre de mariages célébrés annuellement a chuté et de remarquer que de plus en plus de couples vivent en union libre. La consommation d'alcool, de drogues ou encore de substances volatiles ont des répercussions importantes dans les milieux familiaux et leurs dynamiques internes. Il faut également souligner les problèmes reliés à la violence ou aux abus sexuels divers. Cette famille, au-delà de ce qu'elle peut symboliser dans l'univers innu, est aussi un lieu de contraintes. Lieu de croissance et de développement de l'individu, elle est également la première instance à laquelle celui-ci doit se subordonner. Les intérêts de la famille sont prioritaires et l'individu doit s'y soumettre.

L'AUTRE PÔLE : LE « JE »

Définis comme appartenant au « cercle de la santé », deux autres éléments sont choisis par plus de la moitié des répondants. Il s'agit des énoncés « être capable de prendre ses propres décisions » et « être capable de prendre soin de soi-même ». L'énoncé « être bien dans sa peau » est pour sa part choisi par un peu moins de cinq répondants sur dix. Ces trois derniers énoncés font directement référence à l'individualité, à ce qu'on pourrait appeler le « je ».

Et ceci n'est pas sans conséquence ! Car si le concept de « communauté » est fréquemment utilisé par les professionnels de la santé, par les intervenants en santé communautaire et par de nombreuses personnes réfléchissant sur les questions autochtones, on semble à l'inverse faire peu cas de la notion d'« individu ». Bien qu'il fasse souvent référence à son appartenance, et donc à sa « différence » en tant que membre d'une nation autochtone, l'individu sait qu'il n'est pas seulement un « Indien », un « Autochtone » ou un « Amérindien ». Il n'est pas seulement cette image que le non-autochtone voit en lui. Il est autre chose.

> *J'ai voyagé en France. C'était incroyable ! C'était la curiosité ! Beaucoup de Français étaient curieux de voir un Indien. Beaucoup nous voyaient avec des plumes [rire]. Mais chez nous, dans ma famille, chez mes parents je me sens moi-même. Là je peux. Je vis avec eux autres, ils me connaissent. Là, ils me connaissent,*

mais des fois, ils me connaissaient pas. Ils me connaissent par mon nom... Je ne suis pas l'Indien ! (Homme, 33 ans)

Cet individu, c'est cette jeune Innue qui, lorsqu'elle déambule dans les rues de Baie-Comeau, ressent le regard des non-autochtones se poser sur elle et désire du même coup se laver, tellement elle sent que sa peau « rouge » est « sale », tellement elle se sent « Indienne ». C'est cette même personne qui se transfigure complètement lorsqu'elle visite une grande métropole américaine parce que « je peux être moi-même, je ne me sens pas une "Indienne", je me sens moi-même, je sens que j'existe comme un individu ».

Dans son univers de vie et d'abord dans sa famille, l'individu est « un ». Il porte un nom qui le distingue des autres. Il est reconnu dans son unicité, et se perçoit comme premier intervenant, comme artisan de l'élaboration, de la construction de son propre devenir et de sa santé. Après avoir indiqué que la construction du cercle de sa santé est fortement tributaire du bien-être qu'il puise dans son milieu familial, l'individu affirme du même mouvement le rôle central qu'il occupe dans son propre devenir. Cet individu sait aussi qu'il peut agir sur lui-même et transformer sa vie.

Oui, on me le répète assez souvent. On me dit : « Comment tu fais, tu es forte toi, tu es courageuse. » Moi je fais mon possible pour m'améliorer. On me dit : « Quelle motivation que tu peux trouver à marcher comme ça à tous les soirs ? » Je leur dit : « Je marche parce que c'est moi qui veux marcher. Il n'y a pas personne qui me force. Et si je ne marche pas, il y a personne qui va venir me chercher. » (Femme, 41 ans)

Cependant, entre les intérêts de la famille et ceux de l'individu, ce sont les premiers qui prennent le pas. Ce basculement du « plus petit » vers le « plus grand », ou cette manifestation de la subordination de l'unité à l'ensemble, se manifeste surtout dans des situations difficiles ou lorsque le bien-être de l'ensemble, l'équilibre familial est menacé. Cette dynamique nous rappelle que nous sommes en présence d'une société où l'appartenance au groupe constituait jusqu'à tout récemment une valeur fondamentale au regard de laquelle l'individu comptait peu. En ce sens, l'entraide, aux yeux de l'Innu, s'avère une valeur profondément « nationale », signe même de l'« Être innu ».

C'est parce que je, ce que je regarde, je veux pas dire que les non-autochtones sont pas généreux, mais depuis mon enfance, j'ai tout le temps vu comme l'entraide autour de moi, j'ai toujours vu l'amour autour de moi, la générosité aussi. (Femme, 49 ans)

Autrefois, les gens s'entraidaient. Il y avait de l'entraide. Si quelqu'un était mal pris, il y avait de l'entraide. Si quelqu'un montait dans le bois, on montait tous ensemble. Après ça, ils se séparaient. Mais ils étaient tout le temps là, en groupe. Puis il y avait d'autres formes d'entraide. Si quelqu'un était malade, si quelqu'un était mal pris, les gens étaient là. Aujourd'hui, ça n'existe plus. C'est peut-être que ça ne paraît plus. Aujourd'hui c'est chacun pour soi. Dans les derniers temps quand je montais dans le bois, il n'y avait personne pour m'aider. C'est moi qui arrangeais mes affaires. (Homme, 79 ans)

Aujourd'hui, certains comportements sont rapidement considérés et jugés par des segments de la collectivité comme des comportements individualistes, et donc comme des attitudes non innues.

À ce sujet il faut s'arrêter une nouvelle fois à la question des rôles sociaux et à la place qu'y occupent les femmes. Car, dans un contexte social où les rôles des femmes et des hommes sont déterminés, c'est d'abord l'individualité de la femme (son « je ») qui est questionnée. Cette individualité est mise en jeu, inscrite dans un processus de médiation avec les intérêts supérieurs de la famille.

Pour la mère, la famille est première : elle y est subordonnée.

On pense toujours aux autres, on vit en fonction des autres. Comme XXX dit, quand elle a sa visite, elle va penser à sa visite. Je pense que c'est un problème très grave. On a toujours tendance à penser aux autres, à s'oublier là-dedans. Puis imagine les mères de famille. J'ai écouté l'autre fois une mère de famille qui était assez âgée. Elle est diabétique, puis ses enfants, ils ne le sont pas, son mari non plus. Elle, elle s'oublie en disant que l'important c'est que ses enfants se nourrissent bien, puis son mari. Mais elle, là-dedans, elle s'oublie. (Focus groupe, femmes, 42 à 58 ans)

Je travaille pour mes enfants en premier. Pour moi-même ensuite. (Femme, 49 ans)

Recevoir un diagnostic de diabète, c'est du même coup et malgré soi se distinguer des autres membres de la famille. Et la prescription associée au diabète concerne ce lieu premier qui est la famille ainsi que l'acte alimentaire qui est au cœur de la vie familiale. Or, c'est particulièrement en ce lieu que tout un chacun se reconnaît dans son unicité, dans son appartenance à la famille bien sûr, mais également à la Nation. Et qui d'autre que la femme innue constitue l'axe central à partir duquel s'organise la vie familiale et, partant, la détermination de l'acte alimentaire ? Il se joue donc à ce niveau une contradiction non négligeable. Car l'émergence de « la femme vue comme individu » est ressentie par les autres membres de la famille qui bénéficient de ses soins comme un des principaux facteurs risquant de nuire à l'atteinte de leur propre « santé ».

Eux autres, ils aiment ben ça le fast-food. Tandis que moi, le fast-food, je n'aime pas ça. Les légumes, en tout cas, mon garçon, il n'en mange pas de légumes, pas de carottes. Pourtant les carottes, ça existe depuis combien de temps ? Il ne mange pas de carottes, pas de navets. Encore moins des brocolis, des choux-fleurs. Mais moi, j'en mange. Tsé, quand tu cuisines pour deux, c'est plus compliqué. (Focus groupe, femmes, 42 à 58 ans)

Moi j'ai toujours trouvé compliqué d'acheter des affaires pour moi et d'acheter des affaires pour l'autre. Parce que moi je me dis : « J'ai de la visite, bon, je ne vais pas leur donner ma nourriture à manger. » Lui, il est correct, il mange n'importe quoi. Je trouve ça dur de faire deux épiceries. Quand vous êtes tous les deux diabétiques, puis l'autre il mange tout ce qu'il veut, de la viande. Moi je ne mange pas de viande. Lui il mange de la viande. Moi, ça ne me dérange pas de manger de la viande. De temps en temps j'aime ça. Mais lui, ça lui prend toujours de la viande. (Focus groupe, femmes, 42 à 58 ans)

Mais mettre l'accent sur la famille et sur la dialectique qui s'établit entre elle et l'individu ne veut pas dire pour autant que la communauté prise en tant que telle n'a aucune importance. La proposition « être bien parmi les membres de la communauté » est identifiée par un peu plus de quatre répondants sur dix. En effet, la « communauté » en milieu autochtone est un lieu qui revêt une importance beaucoup plus grande que ce que peut représenter, pour d'autres, le « village » ou encore le « quartier ». La « communauté », c'est bien sûr un milieu de vie plus large que la famille, mais c'est surtout le lieu qui prend les dimensions d'un « pays ». C'est le « chez-nous » de tout un groupe se reconnaissant dans des caractéristiques culturelles données, dans une histoire, dans des revendications politiques, dans des récits et des anecdotes. Cette « communauté », c'est également le lieu principal où se retrouvent amis et confidents, c'est le lieu de l'entraide et de ses réseaux. C'est le pays dans le pays !

Il n'en demeure pas moins que la communauté ne semble pas revêtir une importance aussi grande que ce que nous le laissent entendre certains discours. À moins d'imaginer que cette dernière n'existe pas sans famille ! En ce sens, la communauté *ne précède pas* la famille. Elle en est plutôt tributaire et semble ainsi avoir une influence toute relative dans la formation du cercle de la santé de chaque individu.

Reste cependant un problème de taille : alors que la clinique investie le corps de cet individu comme un « morceau d'espace » et fabrique de petites individualités fonctionnelles et adaptées (Foucault, 1993 : 67), nous nous trouvons dans la communauté autochtone en présence d'individus qui évoluent, interagissent dans une société où cette notion même d'individu est en pleine émergence. Et cette émergence se déroule dans un contexte où deux entités (et surtout une en particulier) continuent à avoir une grande importance : la « famille » et la « communauté ».

On comprendra alors aisément comment l'approche clinique pourra facilement porter à faux, ne serait-ce qu'au niveau même du diagnostic ! Car l'action de nommer un individu « diabétique » précipite cette personne vers une nouvelle identité, identité qui présente de nombreux points de friction avec les identités premières de la famille et de la communauté. Ainsi, la prescription vulnérabilise un individu au sein même de sa famille. Elle y crée une altérité non souhaitée. Diagnostic, prescription et diète s'adressent à un individu totalement désincarné de ses dimensions sociales. Elle oublie que cet individu est un être social et que cette société débute au sein de cette première collectivité qu'est la famille.

Ces actions peuvent constituer des affronts à la collectivité familiale et de ce fait à l'actualisation du sentiment « d'être en bonne santé ». Le diagnostic de diabète et tout le chapelet de conséquences qu'il engendre entrent également de plein fouet en conflit avec cet autre lieu d'appartenance collective.

L'AFFRONTEMENT DES SYSTÈMES DE SURVEILLANCE

Codes d'appartenance d'un côté relevant de l'identité première, de l'autre, prescription médicale et diète sur le mode de la surveillance panoptique : il n'est pas besoin d'être grand clerc pour voir que s'affrontent ici deux logiques aux antipodes l'une de l'autre, et qui ne peuvent pas ne pas avoir d'importantes conséquences l'une sur l'autre. Car le diagnostic de diabète posé par le regard biomédical emporte avec lui bien plus que de simples recommandations concernant les « habitudes de vie », parce que celles-ci atteignent précisément le cœur même de la vie communautaire, de la trame identitaire populaire, des règles de cohésion sociale, particulièrement au travers de l'acte alimentaire qui est concerné au premier chef par le diagnostic de diabète.

Mais la santé publique reste aveugle à de telles dimensions. À ses yeux, la prescription et la diète ne remettent en question que des habitudes de vie, de simples comportements. Elle ne peut imaginer que l'acte de prescrire ou de fixer les éléments d'une diète puisse relever aussi du social, du politique et de l'économique. Ses actions, elle les considère comme totalement apolitiques, relevant d'une objectivité toute scientifique, toute empirique, qui ne concernerait que le bon entendement, ne viserait que le bien-être des gens.

La résistance des populations autochtones aux campagnes de prévention, de même que la non-adhésion des diabétiques autochtones à leur traitement renvoient à une profonde opposition d'ordre politique (à la constitution-reconstitution d'un contre-pouvoir). Celle-ci pourra même prendre des formes aiguës, allant du repliement sur soi jusqu'au développement de formes d'intolérance et de racisme (que nous appelons «contre-racisme»). S'il est un fait que nous ne pouvons remettre en cause, c'est bien celui que les peuples des Premières Nations sont au cœur d'un profond mouvement politique ayant des dimensions locales, nationales et internationales. Si nous observons aux niveaux «macro» et «méso» des phénomènes et des mouvements de quête identitaire et d'autonomie, nous pouvons également en trouver au niveau «micro». L'inscription des comportements alimentaires associés au diabète dans la trame identitaire s'inscrit dans ce mouvement. Ils constituent des éléments qui permettent à l'individu de se démarquer et de se distinguer simultanément.

Ces phénomènes offrent des éléments d'explication, non seulement au regard de l'efficacité inouïe du «système de surveillance populaire», mais encore concernant le fait que bien que les populations autochtones soient sous la surveillance étroite et constante des instances biomédicales, les taux de prévalence poursuivent leur vertigineuse ascension.

C'est ce qui explique que le diabétique est pris dans un important dilemme : appliquer la prescription médicale (régime alimentaire, perte de poids, exercice physique, médication, etc.) ou répondre à la prescription sociale qui prend force dans le cadre familial. En effet, le «système de surveillance populaire» travaille contre la volonté des individus qui manifestent le désir d'adopter des comportements permettant d'atteindre les objectifs commandés par leur état de santé ou par le désir d'accéder à une qualité de vie autre.

Nous avons inclus dans les questionnaires d'enquête des questions pour savoir si l'individu estime avoir de l'emprise sur lui-même et pour déterminer comment il évalue le soutien de sa communauté vis-à-vis de son désir d'agir conformément à ses propres choix. Les réponses obtenues révèlent que les individus considèrent souvent être en mesure d'atteindre des objectifs qu'ils se sont eux-mêmes fixés. Cependant, lorsqu'on leur demande s'ils se considèrent soutenus par la communauté dans leur choix de perdre du poids ou de marcher régulièrement dans les rues du village en guise d'exercice physique, ils indiquent clairement que ce soutien est plutôt faible[3] (figure 12.5).

Selon nos observations, ce sont particulièrement les femmes qui sont la cible de cette « surveillance populaire ». Ainsi, l'une des recommandations fréquemment données aux diabétiques, particulièrement aux femmes, est de prendre l'habitude de marcher d'un pas rapide quelques fois par semaine dans les rues du village. Or, certaines d'entre elles décident d'attendre la tombée du jour pour effectuer leur marche afin de minimiser les risques d'être reconnues et d'être ainsi la cible de sarcasmes, de moqueries ou de commentaires désobligeants. Certaines femmes nous ont même raconté que lorsqu'elles avaient marché, la rumeur s'était chargée de les accuser de ne pas prendre soin de leurs enfants ou de leur mari et de vouloir agir comme des « Blanches ».

> *Oui. J'ai dit : « Je marche, mais quand la nuit tombe. » Parce que le monde disent quand tu marches : « Elle fait un régime pour maigrir. Elle veut paraître bien. » Une fois j'avais été en ville et j'avais croisé du monde, et ils m'avaient dit : « Tu fais un régime pour maigrir. » J'ai dit : « Non, c'est pour mon diabète que je fais ça. » Là, ils ont dit : « Quel est le rapport entre le diabète et la marche ? » J'ai dit*

---

3. Nous avons demandé aux répondants d'indiquer sur une échelle de 0 à 10 s'il était facile pour eux d'appliquer la décision qu'ils auraient prise de modifier certaines habitudes de vie. Par exemple, à Matimekush, 52,8 % des répondants à notre questionnaire ont affirmé qu'il était plutôt facile (5 à 10) de changer *pour eux-mêmes* leurs comportements alimentaires, contre 47,2 % qui ont déclaré que ce changement était « très difficile » (0 à 4). La question suivante concernait la facilité à perdre 5 kilogrammes et comportait deux volets. D'une part, 51,4 % des répondants ont mentionné qu'il était relativement facile (5 à 10) *pour eux* d'atteindre cet objectif, dont 12,6 % pour qui ce serait « très facile » (9 à 10). Ces informations trouvent un éclairage particulier avec les résultats du second volet de la question où nous demandions cette fois si la communauté soutenait une telle volonté de perdre du poids. De manière fort significative, 46,7 % des réponses se situent entre 0 et 4. De ces 46,7 %, 18,2 % affirment que la communauté ne les soutient « pas du tout » (0). Ce que nous voyons percer dans ces résultats, c'est la force que semblent avoir les individus lorsqu'il s'agit d'agir *pour eux-mêmes*, alors que, placés au sein de la communauté, ils sentent peu de soutien, ce qui pourra conduire à de fortes difficultés à amorcer des changements. Nous observons des tendances assez similaires à la question qui visait à savoir s'il était facile de prendre l'habitude de marcher vingt minutes trois fois par semaine dans les rues du village.
   La communauté paraît être un facteur non facilitant dans la réalisation d'activités personnelles qui pourraient favoriser une baisse de la prévalence du diabète à plus ou moins long terme. Il serait peut-être temps de reconsidérer l'idée selon laquelle la communauté est nécessairement « aidante » dans les processus de changement des habitudes de vie des individus. Nous voyons plutôt qu'elle est également la source de pression et de résistance face à de nouvelles façons de faire et qu'elle tend à ramener les individus qui se démarquent dans les cadres d'une « norme » sociale.

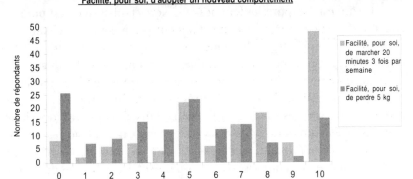

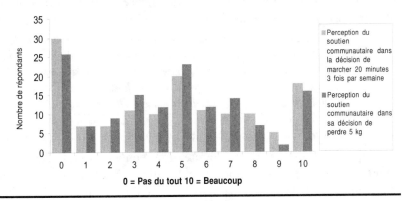

qu'en faisant de l'exercice je peux maintenir mon poids. Pour eux, dans leur tête, l'idée de maigrir c'est pour avoir une belle taille. Apparemment, c'est pas correct ici de marcher dans le but de vouloir bien paraître. Je ne pourrais pas dire pourquoi c'est mal de vouloir bien paraître. [...] Il y en a qui disent ça. Si tu fais des affaires non autochtones, c'est parce que tu veux devenir Blanc. (Femme, 41 ans)

D'autres s'interdisent tout simplement de marcher dans les rues du village de peur d'être accusées d'avoir voulu «voler le mari d'autres femmes» et d'être éventuellement violentées par leur conjoint.

Quand on voit une personne seule marcher, tout le monde va dire : « Est-ce qu'elle cherche un amant ? Est-ce qu'elle cherche quelque chose ? » Je ne sais pas tout ce

> *qu'ils peuvent raconter. Dans ma communauté, je pense qu'on se préoccupe beau-*
> *coup de ce que les gens disent. On ne s'occupe pas de nous autres mêmes. On se*
> *préoccupe plus de ce que les autres vont dire.* (Femme, 42 ans)

Ce qui est vrai pour les femmes et l'exercice physique l'est pour les choix alimentaires, car ceux-ci n'échappent pas à cette surveillance et, par conséquent, à cette dichotomie entre ce qui est et ce qui n'est pas autochtone. À ce propos, la dichotomie entre nourriture de « Blancs » et nourriture « autochtone » va bien au-delà des représentations classiques qui opposent « viande de bois » et autres produits du terroir aux produits commerciaux associés aux Blancs. Certains choix alimentaires sont claire-ment associés au monde des Blancs ou encore à des catégories sociales qui recevront peu l'assentiment social. Et bien sûr, nous pouvons avancer une semblable explication vis-à-vis de l'obésité et des tentatives de s'y atta-quer, car plusieurs indices nous laissent croire qu'en milieu autochtone l'obésité est étroitement associée à la réussite sociale ainsi qu'à l'accessibi-lité à une certaine forme de richesse. Plus encore, pour nombre d'Innus, être gros est synonyme de santé :

> *Je perdais du poids, puis certaines personnes qui ne m'avaient pas vue depuis*
> *deux ou trois mois, quand elles me voyaient, elles disaient : « Oh ! Est-ce que tu es*
> *malade ? » Je répondais : « Non. » Elles me disaient : « Qu'est-ce que tu as, t'as*
> *l'air maigre, t'as maigri qu'est-ce qui t'arrives ? » Je leur disais : « J'ai rien, je suis*
> *bien puis je suis en santé, je suis pas malade. » Elles répondaient : « On dirait*
> *que t'es malade. » Je disais : « Je suis pas malade. Je suis bien. » Elles me disaient*
> *tout le temps ça quand ils me voyaient.* (Femme, 55 ans)

En milieu innu parler d'obésité, de schéma corporel, c'est égale-ment parler de « nous » en rapport aux « autres », aux Blancs. C'est égale-ment aborder la question de la santé dans sa dimension « être bien dans sa peau ». Or, quand on perd du poids, on risque très vite, surtout en ce qui concerne les femmes, d'être assimilé à une personne malade.

> *J'ai des frères qui sont obèses. J'ai également des sœurs qui sont obèses. Mais on ne*
> *porte pas aussi attention à ça comme chez les Blancs.* (Homme, 33 ans)

Une fois encore on voit bien la contradiction : si l'obésité est un facteur de risque aux yeux de la santé publique, elle a tendance à s'ins-crire dans les milieux innus, et autochtones en général, au cœur d'une trame identitaire d'ordre politique. Même si elle s'exprime au niveau de la quotidienneté, cette apparence corporelle recèle des dimensions d'af-firmation identitaire : être Innu, c'est ressembler à un autre avec qui on a des affinités et dans lequel on se reconnaît, du même coup, c'est se donner les moyens d'exister collectivement. Il s'effectue ainsi une subtile «mise à la marge» à l'intérieur même de la communauté des individus qui n'adhèrent plus aux façons de faire, de manger ou de paraître du groupe.

Le «système de surveillance populaire» veille à maintenir une solidarité autochtone construite autour de codes correspondant à une identité aux contours clairement définis et s'opposant en plusieurs points à ce qui est associé au monde des Blancs. Pour l'individu qui désire appliquer la prescription médicale, il existe donc un risque réel d'être marginalisé, exclu de la communauté. L'adoption de certains comportements ou attitudes prescrits par les milieux de la santé représente alors un «facteur de risque» pouvant occasionner l'«exclusion communautaire».

Habitué d'être un membre à part entière de sa famille et de secteurs de la communauté, le diabétique risque d'expérimenter rapidement la peur du rejet et de la solitude. Le rejet se manifestera par le silence de ses congénères lorsque, par exemple, il s'adresse à eux et parlera de sa maladie. Il prendra aussi la forme d'un silence qu'on s'impose à soi, au moment où on aurait voulu s'exprimer sur sa propre maladie. Ce rejet, c'est également l'absence de prise en considération de sa maladie par son entourage, lorsqu'on le poussera à manger ou à boire des produits non conformes à sa diète, même si, pourtant, on connaît sa situation.

> *Avant ça, je n'étais pas diabétique. J'étais bien dans la communauté, c'était correct. Depuis que je suis diabétique là, on dirait que je suis tout le temps ailleurs, à l'écart. J'ai peur de me perdre. Le seul moment où j'étais bien, c'est quand j'avais des cours pour le diabète. On était ensemble, surtout des diabétiques. On se parlait comment on se sentait. À un moment donné, on faisait de la cuisine pas de sucre, pas de sel aussi à partir du livre pour diabète. Puis c'était quand on mangeait après ça. Le soir à la table, on parlait de ça. Je me sentais bien moi.* (Homme, 46 ans)

Devenir diabétique, c'est, par exemple, être contraint, par la prescription et la diète, à cesser de boire de l'alcool, du moins comme le veut l'usage des gens avec lesquels on partage son quotidien. C'est ce qui explique que, lorsqu'un diabétique prend la décision de cesser de consommer de l'alcool pour être conforme aux exigences de la diète, il s'expose à une grande solitude, à la perte de ses amis, à la dissolution du réseau social dans lequel il a toujours évolué.

> *Mes chums, au début m'ont... Certains m'ont encouragé, ça c'est certain. Quelques-uns de mes chums m'ont encouragé. Mais certaines personnes m'ont vraiment mis dehors. Je suis déjà entré au bar, quelque temps après, disons un an ou deux après avoir arrêté de boire pour aller voir mes chums pour aller leur parler. Mais*

certains, en tout cas, certains m'ont dit : « Qu'est-ce que tu fais ici, on veut plus te voir. Qu'est-ce que tu fais ici, qu'est-ce que tu fais ici, t'as pas d'affaires ici, au bar ! » Je me suis senti mal à l'aise, je n'ai jamais remis les pieds là-dedans. Jamais remis les pieds au bar. (Homme, 33 ans)

Conclusion

· · · · · · · · · · ·

Deux questions nous ont préoccupé : Comment expliquer les insuccès patents des interventions de la santé publique vis-à-vis de l'épidémie de diabète ayant cours dans les communautés autochtones du Québec ? Comment parvenir à élaborer des approches, des programmes ou d'autres interventions en milieux autochtones qui parviendraient à amorcer un recul du diabète dans ces milieux ?

Mais très vite nous nous sommes rendu compte que pour répondre à de telles questions, il fallait au préalable en affronter une, plus fondamentale encore : Quelles sont les cause de l'émergence de cette épidémie ? D'où les deux grands questionnements autour desquels s'est articulée notre recherche : Comment d'abord expliquer l'explosion de la prévalence du diabète chez les peuples autochtones ? Comment, ensuite, rendre compte des insuccès répétés et chroniques des multiples approches, programmes et initiatives des milieux de la santé publique orientées dans des perspectives de prévention primaire, secondaire et tertiaire auprès des populations autochtones ?

Nous avons commencé à comprendre en montrant comment l'émergence du diabète doit être mise en corrélation avec d'importants phénomènes d'industrialisation et d'urbanisation liés à l'expansion de la société capitaliste marchande sur la Côte-Nord québécoise à partir des années

1950, phénomènes qui ont présidé à la transformation des rapports politiques entre société dominante et communautés autochtones.

Nous avons poursuivi notre démarche en faisant ressortir le processus de construction identitaire et de métissage culturel à la source de certaines des conditions d'émergence du diabète, dans la mesure même où ces dernières ont tendance à investir et à coder tout ce qui est à leur portée : modes de vie, habitudes alimentaires, images corporelles, etc. Si le nationalisme fait souvent référence à la langue, il se réfère également à la nourriture, à l'acte alimentaire, à la gestuelle, bref, aux manières d'être et de faire des individus et des groupes.

Particulièrement au cours de la seconde moitié du XXe siècle, le processus de création identitaire des Innus s'est enraciné et développé dans une crise mettant en jeu les anciens systèmes de valeurs et le nouvel ordre social. Cette quête et cette construction identitaire se sont inscrites dans un contexte d'exclusion des Autochtones du procès de l'économie de marché. Exclus du champ de la production, les Innus sont tout de même demeurés inclus, mais de manière mitigée, dans le procès de consommation. C'est d'ailleurs au cœur des relations entretenues par les Innus avec certains biens de consommation lourdement chargés de symboliques sociale et économique que s'est profondément et lourdement transformé leur profil identitaire.

De nombreux arguments présentés ébranlent les thèses en faveur d'explications univoques de l'émergence de l'épidémie de diabète : modèles centrés sur l'origine ethnique, sur une biologie et une génétique particulières ou encore sur l'appartenance à une culture relevant d'une ancestralité mythique, inadaptée à la modernité. L'avènement de l'épidémie du diabète en milieu autochtone relève d'un modèle explicatif complexe dans lequel les conditions biologiques ont une place relative, car ce sont d'abord les conditions socio-politiques et économiques qui ont le rôle principal. C'est la place qu'occupent les Innus dans la société, québécoise et canadienne, voire internationale, qui est la clef de voûte de ce troublant et dramatique problème.

Le concept de colonialisme interne nous fournit un regard permettant d'appréhender depuis un point de vue « macro » l'environnement dans lequel évoluent les acteurs de la société innue. Il nous permet d'envisager la « réserve » comme un « pays dans le pays » et de constater que ses citoyens ont, au quotidien, à vivre l'exclusion, la discrimination et le racisme. Et nous avons pu constater que ces réalités constituent des facteurs importants qui ont contribué et contribuent toujours au façonnement des conditions d'émergence et de développement de l'épidémie de diabète.

Mais ce concept à lui seul ne suffit pas pour saisir toute la richesse et la puissance des gestes quotidiens des acteurs de la société innue. En mettant à contribution des auteurs, tels que de Certeau et Foucault, nous nous sommes donné les moyens d'observer les acteurs communautaires innus comme des détenteurs de pouvoir, créateurs au quotidien d'un environnement, d'un monde viable dans lequel « bonheur » et « santé » se construisent et s'épanouissent.

Alors que les tenants de la santé publique et de la biomédecine cherchent à identifier les « facteurs de risque » et les problèmes, nous avons plutôt cherché à comprendre l'origine de certaines réalités telles que l'obésité. Nous reconnaissons que l'obésité est une condition de nombreux problèmes de santé. Mais elle n'est pas seulement un problème. Elle n'est pas uniquement une réalité biologique ou génétique. Lorsque plus des trois quarts des acteurs d'une société présentent un physique relativement similaire, il y a lieu de se questionner sur l'origine et la signification sociale de ce fait. Une telle réalité répond à des forces et à des règles qui relèvent des dynamiques profondes qui animent cette société.

L'acteur communautaire innu ne sera jamais appréhendé comme une simple victime. S'il est un acteur inscrit dans des jeux de pouvoirs inégaux, il n'en détient pas moins un pouvoir qu'il exerce au quotidien. Dans ce contexte, les choix que les individus posent ne sont pas le fruit du hasard ou de destinées particulières. Ces choix relèvent d'intérêts, de besoins, de forces créatrices qui animent la société entière. Vus de ce point de vue, le corps tout comme l'acte alimentaire et les codes alimentaires appartiennent à une symbolique créée par les acteurs sociaux afin de représenter et d'exprimer les relations sociales aussi bien que les valeurs qui leur sont associées.

L'identité contemporaine autochtone s'est nourrie de la conscience d'une appartenance ethnique mais également d'une appartenance régionale et même nationale et internationale. Les transformations de l'acte alimentaire, de la gestuelle et du rapport au corps, tous impliqués dans la genèse du diabète, sont étroitement associées à ce processus de construction identitaire. Cette identité est la résultante d'une résistance légitime, mais aussi l'expression exacerbée d'un certain ethnocentrisme causé par l'exclusion dans laquelle les Autochtones sont maintenus. Nous osons affirmer que tant et aussi longtemps que persisteront l'hostilité et l'ostracisme envers les Autochtones, de même que leur non-inclusion dans les principaux champs d'activités sociales, économiques et politiques, l'identité univoque demeurera un rempart derrière lequel les acteurs de la société autochtones trouveront réconfort et sécurité, sinon bonheur et santé. Mais si l'hostilité de la société non autochtone est à prendre en considération, l'intolérance des Autochtones eux-mêmes envers les membres de leur groupe qui se distinguent d'une manière ou d'une autre est également à relever et à inclure dans notre modèle explicatif. Cette intolérance relève d'une forme de surveillance populaire qui joue un rôle dans le maintien d'une solidarité et d'une cohésion sociale et politique face à la société non autochtone. Elle joue également un rôle non négligeable dans le maintien et le développement de manières d'être et de faire qui s'avèrent profondément pathologiques.

Tant les conditions d'émergence du diabète que les résistances des populations autochtones envers les campagnes de sensibilisation sur le diabète sont indissociables de ce rapport entre l'identité contemporaine et locale qui s'oppose à ce qui, de l'intérieur, paraît comme les dictats de la société dominante. En ce sens, la prescription médicale et la diète, toutes scientifiques soient-elles, n'échappent pas à cette perception.

L'association d'un Autochtone avec les milieux de la santé, et cela concerne également le rapport à la prescription, sera souvent considérée par le milieu autochtone comme un pacte avec l'adversaire. Comme l'a également constaté Dupuis (2001 : 62), les acteurs communautaires des milieux autochtones préfèrent supporter des problèmes à l'intérieur de la communauté plutôt que de risquer de faire condamner l'un des leurs. Ce que cette auteure a constaté dans le rapport de l'Autochtone avec les institutions de la justice, nous l'avons également observé dans les rapports entretenus par les Autochtones avec les milieux de la santé. L'accroissement de la prévalence d'une maladie comme le diabète et la résistance des populations autochtones envers les campagnes de promotion sont donc éminemment politiques et appellent des interventions qui iront au-delà d'un rapport simple des milieux de la santé avec les diabétiques.

Le diabète n'est pas simplement un objet d'étude pour anthropologue en mal de recherche universitaire. Il est aussi un drame collectif qui reflète l'exclusion et l'intolérance, un drame vis-à-vis duquel personne ne peut rester indifférent. Surtout quand les aléas de la vie vous ont emmené à partager pour de longs mois, voire des années, le quotidien de ces communautés, à apprécier et aimer leur vitalité et leur remarquable désir de vivre et d'être. En ce sens, les solutions que nous esquissons sont loin d'être anodines, purement formelles et académiques. Elles ne peuvent pas non plus faire abstraction des multiples rencontres que nous avons faites ainsi que des nombreuses personnes qui nous ont aidé à y voir plus clair. Particulièrement dans la communauté de Pessamit! Nous les en remercions. Sans elles, sans leur aide inestimable, rien de ce travail n'aurait pu exister, et encore moins des solutions élaborées.

Certes, ces dernières restent encore embryonnaires, mais elles nous paraissent ouvrir de nouvelles avenues éminemment fécondes, obligeant professionnels de la santé comme communautés autochtones à orienter leur regard sur cette maladie d'une manière fondamentalement autre. Bien sûr, il restera à approfondir ces avenues entrevues, à les enrichir et surtout à en partager les intuitions avec d'autres et plus que tout avec les communautés du Nord québécois, pour leur donner le sens et la force qu'elles méritent. En ce sens, nous croyons plus que jamais nécessaire de renforcer et de développer des liens, à partir du point de vue critique, entre les milieux de la recherche universitaire et les communautés autochtones vivant en zone francophone. Ne sont-ils pas encore très ténus?

Notre travail ouvre également des axes de recherches qui pourraient éclairer de manière significative les causes profondes du plus grand et plus rapide accroissement des taux de prévalence du diabète dans les secteurs moins biens nantis de la population québécoise et canadienne en générale. Ainsi, nous émettons l'hypothèse que, dans ces populations également, les milieux de la santé publique et les professionnels de la santé rencontrent de grandes résistances à leurs campagnes de prévention et d'information. En ce sens, les thèses émanant de cette recherche réalisée auprès de la population innue de Pessamit pourront sans aucun doute éclairer certaines des tristes réalités qui émergent dans le sillage de la mondialisation de l'économie capitaliste. Ne voit-on pas se développer de nouveaux profils épidémiologiques dans les secteurs des populations les plus appauvris de la planète qui ressemblent étrangement à ceux trouvés dans les populations autochtones?

Bibliographie

ABRAMS, D. et M. HOGG (dir.), 1990, *Social Identity Theory: Constructive and Critical Advances*, New York, Springer-Verlag.

ALINSKY, S., 1971, *Rules for Radicals*, New York, Random House.

ARMITAGE, A., 1991, *Comparing the Policy of Aboriginal Assimilation: Australia, Canada and New Zealand*, Vancouver, UBC Press.

ASSOCIATION DU DIABÈTE DU QUÉBEC, 1986, *Guide diabétaide*, Montréal, Association du diabète du Québec.

BAER, H.A., M. SINGER et I. SUSSER, 1997, *Medical Anthropology and the World System: A Critical Perspective*, London, Bergin & Garvey.

BEARDSWORTH, A. et T. KEIL, 1997, *Sociology on the Menu: An Invitation to the Study and Society*, London, Routledge.

BÉDARD, H., 1987, *Les Montagnais et la réserve de Betsiamites, 1850-1900*, thèse de maîtrise, Département d'histoire, Université Laval.

BERKOW, R. et A.J. FLETCHER, 1988, *Manuel Merck de diagnostic et thérapeutique*, Rahway (N.J.), Merck & Co., inc.

BERRY, J.W., 1976a, «Acculturative Stress in Northern Canada: Ecological, Cultural and Psychological Factors», dans R.J. Shepard et S. Itoh (dir.), *Circumpolar Health*, Toronto, University of Toronto Press, 490-497.

BERRY, J.W., 1976b, *Human Ecology and Cognitive Style*, Toronto, Halsted Press Division.

BOUCHER, G., 2000, *Genèse des nations et cultures du nouveau monde*, Montréal, Boréal.

BOUHIER-RODDIER, M., 1999, *Le diabète, entre culture et santé publique. Approche anthropologique des représentations du diabète de type 2 à La Réunion*, thèse de doctorat, Discipline anthropologie, Université de la Réunion.

BRUNA, G.B., 2000, « Voir et penser le métissage. Entretien avec Serge Gruzinski », *Recherches amérindiennes au Québec*, XXX, 1 : 87-90.

BURGOS, É., 1983, *Moi, Rigoberta Menchú*, Paris, Gallimard.

CASANOVA, P.G., 1965, « Internal Colonialism and National Development », *Studies in Comparative International Development*, 4 : 27-43.

CASTELAIN, J.P., 1989, *Manières de vivre, manières de boire. Alcool et sociabilité sur le port*, Paris, Imago.

CASTELLS, M., 1999, *Le pouvoir de l'identité*, Paris, Fayard.

CAUVIN, J., 1987, « L'apparition des premières divinités », *La Recherche*. 18, 194 : 1472-1480.

CERTEAU, M. de, 1990, *L'invention du quotidien 1. Arts de faire*, Paris, Gallimard.

CERTEAU, M. de, L. GIARD et P. MAYOL, 1994, *L'invention du quotidien 2. Habiter, cuisiner*, Paris, Gallimard.

CHANDRAKANT, P.S., 1995, *Médecine préventive et santé publique au Canada*, Québec, Les Presses de l'Université Laval.

CHAREST, P. et A. TANNER, 1992, « La reconquête du pouvoir par les autochtones », *Anthropologie et sociétés*, 16, 3 : 5-16.

CHARZEWSKA, J., 1995, « Obesity and Overweight in Polish Men and Women : Social Determinants », dans I. de Garine et N. J. Pollock (dir.), *Social Aspect of Obesity*, Paris, Gordon and Breach Publishers, 77-186.

CLÉMENT, M., 1991, « Une approche alternative pour l'enseignement aux diabétiques non insulinodépendants chez les Autochtones », *Le Trait d'union, Santé et Bien-être social Canada*, Services médicaux région du Québec, 8, 3.

COLDITZ, G.A. *et al.*, 1991, « Alcool Intake in Relation to Diet and Obesity in Women and Men », *Am. J. Clin. Nutr.*, 54 : 49-55.

COREIL, J. et J.D. MULL (dir.), 1990, *Anthropology and Primary Health Care*, San Francisco, Westview Press.

CORIN, E., 1996, « La matrice sociale et culturelle de la santé et de la maladie », dans R.G. Evans, M.L. Barer et T.R. Marmor (dir.), *Être ou ne pas être en bonne santé. Biologie et déterminants sociaux de la maladie*, Montréal, Presses de l'Université de Montréal, 103-141.

CORIN, E., G. BIBEAU, J.C. MARTIN et R. LAPLANTE, 1990, *Comprendre pour soigner autrement*, Montréal, Presses de l'Université de Montréal.

COUNIHAN, C. et P. VAN ESTERIK, 1997, *Food and Culture: A Reader*, New York, Routledge.

CSSSPNQL, 1999, *Rapport final sur l'analyse et l'interprétation de l'enquête médicale régionale, Région du Québec*, Québec, Commission de la santé et des services sociaux des Premières Nations du Québec et du Labrador.

CUMMING, P., 1969, *Indian Rights. A Century of Oppression*, Mimeographed, Toronto, Indian-Eskimo Association of Canada.

DANZE, P.M., S. PENET, S. et I. FAJARDY, 1997, « La génétique du diabète insulinodépendant. Intérêt dans la pratique biologique », *Annales de biologie clinique*, 55, 6 : 537-545.

DAVELUY, C., C. LAVALLÉE, M. CLARKSON et E. ROBINSON, 1994, *Santé Québec. Et la santé des Cris, ça va ?*, Montréal, Santé Québec.

DE KONINCK, M., 1994, « Femmes et santé. La pertinence des recherches féministes », dans M.F. Labrecque (dir.), *L'égalité devant soi : sexes, rapports sociaux et développement international*, Ottawa, CRDI, 127-142.

DELÂGE, D., 1991, *Le pays renversé. Amérindiens et Européens en Amérique du Nord-Est, 1600-1660*, Montréal, Boréal.

DREYFUS, H. et P. RABINOW, 1992, *Michel Foucault. Un parcours philosophique au-delà de l'objectivité et de la subjectivité*, Paris, Gallimard.

DUBOS, R., 1952, *The White Plague: Tuberculosis, Man and Society*, Boston, Little, Brown.

DUGAS, C., 1990, « Composition et évolution ethniques des régions périphériques du Québec », *Cahier québécois de démographie*. 19, 1, printemps.

DUPUIS, R., 1991, *La question indienne au Canada*, Montréal, Boréal.

DYCK, N., 1991, *What is the Indian Problem*, St. John, ISER.

ELBAZ, M. et D. HELLY, 1995, « Modernité et postmodernité des identités nationales », *Anthropologie et Sociétés*, 19, 3 : 15-35.

FAINZANG, S., 1989, *Pour une anthropologie de la maladie en France. Un regard africaniste*, Paris, Éditions de l'École des hautes études en sciences sociales.

FANON, F., 1995, *Peau noire. masques blancs*, Paris, Seuil.

FANON, F., 1991, *Les damnés de la terre*, Paris, Gallimard.

FECTEAU, K. et B. ROY (dir.), 1999, *Étude de besoins. Centre de santé d'Unamen Shipu*, Direction des services de santé innus d'Unamen Shipu, Québec, Groupe Recherche Focus.

FERREIRA, M., 2000, *The Mindful Body. Emotional Liberty at the Forefront of the Diabetes Battle Ground*, Research Proposal submitted to the Eastern Band of Cherokee Indians, Dept. of Anthropology, University of Tennessee.

FISHER, A., 1987, « Alcoholism and Race : the Misapplication of Both Concepts to North American Indians », *Revue canadienne de sociologie et d'anthropologie*, 24, 1 : 81-98.

FISHCHLER, C., 1993, *L'homnivore*, Paris, Odile Jacob.

FOSTER, G., 1982, « Community Development and Primary Health Care : Their Conceptual Similarities », *Medical Anthropology*, 6, 3 : 183-195.

FOUCAULT, M., 1975, *Surveiller et punir*, Paris, Gallimard.

FOUCAULT, M., 1979, « La politique de la santé au XVIIIe siècle », dans P. Mardaga (dir.), *Les machines à guérir, aux origines de l'hôpital moderne*, Bruxelles, Architecture et Archives, 7-18.

FOUCAULT, M., 1993, *Naissance de la clinique*, Paris, Quadrige/Presses universitaires de France.

FRENETTE, J., 1993, *« Une honorable compagnie, de petits trafiquants et des vauriens » : les relations commerciales entre la Compagnie de la Baie d'Hudson et les Montagnais de Betsiamites (1821-1870)*, thèse de doctorat, Département d'anthropologie, Université Laval.

FRENETTE, P., 1996, *Histoire de la Côte-Nord*, Québec, Les Presses de l'Université Laval.

FRENETTE, P., 1996, « Le développement industriel », dans P. Frenette (dir.), *Histoire de la Côte-Nord*, Québec, Les Presses de l'Université Laval, 359-388.

FRIDERES, J.S., 1993, *Native People in Canada : Contempory Conflicts*, Scarborough, Prentice-Hall.

GARDNER, L.S. *et al.*, 1984, « Prevalence of Diabetes in Mexican-Americans : Relationship to Percent of Gene Pool Derived from Native Americans », *Diabetes*, 33, 1 : 86-92.

GARINE, I. de, 1995, « Sociocultural Aspects of the Male Fattening Sessions Among the Massa of Northern Cameroon », dans I. de Garine et N.J. Pollock (dir.), *Social Aspects of Obesity*, Wellington, Gordon and Breach Publishers, 45-70.

GARINE, I. de et N.J. POLLOCK, 1995, *Social Aspects of Obesity*, Wellington, Gordon and Breach Publishers.

GARNEAU, J.P., 1997, « La population montagnaise. Données disponibles et évolution récente », *Recherches amérindiennes au Québec*, XXVII, 1 : 7-18.

GIARD, l., 1994, « Faire la cuisine », dans M. de Certeau, L. Giard et P. Mayol (dir.), *L'invention du quotidien 2. Habiter, cuisiner*, Paris, Gallimard, 213-352.

GOHDES, D., 1995, « Diabetes in North American Indians and Alaska Natives », dans M.I. Harris (dir.), *Diabetes in America*, Washington (D.C.), US Department of Health and Human Services, Public Health Service, National Institutes of Health, 683-670.

GOUVERNEMENT DU CANADA, 1858, « Rapport des Commissaires spéciaux pour s'enquérir des Affaires des Sauvages en Canada », *Journaux de l'Assemblée législative du Canada*, Appendice n° 21, 21.

GOUVERNEMENT DU CANADA, 1988, *Niveau de poids associés à la santé. Lignes directrices canadiennes*, Ottawa, Direction de la promotion de la santé, Ministère de la santé nationale et du bien-être social.

GOUVERNEMENT DU CANADA, 1991, *Le diabète et les Premières Nations*, information tirée de l'Enquête auprès des peuples autochtones de Statistique Canada.

GOUVERNEMENT DU CANADA, 1996a, *Tendances relatives à la mortalité dans les collectivités indiennes, 1979-1993*, document de travail, Ottawa, ministère des Approvisionnements et Services.

GOUVERNEMENT DU CANADA, 1996b, *Rapport de la Commission royale sur les peuples autochtones : un passé, un avenir, vol. 1*, Commission royale sur les peuples autochtones, Ottawa, ministère des Approvisionnements et Services du Canada.

GOUVERNEMENT DU CANADA, 1996c, *Rapport de la Commission royale sur les peuples autochtones : vers un ressourcement, vol. 3*, Commission royale sur les peuples autochtones, Ottawa, ministère des Approvisionnements et Services du Canada.

GOUVERNEMENT DU CANADA, 1996d, *Rapport de la Commission royale sur les peuples autochtones : perspectives et réalités, vol. 4*, Commission royale sur les peuples autochtones, Ottawa, ministère des Approvisionnements et Services du Canada.

GOUVERNEMENT DU CANADA, 1999, *Le diabète au Canada. Statistiques nationales et possibilités d'accroître la surveillance, la prévention et la lutte*, Ottawa, ministère des Travaux publics et Services gouvernementaux.

GREEN, J.A., 1995, « Vers une détente de l'histoire. L'héritage colonial du Canada remis en question », *Recherches amérindiennes au Québec*, XXV, 4 : 31-44.

GUTRIE, D.W. et R.A. GUTRIE, 1983, « The Disease Process of Diabetes Mellitus : Definition, Characteristics, Trends, and Developments », *The Nursing Clinics of North America*, 18, 4 : 617-630.

HARRIS, S.B. *et al.*, 1997, « The Prevalence of NIDDM and Associated Risk Factors in Native Canadians », *Diabetes Care*, 20, 2 : 185-187.

HECHTER, M., 1975, *Internal Colonialism. The Celtic Fringe in British National Development, 1536-1966*, London, Routledge & Kegan Paul.

HIMSWORTG, H.P., 1935, « Diet and the incidence of diabetes melitus », *Clinical Science*, 2 : 117-148.

HONG, S.-M., 1999, *Habitus, corps, domination. Sur certains présupposés philosophiques de la sociologie de Pierre Bourdieu*, Paris, L'Harmattan.

HUARD, V.A., 1897, *Labrador et Anticosti*, Montréal, C.-O. Beauchemin & Fils, Libraires-Imprimeurs.

JACQUARD, A., 1978, *Éloge de la différence. La génétique et les hommes*, Paris, Seuil.

JOE, J.R. et R.S. YOUNG, 1992, « Introduction », dans J.R. Joe et R.S. Young (dir.), *Diabetes as a Disease of Civilization. The Impact of Culture Change on Indigenous Peoples*, Berlin et New York, Mouton de Gruyter, 1-18.

JOHNSTON, F.E. et S.M. LOWE, 1984, « Biomedical Anthropology : An Emerging Synthesis in Anthropology », *Years in Physical Anthropology*, 27 : 215-227.

JOSEPH, D.H. et B. PATTERSON, 1994, « Risk Taking and its Influence on Metabolic Control : A Study of Adult Clients with Diabetes », *Journal of Advanced Nursing*, 19, 1 : 77-84.

KEWAYOSH, A., 1993, « The Changing Picture – Diabetes in First Nations in Canada », dans *Report on the Second International Conference on Diabetes and Native Peoples. Sociocultural Approaches in Diabetes Care for Native Peoples*, Honolulu, First Nations Health Commission Assembly of First Nation, s.p.

KLINENBERG, E., 2000, « Autopsie d'un été brûlant à Chicago », *Le Monde diplomatique*, septembre-octobre, 26-30.

KUPIEC, J.J., 2000, *Ni Dieu ni gène*, Paris, Seuil.

LABORATOIRE DE LUTTE CONTRE LA MALADIE (LLCM), 1998, *Enquête nationale sur la santé de la population*, Direction générale de la protection de la santé, Canada.

LABRECQUE, M.F., 1984, « Développement du capitalisme dans la région de Weymontachie (Haute-Mauricie), Incidence sur la condition des femmes atikamèques », *Recherches amérindiennes au Québec*, XIV, 3 : 75-87.

LACASSE, F., 1982, « La conception de la santé chez les Amérindiens montagnais », *Recherches amérindiennes au Québec*, XII, 1 : 25-28.

LAPLANTE, J., 1985, *Introduction critique à la criminologie*, Montréal, Boréal.

LAPLANTINE, F., 1992, *L'anthropologie de la maladie*, Paris, Payot.

LAPLANTINE, F. et A. NOUSS, 1997, *Le métissage*, Paris, Flamarion.

LAROCQUE, R., 1988, « Le rôle de la contagion dans la conquête des Amériques. Importance exagérée attribuée aux agents infectieux », *Recherches amérindiennes au Québec*, XII, 1 : 5-16.

LAVALLÉE, C., E. ROBINSON et M. VERRONNEAU, 1994, *Développement et évaluation d'une intervention éducative destinée aux patients cris diabétiques, 1989-1992*, Rapport de recherche, Module du Nord québécois, Unité de santé publique, Hôpital général de Montréal.

LELAND, J., 1976, *Firewater Myths : North American Indians Drinking and Alcohol Addiction*, New-Brunswick (N.J.), Rutgers Center of Alcohol Studies.

MASSÉ, R., 1995, *Culture et santé publique*, Montréal, Gaëtan Morin.

MAYOL, P., 1994, « Habiter », dans M. de Certeau, L. Giard et P. Mayol (dir.), *L'invention du quotidien 2. Habiter, cuisiner*, Paris, Gallimard, 13-188.

McELROY, A., 1990, « Biocultural Models in Studies of Human Health and Adaptation », *Medical Anthropology*, 4 : 243-265.

McELROY, A. et P.K. TOWNSEND, 1989, *Medical Anthropology in Ecological Perspective*, San Francisco, Westview Press.

MEIJL, T. van, 1993, « A Maori Perspective on Health and its Politicization », *Medical Anthropology*, 15 : 283-297.

MEMMI, A., 1985, *Portrait du colonisé*, Paris, Gallimard.

MILLS, C.W., 1997, *Racial Contract*, New York, Cornell University Press, Sage House.

MURRAY, J.L. et L.C. CHEN, 1994, « Dynamics and Patterns of Mortality Change », dans L.C. Chen, A. Kleinman et N.C. Ware (dir.), *Health and Social Change in International Perspective*, Boston, Department of Population and International Health, 3-23.

O'DEA, K., 1991, « Westernization, Insulin Resistance, and Diabetes in Australian Aborigines », *Medicine Journal Australia*, 155 : 258-264.

ORGANISATION MONDIALE DE LA SANTÉ (OMS), 1998, *Rapport sur la santé dans le monde 1998*, Genève, Organisation mondiale de la santé.

O'NEIL, J.D., 1986, « The Politics of Health in the Fourth World : A Northern Canadian Example », *Human Organization*, 45 : 119-128.

O'NEIL, J.D., J.M. KAUFERT, P. LEYLAND KAUFERT et W.W. KOOLAGE, 1993, « Political Considerations in Health-Related Participatory Research in Northern Canada », dans N. Dyck et J.B. Waldram (dir.), *Anthropology, Public Policy and Native Peoples in Canada*, Montréal et Kingston, McGill-Queen's University Press, 215-232.

PAQUET, G., 1990, *Santé et inégalités sociales : un problème de distance culturelle*, document de recherche n° 21, Québec, Institut québécois de recherche sur la culture.

PATTERSON, E.P., 1972, *The Canadian Indian : A History Since 1500*, Toronto, Collier-MacMillan Canada.

PERRON, N., 1996, « Le peuplement agro-forestier », dans P. Frenette (dir.), *Histoire de la Côte-Nord*, Québec, Institut québécois de recherche sur la culture, 281-320.

PINEAULT, R. et C. DAVELUY, 1995, *La planification de la santé : concepts, méthodes, stratégies*, Montréal, Éditions nouvelles.

PONTING, R., 1989, « Relations between Bands and the Department of Indian Affair : A Case of Internal Colonialisme ?, dans R. Ponting (dir.), *Arduous Journey : Canadian Indian and Decolonization*, Toronto, McClelland and Stewart, 84-111.

POULIN, J.P., 1995, « Goût du terroir et tourisme vert de l'Europe », *Ethnologie française*, XXVII, 1 : 18-26.

PRINZ, A., 1995, « Obesity and Fatness as Seen by the Azande in Central Africa », dans I. Garine et N.J. Pollock (dir.), *Social Aspects of Obesity*, Wellington, Gordon and Breach Publishers, 267-280.

PROPP, V., 1970, *Morphologie du conte*, Paris, Seuil.

REID, J. et P. TROMPF (dir.), 1994, *The Health of Aboriginal Australia*, Marrickville (Australie), Harcourt Brace.

RIVARD, P., 1992, « Corps, sexe et pouvoir : pour une problématique foucaldienne de l'épidémie du sida », *Sociologie et sociétés*, 24, 1 : 123-155.

RUSSEL, F., 1908, « The Pima Indians », *Annual Report of the Bureau of American Ethnology*, 26 : 77-78.

SAGGER, S. et D. GRAY, 1991, *Aboriginal Health and Society. The Traditional and Contemporary Aboriginal Struggle for Better Health*, St. Leonards (Australie), Allen & Unwin.

SARTRE, J.-P., 1960, *Question de méthode*, Paris, Gallimard.

SAVARD, R. et J.R. PROULX, 1982, *Canada : derrière l'épopée, les Autochtones*, Montréal, L'Hexagone.

SCHEPER-HUGHES, N., 1990, « Three Propositions for a Critically Applied Medical Anthropology », *Social Science and Medicine*, 30, 2 : 189-197.

SCHEPER-HUGHES, N. et M. LOCK, 1987, « The Mindfull Body : A Prolegomenon to Future Work in Medical Anthropology », *Medical Anthropology Quaterly*, 1 et 6.

SCHULTE-TENCKHOFF, I., 1985, *La vue portée au loin. Une histoire de la pensée anthropologique*, Lausanne, Éditions d'En Bas.

SCHULTE-TENCKHOFF, I., 1997, *La question des peuples autochtones*, Paris, Bruyland.

SCHULTE-TENCKHOFF, I., 1998, « Peuples autochtones dans le monde », *Recherches amérindiennes au Québec*, XXVIII, 1 : 2-5.

SZATHMARY, E., 1987, « Genetic and Environment Risk Factors », dans T.K. Young (dir.), *Diabetes in the Canadian Native Population : Biocultural Perspectives*, Toronto, Canadian Diabetes Association, 29-55.

SZATHMARY, E. et R. FERRELL, 1987, « Glucose Level, Acculturation, and Glycosylated Hemoglobin : An Example of Biocultural Interaction », *Medical Anthropology Quaterly*, 4, 3 : 315-341.

THIESSE, A.M., 1999, *La création des identités nationales. Europe XVIIIe-XXe siècle*, Paris, Seuil.

THOMAS, B. et D. ÉTIENNE, 1997, *Diabetes Program Update*, Secrétariat de la santé, Promotion de la Santé, s.l., Gouvernement du Canada.

THOUEZ, J.P. *et al.*, 1990, « Obesity, Hypertension, Hyperuricemia and Diabetes Mellitus among the Cree and Inuit of Northern Québec », *Arctic Medical Research*, 49 : 180-188.

TRIGGER, B., 1992, *Les Indiens, la fourrure et les Blancs*, Montréal, Boréal/Seuil.

WALDRAM, D. *et al.*, 1995, *Aboriginal Health in Canada. Historical, Cultural, and Epidemiological Perspectives*, Toronto, University of Toronto Press.

WEST, K.M., 1978, *Epidemiology of Diabetes and its Vascular Lesions*, New York, Elsevier Biomedical Press.

WIEDMAN, D.W., 1987, « Type II Diabetes Mellitus, Technological Development and the Ohlahoma Cherokee », dans H.A. Baer (dir.), *Encounters with Biomedicine. Case Studies in Medical Anthropology*, New York, Gordon and Breach Science Publishers, 43-71.

WILK, R.R., 1999, « " Real Belizean Food " : Building Local Identity in the Transnational Caribbean », *American Anthropologist*, 101, 2 : 244-255.

YOUNG, T.K., 1988, *Health Care and Cultural Change : The Indian Experience in the Central Subarctic*, Toronto, University of Toronto Press.

YOUNG, T.K., E. SZATHMARY, S. EVERS et B. WHEATLEY, 1990, « Geographical Distribution of Diabetes Among the Native Population of Canada : A National Survey », *Social Science and Medicine*, 31, 2 : 129-139.

ZIMMET, P. *et al.*, 1990, « The Epidemiology and Natural History of NIDDM. Lessons from the South Pacific », *Diabetes/Metabolism Review*, 6, 2 : 91-124.

J'ha-ï les anthropologues

« Oh ! Non. Pas encore un anthropologue qui cherche à nous comprendre ou à nous trouver des problèmes... On est capable de les trouver nous-mêmes. Et la compréhension ou la recherche de notre identité est un voyage que l'on peut faire seul. J'ha-ï les anthropologues ».

C'est avec cette pensée dans la tête que j'ai reçu la demande de collaboration que m'a adressée Bernard Roy voilà de cela quelques années.

Mais replaçons-nous dans le contexte. J'ai connu Bernard Roy à la fin des années 1980, alors qu'il travaillait comme infirmier dans les postes de soins en région éloignée et plus particulièrement chez les Innus de la Côte-Nord. À quelques reprises, j'ai fait, à cette époque, appel à ses services et les conversations que nous avons pu avoir m'ont permis d'apprécier ses qualités de cœur et ses compétences professionnelles.

Quelques années plus tard, lorsqu'il s'est présenté à moi pour obtenir ma collaboration et celle du Centre de santé de Pessamit pour sa recherche doctorale en anthropologie sur le diabète, c'est l'infirmier que j'ai d'abord vu. Et c'est à l'infirmier que j'ai accordé ma confiance. Je crois que je n'ai pas voulu voir l'anthropologue !

Au fil du temps je me suis pourtant rendu compte que, oui, c'était bien à un anthropologue que j'avais affaire. Et je n'ai pas aimé cette idée : ces chercheurs qui veulent nous comprendre, qu'ils aillent chercher ailleurs. Ils gagnent leur vie en profitant de notre situation qu'ils ne parviennent qu'à rendre encore un peu plus compliquée ! Ils nous prennent pour des « objets culturels » qu'ils croient pouvoir sortir d'une boîte. Ils nous examinent et nous remettent dans la boîte. Ils la referment et finalement ils écrivent leurs grands livres et donnent des cours. Bref, pour tout dire, j'ai eu des réticences.

Ces réticences avec les anthropologues, je les ai encore mais elles sont un peu moindres. Mais je crois que ce qui a permis que Bernard Roy et moi arrivions à construire une collaboration fructueuse, c'est sa capacité d'écoute et son respect. C'est aussi son désir de partager ses recherches et ses conclusions avec nous afin que tout le monde y gagne.

Il s'est établi entre nous une sorte de troc, je dirais. Pour notre part, nous lui fournissions le support dont il avait besoin pour effectuer sa recherche : nous lui permettions d'explorer notre communauté et nous l'aidions à rencontrer des gens avec qui il désirait parler. Nous lui avons permis de fouiller dans certaines de nos archives et dans les dossiers des patients diabétiques.

En échange, il n'allait pas terminer le travail chez lui dans son bureau, tout seul avec son écran d'ordinateur, pour produire un beau document bien épais qu'il montrerait à ses collègues, réduisant Pessamites à quelques dizaines de chiffres, cinq-six tableaux et quelques diagrammes pour illustrer l'ensemble de nos problèmes.

Avec nos discussions, nos débats parfois animés mais toujours empreints d'honnêteté, de franchise, tous les deux nous avons fait progresser notre démarche. Lui dans sa recherche, nous, au centre de santé, dans notre recherche d'éléments de réflexion pour la pratique d'une santé communautaire meilleure et pour voir la santé des femmes et des hommes de Pessamit s'améliorer.

Ce que j'ai retrouvé chez Bernard Roy, c'est cette préoccupation qui est la nôtre aussi : une certaine vision de la santé. Une vision qui veut que la préoccupation première des intervenants que nous sommes soit la santé et non la maladie. Bien sûr la maladie est un mal à combattre. Et les populations autochtones ont droit aux même services et aux même alternatives que les populations québécoise et canadienne en général. Mais là ne peut s'arrêter notre réflexion si nous voulons que les peuples des Premières Nations atteignent un degré de bien-être comparable. Et ce n'est qu'en se penchant sur la question de la santé, et non de la maladie, que nous parviendrons à cela. Et la santé relève avant tout du contexte social dans lequel des individus naissent et grandissent.

Bernard Roy partage avec nous cette vision. Son travail et sa réflexion amènent un point de vue précieux et trop peu répandu dans un milieu trop habitué à se limiter à une pensée de lutte contre une série de maux dévastateurs dont le diabète n'est pas le moindre. Bernard Roy a su regarder au-delà du biologique. La santé n'est pas uniquement absence de maladies. La santé, c'est être bien dans sa peau, être bien dans sa famille, avoir des perspectives pour son futur, se sentir utile, avoir la confiance des siens et se faire confiance. Et tant d'autres attitudes qui font que tout notre être, notre esprit comme notre corps, existent dans un environnement correct.

Tout au long de la réalisation de sa recherche, Bernard Roy a partagé avec nous ses travaux, ses questionnements, ses trouvailles et nous avons fait de même. Je crois sincèrement que la publication de cette recherche contribuera à l'avancement de la lutte contre le diabète chez les peuples des Premières Nations. Mais aussi, je crois que ce travail apportera un éclairage nouveau à l'augmentation rapide des taux de prévalence du diabète dans les populations québécoise et canadienne. Les Innus de Pessamit pourront ainsi considérer qu'en supportant et contribuant à cette recherche, ils ont, de manière significative, contribué à l'amélioration de la santé de la population canadienne en générale.

En voyant travailler Bernard Roy, j'ai compris qu'on ne peut pas mettre tous les anthropologues dans la même « boîte » !

Anne St-Onge
Directrice des services de santé innus de Pessamit